应用型本科高校"十四五"规划公共课教材

大学计算机基础

主　编　唐会伏　沈振武　汪志勇
副主编　田凤霞　黄志成

华中科技大学出版社
http://www.hustp.com
中国·武汉

内 容 提 要

本书是学习计算机基础知识、掌握计算机应用与操作技能的基础教材。全书共分为10章,内容包括计算机与信息技术基础、操作系统、文字处理软件 Word 2016、电子表格软件 Excel 2016、演示文稿制作软件 PowerPoint 2016、计算机网络、常用工具软件、计算思维、数据库系统概论、计算机前沿技术等。

本书层次清晰,通俗易懂,内容丰富,知识覆盖面广,理论与实践紧密结合,注重应用,适合作为高等院校计算机应用基础教材。

图书在版编目(CIP)数据

大学计算机基础/唐会伏,沈振武,汪志勇主编.—武汉:华中科技大学出版社,2021.6(2024.8重印)
ISBN 978-7-5680-7305-9

Ⅰ.①大… Ⅱ.①唐… ②沈… ③汪… Ⅲ.①电子计算机-高等学校-教材 Ⅳ.①TP3

中国版本图书馆 CIP 数据核字(2021)第 122164 号

大学计算机基础
Daxue Jisuanji Jichu

唐会伏 沈振武 汪志勇 主编

策划编辑:袁 冲
责任编辑:刘姝甜
封面设计:孢 子
责任监印:朱 玢
出版发行:华中科技大学出版社(中国·武汉)　　电话:(027)81321913
　　　　　武汉市东湖新技术开发区华工科技园　　邮编:430223
录　　排:武汉创易图文工作室
印　　刷:武汉市籍缘印刷厂
开　　本:787 mm×1092 mm　1/16
印　　张:18.5
字　　数:466 千字
版　　次:2024 年 8 月第 1 版第 4 次印刷
定　　价:58.00 元

本书若有印装质量问题,请向出版社营销中心调换
全国免费服务热线:400-6679-118　　竭诚为您服务
版权所有　侵权必究

前言

计算机科学的飞速发展，对大学非计算机专业学生的计算机应用能力提出了更高的要求和标准，这些学生不仅应该掌握计算机的操作技能，而且还要具备计算思维能力。本书以知识性、先进性、实用性为原则，以培养学生的综合素质和创新能力为目标，并根据教育部高等学校计算机科学与技术教学指导委员会非计算机专业计算机基础课程教学指导分委员会提出的最新教学要求和大纲的精神，结合当前的实际情况而编写。

全书分为 10 章。其中，第 1 章介绍了计算机的基础知识，包括计算机的基本功能和基本工作原理。第 2 章介绍了操作系统的基本概念以及 Windows 10 操作系统。第 3 章介绍 Word 2016 的基本知识和基本操作方法。第 4 章介绍了 Excel 2016 的基本知识和基本操作方法。第 5 章介绍了 PowerPoint 2016 的使用方法。第 6 章介绍了计算机网络和网络安全的相关知识。第 7 章介绍了几款常用工具软件的安装和使用方法。第 8 章介绍了计算思维的基本概念以及使用计算思维求解问题的步骤和方法。第 9 章主要介绍了数据库系统的基本概念、相关知识以及数据库设计的方法与步骤。第 10 章介绍了人工智能、自组织网络技术与虚拟现实技术。

为了理论联系实际，配合本书，编者还编写了《大学计算机基础实训教程》，相应章节安排了适当的上机实践内容，既可以加深对理论内容的理解和掌握，又可以提高学生的动手能力和操作技能。

本书的特点是内容充实、新颖，理论与实践紧密结合，注重应用，突出计算思维的培养，能够反映计算机科学与技术领域的最新科技成果。每一章都精心组织、认真编写。

本书既适合作为各类高等院校非计算机专业的计算机基础课程教材，也可作为计算机初学者的参考用书。

由于编者水平有限，书中难免存在疏漏之处，恳请读者批评指正！

编者
2021 年 6 月

目 录

第1章 计算机与信息技术基础 ……………………………………………………… (1)
  1.1 计算机概述 ……………………………………………………………………… (1)
    1.1.1 计算机的发展简史 ………………………………………………………… (1)
    1.1.2 计算机的特点 ……………………………………………………………… (4)
    1.1.3 计算机的类型 ……………………………………………………………… (5)
    1.1.4 计算机的主要性能指标 …………………………………………………… (5)
    1.1.5 计算机的应用领域 ………………………………………………………… (6)
  1.2 计算机系统的基本构成 ………………………………………………………… (6)
    1.2.1 冯·诺依曼计算机简介 …………………………………………………… (6)
    1.2.2 现代计算机系统的构成 …………………………………………………… (9)
    1.2.3 计算机软件系统 …………………………………………………………… (9)
    1.2.4 计算机硬件系统 …………………………………………………………… (12)
    1.2.5 计算机系统工作原理 ……………………………………………………… (19)
  1.3 数制及不同进制数之间的转换 ………………………………………………… (20)
    1.3.1 进位计数制 ………………………………………………………………… (20)
    1.3.2 不同进制数之间的转换 …………………………………………………… (21)
    1.3.3 二进制数的算术运算 ……………………………………………………… (23)
  1.4 计算机信息处理 ………………………………………………………………… (24)
    1.4.1 数值信息的表示 …………………………………………………………… (24)
    1.4.2 非数值信息的编码 ………………………………………………………… (26)
  1.5 多媒体技术 ……………………………………………………………………… (28)
    1.5.1 多媒体技术的基本概念 …………………………………………………… (28)
    1.5.2 多媒体计算机系统 ………………………………………………………… (33)
  1.6 计算机病毒及信息安全 ………………………………………………………… (34)
    1.6.1 计算机病毒及其防治 ……………………………………………………… (34)
    1.6.2 信息安全 …………………………………………………………………… (36)
    1.6.3 网络道德 …………………………………………………………………… (38)

第2章 操作系统 ………………………………………………………………………… (39)
  2.1 操作系统概述 …………………………………………………………………… (39)
    2.1.1 相关基础知识 ……………………………………………………………… (39)
    2.1.2 计算机系统结构 …………………………………………………………… (40)
    2.1.3 操作系统的功能 …………………………………………………………… (42)
    2.1.4 操作系统的形成过程 ……………………………………………………… (44)

  2.1.5 现代操作系统的分类 ·· (46)
  2.1.6 操作系统的主要特征 ·· (48)
 2.2 Windows 10 操作系统知识基础 ·· (49)
  2.2.1 Windows 的历史和基本概念 ·· (49)
  2.2.2 Windows 10 桌面的组成 ·· (52)
  2.2.3 Windows 10 的文件组织 ·· (57)
  2.2.4 Windows 10 窗口的组成 ·· (59)
  2.2.5 Windows 10 的菜单 ·· (60)
  2.2.6 Windows 10 的剪贴板 ·· (61)
  2.2.7 Windows 10 的"任务视图"按钮和虚拟桌面 ····························· (62)
 2.3 Windows 10 的基本操作 ··· (64)
  2.3.1 Windows 10 的启动和退出 ·· (64)
  2.3.2 Windows 10 的中文输入法 ·· (65)
  2.3.3 Windows 10 中鼠标的使用 ·· (66)
  2.3.4 Windows 10 窗口的操作方法 ·· (67)
  2.3.5 Windows 10 菜单的基本操作方法 ···································· (68)
  2.3.6 Windows 10 对话框的操作 ·· (69)
  2.3.7 Windows 10 工具栏的操作和任务栏的使用 ····························· (69)
  2.3.8 Windows 10 "开始"菜单的定制 ····································· (71)
  2.3.9 Windows 10 中对象的剪切、复制与粘贴操作 ·························· (73)
  2.3.10 Windows 10 中快捷方式的建立、使用与删除 ·························· (74)
  2.3.11 Windows 10 中的命令行方式 ······································· (75)
  2.3.12 Windows 10 中的回收站 ··· (75)
  2.3.13 使用 Cortana 私人助理 ··· (76)
 2.4 Windows 10 文件资源管理器 ·· (77)
  2.4.1 Windows 10 文件资源管理器的启动和窗口组成 ························ (77)
  2.4.2 Windows 10 文件和文件夹的使用和管理 ······························ (79)
 2.5 Windows 10 系统环境的设置 ·· (82)
  2.5.1 Windows 10 控制面板的打开 ·· (82)
  2.5.2 Windows 10 中应用程序的安装与管理 ································ (83)
  2.5.3 Windows 10 中时间和日期的调整 ···································· (88)
  2.5.4 Windows 10 中显示器环境的设置 ···································· (89)
  2.5.5 Windows 10 中的打印机和输入法设置 ································ (91)
 2.6 Windows 10 自带的系统和常用工具 ·· (92)
  2.6.1 Windows 10 的常用系统工具 ·· (92)
  2.6.2 Windows 10 自带的常用工具 ·· (93)
第 3 章 Word 2016 文字处理 ··· (97)
 3.1 Word 2016 的窗口介绍 ·· (97)
  3.1.1 Word 2016 文档与窗口操作 ··· (97)
  3.1.2 Word 2016 的视图模式介绍 ·· (100)
 3.2 Word 2016 文档的基本操作 ·· (101)

  3.2.1 Word 2016 文档的创建 ··· (101)
  3.2.2 Word 2016 文档的编辑 ··· (102)
  3.2.3 Word 2016 中的查找与替换 ··· (104)
  3.2.4 Word 2016 中显示和隐藏格式标记 ····································· (105)
 3.3 Word 2016 中的文档排版 ·· (105)
  3.3.1 文字格式 ·· (105)
  3.3.2 段落格式 ·· (107)
  3.3.3 创建目录 ·· (110)
  3.3.4 边框和底纹 ··· (110)
  3.3.5 分栏设置 ·· (112)
  3.3.6 格式刷的使用 ·· (112)
 3.4 Word 2016 中的表格 ·· (112)
  3.4.1 插入表格 ·· (112)
  3.4.2 表格编辑 ·· (113)
 3.5 Word 2016 中的图文混排 ·· (116)
  3.5.1 插入图片 ·· (116)
  3.5.2 图片处理 ·· (117)
  3.5.3 插入文本框 ··· (118)
  3.5.4 插入艺术字 ··· (118)
  3.5.5 插入自选图形 ·· (119)
  3.5.6 SmartArt 图形功能 ··· (119)
  3.5.7 插入图表 ·· (119)
  3.5.8 插入符号与公式 ··· (120)
  3.5.9 插入分节符和分页符 ··· (121)
 3.6 Word 2016 中的页面设置与文档打印 ······································ (122)
  3.6.1 页面设置 ·· (122)
  3.6.2 页眉页脚 ·· (124)
  3.6.3 打印文档 ·· (124)

第 4 章 Excel 2016 电子表格 ·· (125)

 4.1 Excel 2016 简介 ·· (125)
  4.1.1 Excel 2016 的功能 ·· (125)
  4.1.2 界面介绍 ·· (125)
  4.1.3 基本概念 ·· (126)
 4.2 Excel 2016 单元格编辑 ··· (127)
  4.2.1 输入数据 ·· (127)
  4.2.2 选择单元格 ··· (128)
  4.2.3 编辑单元格数据 ··· (128)
  4.2.4 清除单元格 ··· (128)
  4.2.5 移动或复制单元格数据 ·· (129)
  4.2.6 插入单元格 ··· (130)
  4.2.7 删除单元格 ··· (131)

4.2.8 自动填充 ………………………………………………………………… (131)
4.3 Excel 2016 工作表操作 ………………………………………………………… (132)
   4.3.1 切换工作表 ………………………………………………………………… (132)
   4.3.2 工作表命名 ………………………………………………………………… (133)
   4.3.3 选中工作表 ………………………………………………………………… (133)
   4.3.4 移动、复制工作表 …………………………………………………………… (133)
   4.3.5 插入、删除工作表 …………………………………………………………… (133)
4.4 Excel 2016 中设置工作表格式 ………………………………………………… (134)
   4.4.1 单元格格式设置 …………………………………………………………… (134)
   4.4.2 调整行高和列宽 …………………………………………………………… (135)
   4.4.3 条件格式设置 ……………………………………………………………… (136)
   4.4.4 合并、分解单元格 …………………………………………………………… (137)
4.5 Excel 2016 中公式和函数的使用 ……………………………………………… (137)
   4.5.1 输入公式 …………………………………………………………………… (137)
   4.5.2 公式中的运算符 …………………………………………………………… (137)
   4.5.3 单元格引用 ………………………………………………………………… (138)
   4.5.4 使用函数 …………………………………………………………………… (141)
   4.5.5 常用函数介绍 ……………………………………………………………… (141)
4.6 Excel 2016 的数据库功能 ……………………………………………………… (144)
   4.6.1 数据排序 …………………………………………………………………… (144)
   4.6.2 筛选数据 …………………………………………………………………… (145)
   4.6.3 分类汇总 …………………………………………………………………… (149)
4.7 Excel 2016 中的图表 …………………………………………………………… (150)
   4.7.1 创建图表 …………………………………………………………………… (150)
   4.7.2 改变图表类型 ……………………………………………………………… (151)
   4.7.3 更改数据源 ………………………………………………………………… (151)
   4.7.4 在图表中添加标题 …………………………………………………………… (152)
4.8 Excel 2016 中的数据透视表和数据透视图 …………………………………… (153)
   4.8.1 创建与删除数据透视表 …………………………………………………… (153)
   4.8.2 创建与删除数据透视图 …………………………………………………… (154)

第 5 章 PowerPoint 2016 演示文稿 ……………………………………………… (156)

5.1 PowerPoint 2016 概述 ………………………………………………………… (156)
   5.1.1 PowerPoint 2016 简介 …………………………………………………… (156)
   5.1.2 PowerPoint 2016 制作流程 ……………………………………………… (156)
   5.1.3 PowerPoint 2016 的启动与退出 ………………………………………… (157)
   5.1.4 PowerPoint 2016 的窗口布局 …………………………………………… (157)
   5.1.5 PowerPoint 2016 的主要视图类型 ……………………………………… (158)
5.2 PowerPoint 2016 中演示文稿的基本操作 …………………………………… (160)
   5.2.1 演示文稿的创建、打开和保存 …………………………………………… (160)
   5.2.2 PowerPoint 2016 的基本操作 …………………………………………… (162)
5.3 PowerPoint 2016 中美化演示文稿内容 ……………………………………… (163)

5.3.1　文本设置和段落格式 ……………………………………………………（163）
　　5.3.2　插入对象 …………………………………………………………………（165）
5.4　PowerPoint 2016 中演示文稿外观设置 …………………………………………（174）
　　5.4.1　设置幻灯片背景 …………………………………………………………（174）
　　5.4.2　主题应用 …………………………………………………………………（175）
　　5.4.3　母版的应用 ………………………………………………………………（177）
　　5.4.4　版式设计 …………………………………………………………………（178）
　　5.4.5　页眉和页脚 ………………………………………………………………（179）
5.5　PowerPoint 2016 中幻灯片的动画效果 …………………………………………（180）
　　5.5.1　幻灯片切换 ………………………………………………………………（180）
　　5.5.2　幻灯片动画设置 …………………………………………………………（181）
5.6　PowerPoint 2016 中幻灯片的放映 ………………………………………………（183）
　　5.6.1　幻灯片放映方式 …………………………………………………………（183）
　　5.6.2　幻灯片放映设置 …………………………………………………………（183）
5.7　PowerPoint 2016 演示文稿的输出 ………………………………………………（185）
　　5.7.1　页面设置 …………………………………………………………………（185）
　　5.7.2　打印演示文稿 ……………………………………………………………（185）
　　5.7.3　演示文稿的打包 …………………………………………………………（186）

第 6 章　计算机网络 …………………………………………………………………（188）

6.1　计算机网络概述 ……………………………………………………………………（188）
　　6.1.1　什么是计算机网络 ………………………………………………………（188）
　　6.1.2　计算机网络的功能 ………………………………………………………（189）
　　6.1.3　计算机网络的形成及发展 ………………………………………………（190）
　　6.1.4　计算机网络的分类 ………………………………………………………（191）
　　6.1.5　计算机网络体系结构 ……………………………………………………（193）
6.2　数据通信基础 ………………………………………………………………………（195）
　　6.2.1　基本概念 …………………………………………………………………（195）
　　6.2.2　通信传输介质 ……………………………………………………………（196）
6.3　Internet 的基础知识 ………………………………………………………………（198）
　　6.3.1　IP 地址与域名 ……………………………………………………………（198）
　　6.3.2　Internet 的基本服务 ……………………………………………………（201）
6.4　网络安全 ……………………………………………………………………………（202）
　　6.4.1　网络安全的基本概念和特征 ……………………………………………（202）
　　6.4.2　网络的脆弱性 ……………………………………………………………（203）
　　6.4.3　网络安全措施 ……………………………………………………………（204）

第 7 章　常用工具软件的安装和使用 ………………………………………………（205）

7.1　360 安全卫士 ………………………………………………………………………（205）
　　7.1.1　简介 …………………………………………………………………………（205）
　　7.1.2　软件的安装、卸载及使用 …………………………………………………（205）
7.2　U 盘启动盘制作工具 ………………………………………………………………（209）
　　7.2.1　简介 …………………………………………………………………………（209）

  7.2.2 软件的安装、卸载及使用 …………………………………………… (209)
 7.3 实用压缩软件 WinRAR …………………………………………………… (211)
  7.3.1 简介 ……………………………………………………………………… (211)
  7.3.2 软件的安装及使用 ……………………………………………………… (211)
 7.4 网盘 …………………………………………………………………………… (213)
  7.4.1 简介 ……………………………………………………………………… (213)
  7.4.2 百度网盘的安装、卸载及使用 ………………………………………… (214)
 7.5 EasyRecovery 数据恢复工具 …………………………………………………… (215)
  7.5.1 简介 ……………………………………………………………………… (215)
  7.5.2 软件的安装、卸载及使用 ……………………………………………… (215)

第 8 章 计算思维 ……………………………………………………………………… (218)
 8.1 计算思维概述 ………………………………………………………………… (218)
  8.1.1 计算思维的定义 ………………………………………………………… (218)
  8.1.2 计算思维的特征 ………………………………………………………… (219)
 8.2 问题求解与计算思维方法 …………………………………………………… (219)
  8.2.1 问题求解过程 …………………………………………………………… (219)
  8.2.2 程序的三种基本控制结构 ……………………………………………… (220)
  8.2.3 算法的描述方法 ………………………………………………………… (221)
  8.2.4 算法设计的原则 ………………………………………………………… (223)
  8.2.5 问题求解中的计算思维举例 …………………………………………… (224)
 8.3 计算思维对其他学科的影响 ………………………………………………… (224)

第 9 章 数据库系统 …………………………………………………………………… (228)
 9.1 数据库的相关概念 …………………………………………………………… (228)
  9.1.1 数据库应用实例——学生信息数据库 ……………………………… (228)
  9.1.2 数据与数据处理 ………………………………………………………… (229)
  9.1.3 数据库技术的发展历程 ………………………………………………… (231)
  9.1.4 数据库系统概述 ………………………………………………………… (232)
  9.1.5 数据库管理系统 ………………………………………………………… (235)
  9.1.6 数据库应用系统 ………………………………………………………… (236)
 9.2 数据库系统的体系结构 ……………………………………………………… (236)
 9.3 数据模型 ……………………………………………………………………… (238)
  9.3.1 概念模型 ………………………………………………………………… (238)
  9.3.2 逻辑数据模型 …………………………………………………………… (241)
 9.4 关系数据库 …………………………………………………………………… (243)
  9.4.1 关系模型中的基本术语 ………………………………………………… (243)
  9.4.2 关系数据库中表之间的关系 …………………………………………… (245)
  9.4.3 关系模型的完整性约束 ………………………………………………… (245)
 9.5 关系代数 ……………………………………………………………………… (247)
  9.5.1 传统的集合运算 ………………………………………………………… (248)
  9.5.2 专门的关系运算 ………………………………………………………… (250)
 9.6 规范化理论 …………………………………………………………………… (253)

9.6.1　非规范化的关系 …………………………………………………… (253)
　　9.6.2　第一范式 …………………………………………………………… (253)
　　9.6.3　第二范式 …………………………………………………………… (254)
　　9.6.4　第三范式 …………………………………………………………… (254)
　　9.6.5　其他范式 …………………………………………………………… (255)
9.7　数据库语言 ………………………………………………………………… (256)
　　9.7.1　数据定义语言 ……………………………………………………… (256)
　　9.7.2　数据操纵语言 ……………………………………………………… (256)
9.8　数据库设计 ………………………………………………………………… (256)
　　9.8.1　数据库设计的目标 ………………………………………………… (257)
　　9.8.2　数据库设计的特点 ………………………………………………… (257)
　　9.8.3　数据库设计的方法 ………………………………………………… (257)
　　9.8.4　数据库设计的步骤 ………………………………………………… (258)
9.9　关系 DBMS 产品介绍 …………………………………………………… (261)
　　9.9.1　SQL Server ………………………………………………………… (261)
　　9.9.2　Oracle ……………………………………………………………… (262)
　　9.9.3　Access ……………………………………………………………… (263)

第 10 章　前沿技术 …………………………………………………………… (268)

10.1　智能感知技术（人工智能） ……………………………………………… (268)
　　10.1.1　人工智能的概念 …………………………………………………… (268)
　　10.1.2　人工智能简史 ……………………………………………………… (269)
　　10.1.3　人工智能的应用领域 ……………………………………………… (271)
　　10.1.4　人工智能的影响 …………………………………………………… (272)
　　10.1.5　人工智能的未来发展 ……………………………………………… (272)
10.2　自组织网络技术 ………………………………………………………… (274)
　　10.2.1　自组织网络的定义及技术特征 …………………………………… (274)
　　10.2.2　自组织网络技术的应用领域 ……………………………………… (275)
　　10.2.3　自组织网络技术的未来发展 ……………………………………… (276)
10.3　虚拟现实技术 …………………………………………………………… (277)
　　10.3.1　虚拟现实技术的概念 ……………………………………………… (277)
　　10.3.2　虚拟现实技术的发展简史 ………………………………………… (278)
　　10.3.3　虚拟现实技术的应用领域 ………………………………………… (279)
　　10.3.4　虚拟现实技术的未来发展 ………………………………………… (280)

参考文献 ……………………………………………………………………… (281)

第1章 计算机与信息技术基础

本章从计算机的发展和应用领域开始,由浅入深地介绍计算机系统的软、硬件组成,功能以及常用的外部设备,然后详细讲述不同进制数之间的转换、二进制数的运算及不同类型信息在计算机中的表示,最后讲述多媒体技术的发展、计算机病毒及信息安全。通过学习本章,读者可以从整体上了解计算机的基本功能和基本工作原理。

【知识要点】
- 计算机的发展
- 计算机的基本构成
- 二进制数及其他进制数之间的转换
- 信息的表示及处理
- 多媒体技术
- 计算机病毒及信息安全

 ## 1.1 计算机概述

1.1.1 计算机的发展简史

计算机家族包括机械计算机、电子计算机等。电子计算机又可分为电子模拟计算机和电子数字计算机,通常我们所说的计算机就是指电子数字计算机。电子数字计算机(electronic numerical computer)是一种能自动地、高速地、精确地进行信息处理的电子设备,是20世纪最重大的发明之一。它是现代科学技术发展的结晶,微电子、光电、通信等技术以及计算数学、控制理论的迅速发展带动了计算机的不断更新。

19世纪50年代,英国数学家乔治·布尔(George Boole,1815—1864年)提出了逻辑代数的概念,奠定了计算机的数学理论基础;1936年英国科学家艾伦·图灵(A. Turing,1912—1954年)首次发明了逻辑机的模型——"图灵机",并建立了算法理论,被誉为"计算机之父"。两位科学巨匠(见图1-1)的研究为计算机的诞生提供了重要的理论依据。

乔治·布尔　　　艾伦·图灵

图1-1　两位科学巨匠

自1946年第一台电子数字计算机诞生以来,计算机发展十分迅速,已经从最初的高科技军事应用渗透到了人类社会的各个领域,对人类社会的发展产生了极其深刻的影响。

1. 电子数字计算机的产生

1943年,美国为了解决新武器研制中的弹道计算问题,组织科技人员开始对电子数字计算机进行研究。1946年2月,电子数字积分器计算器(electronic numerical integrator and calculator,ENIAC)在美国宾夕法尼亚大学研制成功,它是世界上第一台电子数字计算机,如图1-2所示。这台计算机共使用了18 000多只电子管,1 500个继电器,耗电150 kW,占地面积约为170 m^2,重30 t,每秒能完成5 000次加法或400次乘法运算。

图1-2 ENIAC计算机

与此同时,美籍匈牙利科学家冯·诺依曼(John von Neumann)也在为美国军方研制电子离散变量自动计算机(electronic discrete variable automatic computer,EDVAC)。在EDVAC中,冯·诺依曼采用了二进制数,并创立了"存储程序"的设计思想。EDVAC被认为是现代计算机的原型。

2. 电子计算机的发展

自1946年以来,计算机已经经历了几次重大的技术革命,按所采用的电子器件可将计算机的发展划分为如下几代。

第一代计算机(1946—1959年),其主要特点是:逻辑元件采用电子管,功耗大,易损坏;主存储器采用汞延迟线或静电储存管,容量很小;外存储器使用磁鼓;输入/输出装置主要采用穿孔卡;采用机器语言编程,即用"0"和"1"来表示指令和数据;运算速度每秒仅为数千至数万次。

第二代计算机(1960—1964年),其主要特点是:逻辑元件采用晶体管,与电子管相比,其体积小、耗电少、速度快、价格低、寿命长;主存储器采用磁芯;外存储器采用磁盘、磁带,存储器容量有较大提高;软件方面产生了监控程序,提出了操作系统的概念,编程语言有了很大的发展,先用汇编语言(assemble language)代替机器语言,随后出现了高级编程语言,如FORTRAN、COBOL、ALGOL等;计算机应用开始进入实时过程控制和数据处理领域,运算速度达到每秒数百万次。

第三代计算机(1965—1969年),其主要特点是:逻辑元件采用集成电路(integrated circuit,IC),IC的体积更小、耗电更少、寿命更长;主存储器以磁芯为主,开始使用半导体存储器,存储容量大幅度提高;系统软件与应用软件迅速发展,出现了分布式操作系统和会话式语言;在程序设计中采用了结构化、模块化的设计方法,运算速度达到每秒1 000万次以上。

第四代计算机(1970年至今),其主要特点是:逻辑元件采用了超大规模集成电路(very

large scale integration,VLSI);主存储器采用半导体存储器,容量已达第三代计算机的辅存水平,作为外存的软盘和硬盘的容量成百倍增加,并开始使用光盘;输入设备出现了光字符阅读器、触摸输入设备和语音输入设备等,使操作更加简洁、灵活,输出设备逐步以激光打印机为主,使得字符和图形输出更加逼真、高效。

未来计算机的研究目标是使其具有智能特性,能在一定程度上模拟人和动物的学习功能,具有人机自然通信能力,可以利用已有的和不断学习到的知识,进行思维、联想、推理,并得出结论,解决复杂问题,具有汇集、记忆、检索有关知识的能力,比如用蛋白质制造电脑芯片的生物计算机,存储量可以达到普通电脑的10亿倍,传递信息的速度比人脑思维的速度快100万倍。

3. 微型计算机的发展

微型计算机指的是个人计算机(personal computer,PC),简称微机,其主要特点是采用微处理器(micro processing unit,MPU)作为计算机的核心部件,并由大规模、超大规模集成电路构成。

微型计算机的升级换代主要有两个标志,即微处理器的更新和系统组成的变革。微处理器从诞生的那一天起发展方向就是更高的频率、更好的制造工艺和更大的高速缓存。根据微处理器的不断发展,微型计算机的发展大致可分为以下几代。

第一代(1971—1973年)是4位和低档8位微处理器时代。典型微处理器产品有Intel 4004、8008,集成度为2 000个晶体管/片,时钟频率为1 MHz。

第二代(1974—1977年)是8位微处理器时代。典型微处理器产品有Intel公司的Intel 8080、Motorola公司的MC 6800、ZiLOG公司的Z80等。集成度为5 000个晶体管/片,时钟频率为2 MHz,同时指令系统得到完善,形成了典型的体系结构,具备中断、DMA等控制功能。

第三代(1978—1984年)是16位微处理器时代。典型微处理器产品是Intel公司的Intel 8086/8088/80286、Motorola公司的MC 68000、ZiLOG公司的Z8000等。集成度为25 000个晶体管/片,时钟频率为5 MHz。微机的各种性能指标达到或超过中、低档小型机的水平。

第四代(1985—1992年)是32位微处理器时代。集成度已达到100万个晶体管/片,时钟频率达到60 MHz以上。典型32位MPU产品有Intel公司的Intel 80386/80486、Motorola公司的MC 68020/68040、IBM公司和Apple公司的Power PC等。

第五代(1993年至今)是64位奔腾(Pentium)系列微处理器时代,典型产品是Intel公司的奔腾系列芯片以及与之兼容的AMD K6系列微处理器芯片。它们内部采用了超标量指令流水线结构,并具有互相独立的指令和数据高速缓存。随着多媒体扩展(multi-media extension,MMX)微处理器的出现,微机的发展在网络化、多媒体化和智能化等方面跨上了更高的台阶。

4. 计算机发展趋势

未来计算机的发展趋势主要有如下几个方面。

(1)巨型化。

巨型化是指发展高运行速度、大存储容量和超强处理能力的巨型计算机。随着科学技术尤其是尖端科学的飞速发展,为了进行大型科学工程计算和海量数据处理,大型、巨型计算机得到了快速发展,在军事、科研教育等方面应用广泛。

(2)微型化。

得益于微型处理器的出现及软件行业的飞速发展,计算机外设、内部操作系统趋于完善,计算机逐渐渗透到全社会的各个行业和部门,成为工作、学习和生活的必需品,其体积越来越小、成本越来越低,台式电脑、笔记本电脑、平板电脑等逐渐微型化,为人们提供更便捷的服务。

(3)网络化。

网络化就是通过通信线路将不同地点的计算机连接起来形成一个规模大、功能强、可以互相通信的计算机系统。大到世界范围的通信网、小到实验室内部的局域网都已经普及,实现了资源共享和处理,是智能家电远程控制的前提。

(4)智能化。

智能化是新一代计算机的重要特征之一,如智能音响、智能门锁等的出现,为人们的生活提供了极大的便利,但与人脑相比,其智能化和逻辑能力仍有待进一步提高,使计算机具有分析、处理复杂问题的能力仍是计算机研究的一个重要目标。

1.1.2 计算机的特点

(1)运算速度快。

计算机的运算速度(或称处理速度)用 MIPS(每秒钟可执行百万条指令)来描述。随着计算机器件的运行速度不断提高和计算机字位结构的改进,计算机的计算速度已从最初的每秒几千次发展到今天的每秒几十万次、几百万次,甚至几亿次、几十亿次、几百亿次。计算机超高的数据处理速度是其他任何处理工具都无法比拟的,过去需要几年甚至几十年才能完成的复杂运算,现在只要几天、几小时,甚至更短的时间就可以完成。

(2)计算精度高。

计算机中数的精度主要表现为数据表示的位数,一般称为机器的字长,字长愈大精度愈高。目前的微型机字长一般为 8 位、16 位、32 位和 64 位。

(3)记忆能力强。

计算机能把大量数据、程序存入存储器中进行处理和运算,并把结果保存起来。早期的计算机存储容量小,存储往往成为计算机应用的瓶颈。

(4)具有逻辑判断能力。

计算机可进行各种逻辑判断,如对两个信息进行比较,根据比较的结果,自动确定后续操作流程及步骤。有了这种能力,再加上存储器可存储数据和程序,计算机能胜任各种过程的自动控制和各种数据处理任务。

(5)可靠性高,通用性强。

随着大规模和超大规模集成电路的使用,计算机的可靠性大大提高,计算机连续无故障运行时间可以达到几个月,甚至几年。不同的应用领域,解决问题的算法是不同的,现代计算机不仅可用来进行科学计算,也可用于数据处理、过程控制、辅助设计和辅助制造、计算机网络通信等。

(6)有自动控制能力。

计算机把处理信息的过程表示为由许多指令按一定次序组成的程序。根据处理需要与步骤事先编写程序,计算机可严格按程序规定完成操作,无须人工干预,自动化程度高。

1.1.3 计算机的类型

计算机及相关技术的迅速发展带动计算机类型的不断分化,形成了不同类型的计算机。

1. 按应用领域分类

(1)超级计算机:高性能计算机、巨型机,通常是指由数百、数千甚至更多的处理器(机)组成的、能计算普通 PC 机和服务器不能完成的大型复杂课题的计算机。超级计算机是计算机中功能最强、运算速度最快、存储容量最大的一类计算机,是国家科技发展水平和综合国力的重要标志。

(2)微型计算机:广泛应用于日常办公、学习、娱乐等社会生活,发展最快、应用最为普遍的计算机,如日常使用的台式计算机、笔记本电脑、平板电脑等。

(3)工作站:高档微型计算机,通常配有更大的内、外存储器,主要面向专业应用领域,具备强大的数据运算、图形图像处理能力。

(4)服务器:专指某些通过网络对外提供文件、数据库、应用及通信服务的高性能计算机,相对于普通电脑来说,有更好的稳定性和安全性。

(5)嵌入式计算机:嵌入式系统,是嵌入对象体系、实现对象体系智能化控制的专用计算机系统,是计算机市场中发展最快的领域,也是应用种类繁多、形态多种多样的计算机系统,如应用到日常使用的智能冰箱、洗衣机、空调、电饭煲中等。

2. 按用途分类

(1)专用机:为解决某种特定问题专门设计的计算机,如 POS 机、工业控制机等。

(2)通用机:适用于多个领域、多种场合,功能齐全、通用性好的计算机。

1.1.4 计算机的主要性能指标

1. 主频

主频即时钟频率,是指中央处理器(central processing unit,CPU)工作的时钟频率,它在很大程度上决定了计算机的运算速度,主频的单位是 MHz 或 GHz。

2. 字长

字长是指计算机的运算部件能同时处理的二进制数据的位数。字长决定了计算机的运算精度,字长越大,计算机的运算精度就越高。同时,字长也影响机器的运算速度,字长越大,计算机的运算速度越快。

3. 内存容量

内存容量是指内存储器中能存储信息的总字节数。内存容量越大,计算机的处理速度越快。

4. 存取周期

把信息代码存入存储器,称为"写";把信息代码从存储器中取出,称为"读"。存储器进行一次"读"或"写"操作所需的时间称为存储器的访问时间(或读写时间),而连续启动两次独立的"读"或"写"操作(如连续的两次"读"操作)所需的最短时间,称为存取周期(或存储周期)。存取周期越短表明内存的存取速度越快,性能越好。

5. 运算速度

运算速度是一项综合性的性能指标,其单位是 MIPS。影响机器运算速度的因素很多,一般主频越高、字长越大、内存容量越大,计算机的运算速度越快,存取周期越小。

性能/价格比(性价比)也是一项综合性评价计算机的性能指标。

1.1.5 计算机的应用领域

计算机的诞生和发展,对人类社会产生了深远的影响,它的应用领域包括科学技术、国民经济、社会生活等,概括起来可分为如下几个方面。

(1)科学计算。

科学计算,即数值计算,是计算机应用的一个重要领域。计算机的发明和发展首先是为了高速完成科学研究和工程设计中大量、复杂的数学计算。

(2)信息处理。

信息是各类数据的总称,信息处理一般泛指非数值方面的计算,如各种数据的收集、存储、整理、分类、统计、加工、利用、传播等一系列工作。目前,信息处理广泛应用于办公自动化、企事业计算机辅助管理与决策、情报检索、图书管理、会计电算化等。

(3)过程控制。

过程控制是利用计算机实时采集检测数据,按最优值迅速对控制对象进行自行调节或自动控制,提高控制的及时性、准确性和自动化水平。例如,由雷达和导弹发射器组成的防空控制系统、地铁指挥控制系统、自动化生产线等,都需要在计算机控制下运行。

(4)计算机辅助工程。

计算机辅助工程是近几年迅速发展的应用领域,它包括计算机辅助设计(computer aided design,CAD)、计算机辅助制造(computer aided manufacture,CAM)、计算机辅助教学(computer aided instruction,CAI)等多个方面。

(5)数据通信。

数据通信是通信技术和计算机技术相结合产生的一种新的通信方式,是实现计算机与计算机、终端与计算机之间信息交互的一种通信技术。根据传输媒体的不同,数据通信分为有线数据通信与无线数据通信,它们都通过传输信道将数据终端与计算机联结起来,而使不同地点的数据终端实现软、硬件和信息资源的共享。

(6)智能应用。

智能应用即人工智能,是计算机模拟人类的智能活动,诸如感知、判断、理解、学习、问题求解和图像识别等。它既不同于单纯的科学计算,又不同于一般的数据处理,它不但要求计算机具备高的运算速度,还要求其具备对已有的数据(经验、原则等)进行逻辑推理和总结的功能(即对知识的学习和积累功能),并能利用已有的经验和逻辑规则对当前事件进行逻辑推理和判断。

1.2 计算机系统的基本构成

1.2.1 冯·诺依曼计算机简介

1. 冯·诺依曼计算机的基本特征

尽管计算机经历了多次的更新换代,但到目前为止,其在整体结构上仍属于冯·诺依曼计算机,保持着冯·诺依曼计算机的基本特征:

①采用二进制数表示程序和数据;
②能存储程序和数据,并能由程序控制计算机的执行;
③具备运算器、控制器、存储器、输入设备和输出设备 5 个基本部分,基本结构如图 1-3 所示。

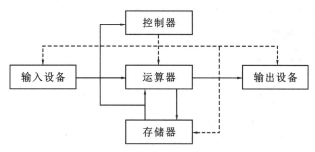

图 1-3 计算机的基本结构

2. 冯·诺依曼计算机的基本部件和工作过程

原始的冯·诺依曼计算机结构以运算器为核心,在运算器周围连接着其他各个部件,经由连接导线在各部件之间传送各种信息。这些信息可分为两大类,即数据信息和控制信息(在图 1-3 中分别用实线和虚线表示)。数据信息包括数据、地址和指令等,可存放在存储器中;控制信息由控制器根据指令译码结果即时产生,并按一定的时间次序发送给各个部件,用以控制各部件的操作或接收各部件的反馈信号。

为了节约设备成本和提高运算可靠性,计算机中的各种信息均采用了二进制数的表示形式。在二进制数中,每位只可能有"0"和"1"两种状态,计数规则是"逢二进一"。若不加说明,本书所写的"位"就是指二进制位。

1)运算器

运算器的主要功能是进行算术运算和逻辑运算。计算机中最主要的工作是运算,大量的数据运算任务是在运算器中进行的。

运算器又称算术逻辑单元(arithmetic and logic unit,ALU)。在计算机中,算术运算是指加、减、乘、除等基本数值运算;逻辑运算是指逻辑判断、关系比较以及其他的基本逻辑运算,如与、或、非等。不管是算术运算还是逻辑运算,都只是基本运算,也就是说,运算器只能做简单的运算,复杂计算通过基本运算一步步实现。然而,因为运算器的运算速度快得惊人,计算机还是具有高速的信息处理功能。

运算器中的数据取自内存,运算的结果又送回内存。运算器对内存的读/写操作是在控制器的控制之下进行的。

2)控制器

控制器(controller)是计算机的"神经中枢"和指挥中心,只有在它的控制之下整个计算机才能有条不紊地工作,自动执行程序。控制器的功能是依次从存储器中取出指令、翻译指令、分析指令、向其他部件发出控制信号,指挥计算机各部件协同工作。

控制器由程序计数器(program counter,PC)、指令寄存器(instruction register,IR)、指令译码器(instruction decoder,ID)、时序控制电路以及微操作控制电路等组成。其中:

①程序计数器用来对程序中的指令进行计数,使控制器能够依次读取指令。
②指令寄存器在指令执行期间暂时保存正在执行的指令。
③指令译码器用来识别指令的功能,分析指令的操作要求。

④时序控制电路用来生成时序信号,以协调在指令执行周期内各部件的工作。
⑤微操作控制电路用来产生各种控制操作命令。

3)存储器

存储器(memory)的主要功能是存放程序和数据。使用时,可以从存储器中取出信息,不破坏原有的内容,这种操作称为存储器的读操作;也可以把信息写入存储器,存储器中原来的内容被抹掉,这种操作称为存储器的写操作。

存储器通常分为内存储器和外存储器。

① 内存储器。

内存储器简称内存(又称主存),是计算机中信息交流的中心。用户通过输入设备输入的程序和数据最初送入内存,控制器执行的指令和运算器处理的数据取自内存,运算的中间结果和最终结果保存在内存中,输出设备输出的信息来自内存。内存中的信息如果需要长期保存,则存储到外存储器中。总之,内存要与计算机的各个部件打交道,进行数据交换。

一旦关机断电,计算机内存中的信息将会全部丢失,所以还需要能长时间保存大量信息的外存储器。

② 外存储器。

外存储器又称为辅助存储器,也称外存、辅存,主要用来存放运行时暂时不用的程序和数据。通常外存不和计算机的其他部件直接交换数据,只和内存交换数据,而且不是对单个数据进行存取,而是成批地进行数据交换。

4)输入设备

输入设备(input equipment)用于接收用户输入的原始数据和程序,并将它们转换为计算机可以识别的形式(二进制代码)存放到内存中。常用的输入设备有键盘、鼠标、扫描仪、光笔、数字化仪、麦克风等。

5)输出设备

输出设备(output equipment)用于将计算机处理的结果转换为人们所能接受的形式。常用的输出设备有显示器、打印机等。

在计算机的五大基本部件中,运算器的主要功能是进行算术及逻辑运算,是计算机的核心部件;控制器是计算机的"神经中枢",用于分析指令,根据指令要求产生各种协调各部件工作的控制信号;存储器用来存放控制计算机工作过程的指令序列(程序)和数据(包括计算过程中的中间结果和最终结果);输入设备用来输入程序和数据;输出设备用来输出计算结果,即将其显示或打印出来。

根据计算机工作过程中的关联程度和相对的物理安装位置,通常将运算器和控制器合称为中央处理器(CPU),表示 CPU 能力的主要技术指标有字长和主频等。字长代表了每次操作能完成的任务量,主频则代表了在单位时间内能完成操作的次数。一般情况下,CPU 的工作速度要远高于其他部件的工作速度,且为了尽可能地发挥 CPU 的工作潜力,解决运算速度和成本之间的矛盾,将存储器分为主存和辅存两部分。主存成本高、速度快、容量小,能直接和 CPU 交换信息,安装于主机箱内部,也称为内存;辅存成本低、速度慢、容量大,要通过接口电路、经由主存才能和 CPU 交换信息,是特殊的外部设备,也称为外存。

计算机工作时,操作人员首先通过输入设备将程序和数据送入存储器。启动运行后,计算机从存储器中顺序取出指令,送往控制器进行分析,并根据指令的功能向各有关部件发出各种操作控制信号,最终的运算结果送到输出设备输出。

1.2.2 现代计算机系统的构成

一个完整的现代计算机系统包括硬件系统和软件系统两大部分,微机系统也是如此。硬件系统包括计算机的基本部件和各种具有实体的计算机相关设备;软件系统则包括用各种计算机语言编写的计算机程序、数据和应用说明文档等。下面仅以微机系统为例说明现代计算机系统的构成。

1. 软件系统

在计算机系统中硬件是软件运行的物质基础,软件是硬件功能的扩充与完善,没有软件的支持,硬件的功能不可能得到充分的发挥,因此软件是使用者与计算机之间的桥梁。软件可分为系统软件和应用软件两大部分。

系统软件是为使使用者能方便地使用、维护、管理计算机而编制的程序的集合,它与计算机硬件相配套,也称为软设备。系统软件主要包括对计算机系统资源进行管理的操作系统(operating system,OS)、对各种汇编语言和高级语言程序进行编译的语言处理(language processor,LP)程序、对计算机进行日常维护的系统支撑程序(system support program)以及工具软件等。

应用软件则主要面向各种专业应用和某一特定问题的解决,一般指操作者在各自的专业领域中为解决各类实际问题而编制的程序,如文字处理软件、仓库管理软件、工资核算软件等。

2. 硬件系统

计算机硬件系统是指构成计算机的物理设备,由运算器、控制器、存储器、输入设备、输出设备五大部件组成,如图1-3所示。在计算机科学中将连接各部件的信息通道称为系统总线(简称总线,即bus),并把通过总线连接各部件的形式称为计算机系统的总线结构,如图1-4所示。总线结构分为单总线结构和多总线结构两大类。根据所传送信号的性质,总线由地址总线(address bus,AB)、数据总线(data bus,DB)和控制总线(control bus,CB)三部分组成。根据部件的作用,总线一般由总线控制器、总线信号发送/接收器和导线等所构成。

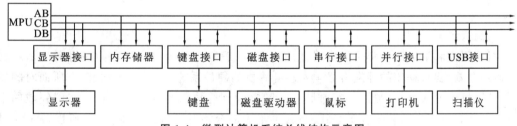

图 1-4 微型计算机系统总线结构示意图

1.2.3 计算机软件系统

计算机软件系统是在计算机硬件上运行的各种程序及有关文档资料的总称,包括系统软件和应用软件。系统软件一般由计算机厂商提供;应用软件是为解决某一问题而由用户或软件公司开发的。

1. 系统软件

系统软件是管理、监控和维护计算机资源(包括硬件和软件)、开发应用软件的软件。它主要包括操作系统、程序设计语言、语言处理程序、数据库管理系统、支撑服务软件等。

1) 操作系统

操作系统(OS)是控制计算机系统并对其进行管理的一组程序,它是用户和计算机硬件系统之间的接口,为用户和应用软件提供了访问和控制计算机硬件的桥梁。

操作系统的作用是管理计算机的所有软件和硬件资源,使计算机系统最大限度地发挥作用,为用户提供方便、有效、友善的服务界面。操作系统通常具有五大功能,即处理机管理、存储管理、设备管理、文件管理和作业管理。实际的操作系统是多种多样的,根据侧重点和设计思想不同,操作系统的结构和内容存在很大差别。根据操作系统使用环境和对作业处理方式的不同,操作系统一般可分为批处理操作系统、分时操作系统、实时操作系统和网络操作系统等。目前计算机中使用的操作系统有 Unix、Linux、NetWare、Windows 8、Windows 10 等。

2) 程序设计语言

程序设计语言是用户编写应用程序使用的语言,是人与计算机之间交换信息的工具,一般分为机器语言、汇编语言和高级语言三类。

① 机器语言。

机器语言是计算机系统唯一能识别的、不需要翻译直接供机器使用的程序设计语言。机器语言中的每个语句(称为指令)都是二进制形式的指令代码,包括操作码和地址码两部分。机器语言通常随着计算机型号的不同而不同,每种型号的计算机所执行的全部指令的集合就是该计算机的指令系统。用机器语言编写程序难度大、直观性差、容易出错,修改、调试也不方便,但执行速度最快。由于不同计算机的机器语言有所不同,机器语言的通用性和移植性差。

② 汇编语言。

汇编语言是将机器语言符号化的程序设计语言。在汇编语言中,用助记符号来表示机器语言的二进制代码。用汇编语言编写的程序(汇编语言源程序)必须翻译成机器语言程序(目标程序),才能被计算机识别和执行。汇编语言比机器语言直观,容易记忆和理解,用汇编语言编写的程序比机器语言程序易读、易检查、易修改。汇编语言与机器语言一般是一一对应的。不同计算机系统的汇编语言系统也不同,因而汇编语言程序通用性、可移植性也较差。

③ 高级语言。

机器语言和汇编语言都是面向机器的语言,一般称为低级语言。它们对机器的依赖性大,通用性差,要求程序的开发者必须熟悉计算机的硬件系统、了解每一细节,它所面对的用户是计算机专业人员,一般用户很难胜任。随着计算机技术的发展和计算机应用领域的不断扩大,计算机用户的队伍也不断壮大,其中绝大部分不是计算机专业人员,所以,从 20 世纪 50 年代中期开始,人们逐步开发出了面向问题的程序设计语言,也称为高级算法语言(简称高级语言)。高级语言是一种接近数学语言及自然语言的程序设计语言,其显著特点是独立于具体的计算机硬件,通用性和移植性好。另外,用高级语言编写程序比用低级语言容易得多,简化了程序的编制和调试过程,编程效率大幅度提高。同汇编语言一样,用高级语言编写的程序(称为高级语言源程序)也不能被计算机直接执行,必须先将高级语言源程序翻译成目标程序,才能被计算机执行,通常有编译和解释两种翻译方式。计算机高级语言的种类很多,常用的有 BASIC、FORTRAN 语言、Pascal 语言、C 语言、COBOL 语言、Java 语言、Visual Basic、Delphi 语言等。

3)语言处理程序

语言处理程序是把源程序翻译成机器语言的程序,可分为三种,即汇编程序、编译程序和解释程序。

① 汇编程序。

把汇编语言源程序翻译成机器语言程序的程序称为汇编程序,翻译的过程称为汇编。汇编程序在翻译源程序时,总是从头到尾、逐个符号对源程序进行阅读分析,一般用两遍扫描完成对源程序的加工转换工作。汇编程序在翻译的同时,还对各种形式的错误进行检查和分析,并反馈给用户,以便修改。反汇编程序也是一种语言处理程序,它的功能与汇编程序相反,它能把机器语言程序转换成汇编语言程序。

② 编译程序。

编译程序是把高级语言(如 FORTRAN 语言、Pascal 语言、C 语言等)源程序翻译成目标程序(机器语言程序)的一种程序,翻译的过程称为编译。

③ 解释程序。

解释程序也是一种对高级语言源程序进行翻译处理的程序,但其处理方式是边读取、边翻译、边执行,解释过程不产生目标程序。解释程序将源程序一句一句读入,对每个语句进行分析和解释,有错误随时通知用户,无错误就按照解释结果执行所要求的操作。程序的每次运行都要求源程序与解释程序参加。

4)数据库管理系统

数据库指存储在计算机内部,具有较高的数据独立性、较少的数据冗余,数据规范化且相互之间有联系的数据文件的集合。数据库管理系统(database management system,DBMS)是一种管理数据库的软件,它能维护数据库,接受和完成用户提出的访问数据库的各种要求,是帮助用户建立和使用数据库的一种工具和手段。不同的数据库管理系统以不同的方式将数据组织到数据库中,组织数据的方式称为数据模型。数据模型一般分为三种形式:①层次型——采用树形结构组织数据;②网状型——采用网状结构组织数据;③关系型——以表格形式组织数据。

5)支撑服务软件

支撑服务软件主要包括编辑程序、连接程序、诊断程序、调试程序等。

① 编辑程序。

编辑程序用于编辑源程序、信件及表格等。

② 连接程序。

连接程序经汇编或编译之后生成的目标程序是不能直接运行的。目标程序可能调用一系列内部函数、外部过程和库函数或其他程序模块,这时就需要连接程序将全部的目标程序块、库函数和系统库连接起来,使其成为一个可调入内存运行的程序模块,成为可执行程序。

③ 诊断程序。

诊断程序用于诊断计算机硬件的各个部分能否正常工作,能对 CPU、内存、软硬盘驱动器、显示器、键盘及 I/O 接口的性能和故障进行检测。微机中常用的诊断程序有 QAPlus、PCBench、WinBench、WinTest、CheckPro、Norton 等。

④ 调试程序。

调试程序是为方便用户调试程序而提供的一种工具,最常用的调试程序是 Debug。使用调试程序可以一条指令一条指令地跟踪程序的执行,便于了解程序的执行过程,发现和修改程序中的错误。

2. 应用软件

为解决计算机各类应用问题而编写的程序称为应用软件,应用软件具有很强的实用性。随着计算机应用领域的不断拓展和计算机应用的普及,各种各样的应用软件与日俱增,可分为用户程序和应用软件包。

1)用户程序

用户程序是用户为解决自己特定的具体问题而开发的软件。编制用户程序应充分利用计算机系统的现有软件,在系统软件和应用软件包的支持下进行开发。各种各样的科学计算程序、工程设计程序、数据处理程序、自动控制程序、企业管理程序、情报检索程序等都是用户程序。

2)应用软件包

应用软件包是为实现某种特殊功能或特殊计算,经过精心设计的独立软件系统,是一套满足批量用户同类应用需要的软件。应用软件包的种类很多,凡是应用计算机的行业都有适合本行业的应用软件包。Microsoft Office 是美国 Microsoft 公司开发的一套包含文字处理软件 Word、表格处理软件 Excel、文稿演示软件 PowerPoint、数据库软件 Access 等的办公自动化软件包。WPS Office 是我国北京金山办公软件股份有限公司推出的办公自动化软件包,提供现代企业办公必需的六大功能(文字办公处理、电子表格、演示制作、网页浏览、邮件管理、图片浏览),是一套适合中国企事业单位办公应用的软件。CorelDRAW 是加拿大 Corel 公司推出的集成图像应用软件包,包括矢量绘图工具 CorelDRAW、图像编辑工具 Corel PHOTO-PAINT、3D 插图模型制作工具 CorelDRAW 3D、3D 运动编辑器 Corel MotionStudio 3D 和多媒体演示制作工具 Corel Present 等组件,是专业图像、视频制作者的得力工具。

在计算机技术的发展过程中,计算机软件随着硬件技术的发展而发展。软件的不断发展与完善,又反过来促进了硬件的发展。计算机的硬件和软件是互相依存、互相支持的,硬件的某些功能可以用软件来完成,而软件的某些功能也可以通过硬件来实现。

1.2.4 计算机硬件系统

1. 主板

主板也称为主机板或者系统板,是安装在主机机箱内的一块矩形电路板,采用开放式结构,板上有 BIOS 芯片、I/O 控制芯片、键盘和面板控制开关接口、指示灯插接件、扩充插槽、主板及插卡的直流电源供电接插件等元件。微型计算机通过主板(见图 1-5)将 CPU 等各种器件和外部设备有机地结合起来,形成一套完整的系统。

根据主板上各元器件的布局排列方式、尺寸大小、形状及所使用的电源规格等制定出的通用标准即主板结构,所有主板厂商都必须遵循。主板结构包括 AT、Baby-AT、ATX、Micro ATX、LPX、NLX、Flex ATX、E-ATX、W-ATX 以及 BTX 等。其中,ATX 是市场上最常见的主板结构,扩展插槽较多,PCI 插槽数量为 4~6 个,大多数主板都采用此结构;E-ATX 和 W-ATX 多用于服务器/工作站主板;Micro ATX 又称 Mini ATX,是 ATX 结构的简化版,就是常说的"小

图 1-5 微机主板

板",扩展插槽较少,PCI 插槽数量在 3 个或 3 个以下,多用于品牌机并配备小型机箱。

系统主板的辅助功能如下:

(1)CPU 监控功能:现行的主板具备对 CPU 电压的自动侦测、CPU 测温和过热保护功能。

(2)高级电源管理接口功能:为了能让计算机在使用上如同家电产品般方便、快捷,Intel、Microsoft 和 TOSHIBA 公司共同制定了高级电源管理接口(advanced configuration and power interface,ACPI)标准,作为操作系统和硬件之间的一个共同的电源管理接口,ACPI 使得操作系统能够执行各种对电源和系统配置进行控制的命令。

(3)自动开机:进入计算机 CMOS 设置界面,选择电源管理窗口(power management setup),将定时开机(resume by alarm)选项默认的值设定为"Enabled",并指定开机日期(date alarm)和开机时间(time alarm),计算机就会按时自动启动。

(4)系统休眠功能:计算机不使用时,自动关闭显示器,停止硬盘的转动等,达到节省能源、保护硬件的目的,此时称计算机处于"休眠"状态。目前使用的休眠方法有休眠至硬盘(suspend to disk,STD)和休眠至内存(suspend to RAM,STR)。使用 STD 方法将当前系统状态保存到硬盘后,系统进入低功耗状态,再开机时系统会跳过自检,直接从硬盘恢复原来的状态,而不是正常系统的默认状态,从而缩短了开机时间。STR 是指系统关机或进入休眠模式后将重新启动所需的数据存储在内存里,系统的启动操作主要在内存里快速地完成,而不必频繁地读/写慢速的硬盘。STR 状态并非一种真正的关机状态,此时电源还需向内存提供 3.3 V 的电压以维持内存中的数据。

系统主板的灵魂和核心是主板芯片,它决定了主板的性能好坏与级别高低。芯片组就像人体的中枢神经一样,控制着整个主板的运作。目前,主板芯片一般由两块组成。一块位于 CPU 插座附近,称为北桥芯片,负责与 CPU 的联系并控制内存、AGP、PCI 数据在北桥内部传输。由于北桥芯片的发热量较高,所以芯片上装有散热片。另一块位于 PCI 插槽附近,称为南桥芯片,主要负责 I/O 接口控制、IDE 设备(硬盘等)控制以及高级能源管理等。

2. 中央处理器

中央处理器(CPU)也称为微处理器,是计算机系统的运算和控制核心,是信息处理、程序运行的最终执行单元。CPU 是一块超大规模的集成电路,是计算机真正的大脑,负责处理指令、执行操作、控制时间、处理数据等工作,主要由运算器和控制器组成。

1)运算器

运算器是指计算机中进行各种算术和逻辑运算操作的部件,由算术逻辑单元、累加器、状态寄存器、通用寄存器等组成,其中算术逻辑单元是中央处理器的核心部分,是能实现多组算术运算(加、减、乘、除)与逻辑运算(与、或、非)的组合逻辑电路。

2)控制器

控制器是计算机的神经中枢,用以控制和协调计算机各部件自动、连续地执行各条指令,由程序计数器、指令寄存器、指令译码器、时序产生器、操作控制器等组成,基本功能是从内存中取指令和执行指令,保证计算机能自动、连续地工作。

目前,微型计算机可选用的微处理器产品型号较多,以 Intel 和 AMD 两个制造商的系列产品为主。除此之外,由中国科学院自主研发的龙芯处理器也日渐成熟,产品包括龙芯 1 号小 CPU、龙芯 2 号中 CPU 和龙芯 3 号大 CPU 三个系列。龙芯 7A1000 芯片如图 1-6 所示。

图 1-6　龙芯 7A1000 芯片

3. 存储器

存储器是用来存储程序和各种数据信息的记忆部件,存储器的容量越大越好,工作速度越快越好,对应的价格往往也是越来越高的。

存储器可分为主存储器(简称主存或内存)和辅助存储器(简称辅存或外存)两大类。

1) 主存储器

主存储器是微型计算机的重要组成部件之一,用来存放程序与数据,并能由中央处理器(CPU)直接随机存取,一般由记忆元件和电子线路构成。在计算机里,内存按其功能特征可分为三类:

①随机存取存储器(random access memory,RAM)。

通常所说的计算机内存容量均指 RAM 容量,RAM 可直接与 CPU 交换数据,可以随时读或写(刷新时除外),而且速度很快,是操作系统或其他正在运行中的程序临时数据存储介质。RAM 在计算机和数字系统中用来暂时存储程序、数据和中间结果,可以随时从任何一个指定的地址写入(存入)或读出(取出)信息,但是一旦关机断电,信息将全部消失。

RAM 的特点是随机存取、易失、对静电敏感、访问速度快、需要刷新。根据存储单元的工作原理不同,RAM 分为静态 RAM(SRAM)和动态 RAM(DRAM)。

SRAM 是在静态触发器的基础上附加门控管而构成的,存放的信息在不停电的情况下能长时间保留,状态稳定,不需外加刷新电路,从而简化了外部电路设计。但由于 SRAM 的基本存储电路中所含晶体管较多,故集成度较低,且功耗较大。

DRAM 利用电容存储电荷的原理保存信息,电路简单,集成度高。由于电容器放电回路的存在,超过一定的时间后,存放在电容器内的电荷就会消失,故必须对小电容器进行周期性刷新来保持数据。DRAM 的功耗低,集成度高,成本低。DRAM 中的同步动态随机存取存储器(synchronous DRAM,SDRAM)是目前奔腾计算机系统普遍使用的内存形式,它的刷新周期与系统时钟保持同步,使 RAM 和 CPU 以相同的速度同步工作,取消了等待周期,减少了数据存取时间。SDRAM Ⅱ 是 SDRAM 的更新换代产品,DDRRAM(double data rate RAM)是双倍速率的 SDRAM,它使用了更多、更先进的同步电路,它的速度是标准 SDRAM 的两倍。存储器总线式动态随机存取存储器(Rambus DRAM,RDRAM)被广泛地应用于多媒体领域。

微机上使用的动态随机存取存储器被制作成内存条(见图 1-7),插在系统主板的内存插槽上。

图 1-7 内存条

② 只读存储器(read-only memory,ROM)。

CPU 对只读存储器只取不存,ROM 里面存放的信息一般由计算机制造厂写入并经固化处理,用户是无法修改的。即使断电,ROM 中的信息也不会丢失。因此,ROM 中一般存放计算机系统管理程序。

ROM 有多种类型,且每种只读存储器都有各自的特性和适用范围。从其制造工艺和功能上分,ROM 有 5 种类型,即掩膜编程的只读存储器(mask-programmed ROM,MROM)、可编程的只读存储器(programmable ROM,PROM)、可擦除可编程的只读存储器(erasable programmable ROM,EPROM)、可电擦除可编程的只读存储器(electrically erasable programmable ROM,EEPROM)和快擦除读写存储器(flash memory)。

MROM 中存储的信息由生产厂家在掩膜工艺过程中"写入",其优点是存储内容固定,掉电后信息仍然存在,可靠性高。缺点是信息一次写入(制造)后就不能修改,很不灵活且生产周期长,用户与生产厂家之间的依赖性大。

PROM 允许用户通过专用的设备(编程器)一次性写入自己所需要的信息,其一般可编程一次,PROM 出厂时各个存储单元皆为 1 或皆为 0,用户使用时再使用编程的方法使 PROM 存储所需要的数据。

EPROM 可多次编程,是一种以读为主的可写可读的存储器,便于用户根据需要来写入,并能把已写入的内容擦去后改写。其存储的信息可以由用户自行加电编写,也可以利用紫外线光源或脉冲电流等先将原存的信息擦除,然后用写入器重新写入新的信息。EPROM 比 MROM 和 PROM 更方便、灵活、经济实惠。但是 EPROM 采用 MOS 管,速度较慢。

EEPROM 是一种随时可写入而无须擦除原先内容的存储器,其写操作比读操作时间要长得多,EEPROM 把不易丢失数据和修改灵活的优点组合起来,修改时只需使用普通的控制、地址和数据总线。

快擦除读写存储器是 Intel 公司 20 世纪 90 年代中期发明的一种高密度、非易失性的读/写半导体存储器,它既有 EEPROM 的特点,又有 RAM 的特点,是一种全新的存储结构,俗称快闪存储器。

③ 高速缓冲存储器(Cache)。

计算机在工作时 CPU 频繁地和内存储器交换信息,当 CPU 从 RAM 中读取数据时,由于主存储器存取速度比中央处理器操作速度慢得多,CPU 就不得不进入等待状态,放慢它的运行速度,极大地影响了计算机的整体性能。为有效地解决这一问题,人们在微机上采用了高速缓冲存储器(Cache)技术方案。Cache 是介于 CPU 和内存之间的一种可高速存取信息的芯片,是 CPU 和 RAM 之间的桥梁,用于解决它们之间的速度冲突问题。

通常计算机是按程序代码的顺序执行指令的,CPU 处理了某一地址上的数据后,接下来要读取的数据很可能就在后继的地址或临近的地址上,于是可把这段代码一次性地从内存中复制到 Cache 中。CPU 要访问内存中的数据，先在 Cache 中查找，当 Cache 中有 CPU 所需的数据（称为命中）时，CPU 直接从 Cache 中读取，如果没有，就从内存中读取数据，并把与该数据相关的一部分内容复制到 Cache 中，为下一次的访问做好准备。只要算法得当，在 Cache 中的命中率一般很高，平均可达 80% 左右，从而提高了工作效率。CPU、Cache、RAM 关系如图 1-8 所示。

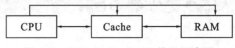

图 1-8　CPU、Cache、RAM 关系示意图

Cache 一般采用 SRAM 构成，它的访问速度是 DRAM 的 10 倍左右。作为高速存储器实体的 Cache 按其功能不同通常分为两类，即 CPU 内部的 Cache 和 CPU 外部的 Cache。

2）辅助存储器

辅助存储器属外部设备，又称为外存。外存中的数据一般不能直接送到运算器，只能成批地将数据转运到内存，再进行处理。常用的辅助存储器有硬盘、软盘、光盘、U 盘等。

辅助存储器可分为以下三类：

① 磁介质存储器。

磁介质存储器包括软盘、硬盘等。

软盘是用柔软的聚酯材料制成圆形底片，在表面涂有磁性材料，被封装在护套内。软盘存储容量小，且容易损坏，目前已经被市场淘汰。

硬盘是计算机最主要的存储设备，由一个或者多个铝制或者玻璃制的碟片组成，碟片外覆盖铁磁性材料。绝大多数硬盘都是固定硬盘，被永久性地密封、固定在硬盘驱动器中。硬盘及其内部结构如图 1-9 所示。

图 1-9　硬盘及其内部结构

② 光介质存储器。

光介质存储器利用光学方式读/写数据，是在激光电视唱片和数字音频唱片基础上发展起来的。应用激光在某种介质上写入信息，再用激光读出信息的技术称为光存储技术。如果采用光存储技术时用于记录信息的介质是磁性材料，亦即利用激光在磁性介质上存储信息，就称为磁光存储。

目前微机上使用的光介质存储器主流产品是光盘。它需要通过专用的设备，如 CD-ROM 驱动器等读取光盘上的信息。

③ 移动存储产品。

移动存储产品指便携式的数据存储装置，其带有存储介质且自身具有读写介质功能，不需要或很少需要其他装置的协助,具有高度集成、快速存取、方便灵活、性价优良、容易保存等特点。现代的移动存储产品主要有移动硬盘、Flash 存储设备、U 盘和各种记忆卡。

移动硬盘直接由台式电脑硬盘或笔记本电脑硬盘改装而成,可以随时插上或拔下,小巧而便于携带,可以较高速度进行数据传输,具有容量大、兼容性好、即插即用、速度快、体积小、质量小、安全可靠等优点。普通硬盘和移动硬盘如图 1-10 所示。

图 1-10　普通硬盘和移动硬盘

快擦除读写存储器是一种新型非易失性半导体存储器,即使在无电源状态仍能保持片内信息,不需要特殊的高电压就可实现片内信息的擦除和重写。Flash 存储设备是用快擦除读写存储器芯片构成的存储介质,被广泛地应用于数字摄像机、数码相机、数字录音机、个人数字助理和计算机等方面。常见的几种 Flash 存储设备如图 1-11 所示。

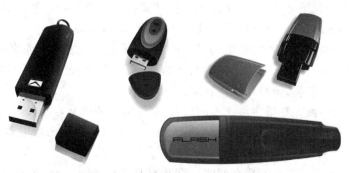

图 1-11　常见的几种 Flash 存储设备

计算机上使用的采用 USB 接口的移动存储设备,通常叫作 U 盘或闪存盘,可用于存储任何数据文件和在计算机间方便地交换文件。由于闪存盘没有机械读/写装置,没有移动硬盘容易碰伤、因跌落等造成损坏的缺点,其可擦写 100 万次的性能更是大大加强了数据的安全性,部分款式闪存盘还具有加密等功能。

4. 总线

总线(bus)是计算机各种功能部件之间传送信息的公共通信干线,它是由导线组成的传输线束,按照计算机所传输的信息种类,计算机的总线可以划分为数据总线、地址总线和控制总线,分别用来传输数据、地址和控制信号。

总线是一种内部结构,它是 CPU、内存、输入、输出设备传递信息的公用通道,主机的各个部件通过总线相连接,外部设备通过相应的接口电路再与总线相连接,从而形成了计算机硬件系统。要考察一台主机的性能,除了要看 CPU 的性能和存储器的容量、速度外,采用的总线标准和高速缓存的配置情况也是重要的因素。

数据总线:数据总线的位数决定了计算机一次能传送的数据的量。在相同的时钟频率下,64 位数据总线的数据传送能力将是 8 位数据总线的 8 倍。

地址总线:由于存储器是由一个个存储单元组成的,为了快速地从指定的存储单元中读取或写入数据,必须为每个存储单元分配一个编号,该编号称为该存储单元的地址。利用地址标号查找指定存储单元的过程称为寻址。地址总线的位数就确定了计算机管理内存的范围。比如 20 根地址线(20 位的二进制数),共有 1 024 000 个编号,即可用寻址范围为 1 MB 的内存空间;若有 32 根地址线,则寻址范围扩大 4 096 倍,达 4 GB。

控制总线:控制总线的位数和所采用的 MPU 与总线标准有关。其传送的信息一般为 MPU 向内存和外设发出的控制信息及外设向 MPU 发送的应答和请求服务信号。

5. 输入/输出设备

1)输入设备

输入设备将数据、程序等转换成计算机能接受的二进制码,并将它们送入内存。常用的输入设备有键盘、鼠标、扫描仪、光笔、触摸屏、数字化仪等。

2)输出设备

输出设备将计算机处理的结果转换成人们能够识别的数字、图像、声音等形式显示、打印或播放出来。常用的输出设备是打印机、显示器、绘图仪等。

①打印机。

目前使用的打印机主要有三类,即针式打印机、喷墨打印机和激光打印机。

针式打印机由打印头和色带组成,打印头中藏有打印针,在进行打印时,打印针撞击色带,将色带上的墨印到纸上,形成文字或图形。针式打印机具有价格便宜、能进行多层打印等特点,但是它的噪声很大,而且打印质量不好,银行、超市使用广泛。

喷墨打印机是利用换能器将带电的墨水喷出,由偏转系统控制很细的喷嘴喷出微粒射线在纸上扫描,并绘出文字与图像。喷墨打印机体积小,重量轻,噪声低,打印精度较高,特别是其彩色印刷能力很强,但打印成本较高,适用于小批量打印。

激光打印机利用激光扫描主机送来的信息,将要输出的信息在磁鼓上形成静电潜像,并转换成磁信号,使碳粉吸附在纸上,经显影后输出。这种打印机打印速度高,印刷质量好,无噪声。

近年来,彩色喷墨打印机和彩色激光打印机已日趋完善,成为主流打印机,其图像输出已达到照片级的质量水平。

②显示器。

显示器是计算机中重要的输出设备,所有的视觉信息都要经显示器显示出来,因此,有一台图像合适、色彩自然、画面稳定的显示器是非常重要的。

显示器可分为阴极射线管(cathode ray tube,CRT)显示器、液晶显示器(liquid crystal display,LCD)、发光二极管(light emitting diode,LED)显示器等多种类型。其主要技术指标包括:

分辨率(resolution):构成图像的像素和,即屏幕包含的像素数,一般表示为水平分辨率(一个扫描行中像素的数目)和垂直分辨率(扫描行的数目)的乘积,如 1 920×1 080,表示水平方向包含 1 920 个像素,垂直方向是 1 080 个像素,屏幕总像素的个数是它们的乘积。分辨率越高,画面包含的像素数就越大,图像也就越细腻清晰。

栅距:荫栅式显像管平行的光栅之间的距离(单位:mm)。采用荫栅式显像管的好处在于,其光栅长时间被使用也不会变形,显示器被使用多年也不会出现画质下降的情况。

点距(或条纹间距):给定颜色的一个发光点与离它最近的相邻同色发光点之间的距离,这种距离不能用软件来更改,这一点与分辨率是不同的。在相同分辨率下,点距越小,显示图像越清晰细腻,图像质量也就越高。

带宽:显示器视频放大器通频带宽度,反映显示器的解像能力,可以用"水平分辨率×垂直分辨率×刷新率"来计算。

刷新率:分为水平刷新率和垂直刷新率。水平刷新率(horizontal scanning frequency)又叫行频,指显示器每秒内扫描水平线的次数,单位是 kHz;垂直刷新率(vertical scanning frequency)又叫场频,是由水平刷新率和屏幕分辨率所决定的,单位是 Hz,垂直刷新率表示屏幕的图像每秒被重绘多少次,即每秒屏幕刷新的次数,这个刷新率就是通常所说的刷新率。

6. 其他设备

目前,不少设备上同时集成了输入/输出两种功能。例如调制解调器,它是数字信号和模拟信号之间的桥梁。一台调制解调器能将计算机的数字信号转换成模拟信号,通过电话线传送到另一台调制解调器上,经过解调,再将模拟信号转换成数字信号送入计算机,实现两台计算机之间的数据通信。

无线上网是利用无线网卡接收无线路由器信号联网,工作距离在 50 m 以内效果较好,距离越远效果越差。无线网卡和无线路由器如图 1-12 所示。

图 1-12　无线网卡和无线路由器

1.2.5　计算机系统工作原理

1. 计算机的指令系统

指令是指能被计算机识别并执行的二进制代码,它规定了计算机能完成的某种操作。一条指令通常由操作码和操作数两部分组成。

(1)操作码指明该指令要完成的操作的类型或性质,如取数、做加法或输出数据等。操作码的位数决定了一个机器操作指令的条数。使用定长操作码格式时,若操作码位数为 n,则指令条数可有 2^n 条。

(2)操作数指明操作对象的内容或所在的单元地址。操作数在大多数情况下是地址码,地址码可以有 0~3 个。从地址码得到的仅是数据所在的地址,可以是源操作数的存放地址,也可以是操作结果的存放地址。

计算机的所有指令的集合,称为该计算机的指令系统。不同类型的计算机,指令系统的指令条数有所不同。但无论哪种类型的计算机,指令系统都应具有以下功能的指令:

①数据传送指令:控制数据在内存与 CPU 之间进行传送。
②数据处理指令:控制数据进行算术、逻辑或关系运算。
③程序控制指令:控制程序中指令的执行顺序,如条件转移、无条件转移、调用子程序、返回、停机等。
④输入/输出指令:用来实现外部设备与主机之间的数据传输。
⑤其他指令:对计算机的硬件进行管理等。

2. 计算机的工作原理

计算机的工作过程实际上是快速地执行指令的过程。当计算机在工作时,有两种信息在执行指令的过程中流动,即数据流和控制流。

数据流是指原始数据、中间结果、结果数据、源程序等。控制流是由控制器对指令进行分析、解释后向各部件发出的控制命令,指挥各部件协调地工作。

指令的执行过程分为以下4个步骤:

(1)取指令:按照程序计数器中的地址,从内存储器中取出指令,并送往指令寄存器。

(2)分析指令:对指令寄存器中存放的指令进行分析,由译码器对操作码进行译码,将指令的操作码转换成相应的控制电位信号;由地址码确定操作数地址。

(3)执行指令:由操作控制线路发出完成该操作所需要的一系列控制。例如加法运算指令,取内存单元的值和累加器的值相加,结果放在累加器中。

(4)一条指令执行完成,程序计数器加1或将转移地址码送入程序计数器,然后回到取指令步骤。

一般把计算机完成一条指令所花费的时间称为1个指令周期,指令周期越短,指令执行越快。通常所说的CPU主频或工作频率,就反映了指令周期。

计算机在运行时,其CPU从内存读出一条指令到CPU内执行,指令执行完,再从内存读出下一条指令到CPU内执行。CPU不断地取指令、分析指令、执行指令,这就是程序的执行过程。

 1.3 数制及不同进制数之间的转换

1.3.1 进位计数制

按进位的方法进行计数,称为进位计数制。为了电路设计的方便,计算机内部使用的是二进制计数制,即"逢二进一"的计数制,简称二进制。但人们最熟悉的是十进制,所以计算机的输入/输出也要使用十进制数据。此外,为了编制程序的方便,还常常使用到八进制和十六进制。

1. 十进制

十进制(decimal)有两个特点:其一是采用0~9共10个阿拉伯数字符号(称为数码);其二是相邻两位之间是"逢十进一"或"借一当十"的关系,即同一数码在不同的数位上代表不同的数值。把某种进位计数制所使用的数码的个数称为该进位计数制的基数,把计算每个数码所代表的数值时所乘的常数称为位权,如十进制数78,数字"8"代表8(8×1),数字"7"代表70(7×10),即个位位权为1,十位位权为10。位权是一个指数,以基数为底,其幂是数位的序号,可表示为10^i。数位的序号以小数点为界,小数点左边数位序号为0,向左每移一位序号加1,向右每移一位序号减1。由此任一十进制数可以表示为一个按位权展开的多项式之和,如十进制数5678.4可表示为

$$5678.4 = 5 \times 10^3 + 6 \times 10^2 + 7 \times 10^1 + 8 \times 10^0 + 4 \times 10^{-1}$$

其中,10^3、10^2、10^1、10^0、10^{-1}分别是千位、百位、十位、个位和十分位的位权。

2. 二进制

二进制(binary)也有两个特点:其一是数码仅采用"0"和"1",所以基数是2;其二是相邻

两位之间为"逢二进一"或"借一当二"的关系。它的位权可表示成 2^i，2 为其基数，i 为数位序号。任何一个二进制数都可以表示为按位权展开的多项式之和，如二进制数 1100.1 可表示为

$$(1100.1)_2 = 1 \times 2^3 + 1 \times 2^2 + 0 \times 2^1 + 0 \times 2^0 + 1 \times 2^{-1}$$

此处利用括号加脚码来表示不同进制数，下文中此类标注意义相同。

3. 八进制

八进制（octal）的数码共有 8 个，即 0～7，基数是 8；相邻两位之间为"逢八进一"和"借一当八"的关系，它的位权可表示成 8^i。任何一个八进制数都可以表示为按位权展开的多项式之和，如八进制数 1537.6 可表示为

$$(1537.6)_8 = 1 \times 8^3 + 5 \times 8^2 + 3 \times 8^1 + 7 \times 8^0 + 6 \times 8^{-1}$$

4. 十六进制

十六进制（hexadecimal）的数码共有 16 个，除了 0～9 外又增加了 6 个字母符号 A、B、C、D、E、F，分别对应十进制数 10、11、12、13、14、15；其基数是 16，相邻两位之间为"逢十六进一"和"借一当十六"的关系，它的位权可表示成 16^i。任何一个十六进制数都可以表示为按位权展开的多项式之和，如十六进制数 3AC7.D 可表示为

$$(3AC7.D)_{16} = 3 \times 16^3 + 10 \times 16^2 + 12 \times 16^1 + 7 \times 16^0 + 13 \times 16^{-1}$$

5. 任意 K 进制

K 进制的数码共有 K 个，其基数是 K，相邻两位之间为"逢 K 进一"和"借一当 K"的关系，它的位权可表示成 K^i，i 为数位序号。任何一个 K 进制数都可以表示为按位权展开的多项式之和，该表达式就是数的一般展开表达式：

$$D = \sum_{i=1}^{n} A_i K^i$$

其中，K 为基数，A_i 为第 i 位上的数码，K^i 为第 i 位上的位权。

1.3.2 不同进制数之间的转换

1. 二进制数、八进制数、十六进制数转换成十进制数

转换的方法就是按照位权展开表达式进行计算，例如：

$$(111.101)_2 = 1 \times 2^2 + 1 \times 2^1 + 1 \times 2^0 + 1 \times 2^{-1} + 0 \times 2^{-2} + 1 \times 2^{-3}$$
$$= 4 + 2 + 1 + 0.5 + 0 + 0.125 = (7.625)_{10}$$
$$(774)_8 = 7 \times 8^2 + 7 \times 8^1 + 4 \times 8^0 = (508)_{10}$$
$$(AF2.8C)_{16} = 10 \times 16^2 + 15 \times 16^1 + 2 \times 16^0 + 8 \times 16^{-1} + 12 \times 16^{-2}$$
$$= 2560 + 240 + 2 + 0.5 + 0.046875 = (2802.546875)_{10}$$

2. 十进制数转换成二进制数

将十进制数转换成等值的二进制数，需要对整数和小数部分分别进行转换。

整数部分转换法是连续除 2，直到整数商为零，然后逆向取各个余数，得到的一串数码即为转换结果，例如：

$$11 \div 2 = 5, 余数为 1$$
$$5 \div 2 = 2, 余数为 1$$
$$2 \div 2 = 1, 余数为 0$$

$$1 \div 2 = 0, 余数为1$$

逆向取余数(后得的余数为结果的高位)得

$$(11)_{10} = (1011)_2$$

小数部分转换法是连续乘2,直到小数部分为零或已得到足够多数位,正向取积的整数位(后得的整数位为结果的低位),组成的一串数码即为转换结果,例如:

$$0.7 \times 2 = 1.4, 整数部分为1$$

$$0.4 \times 2 = 0.8, 整数部分为0$$

$$0.8 \times 2 = 1.6, 整数部分为1$$

$$0.6 \times 2 = 1.2, 整数部分为1$$

$$0.2 \times 2 = 0.4, 整数部分为0(进入循环过程)$$

若要求4位小数,则算到第5位,以便舍入,上例结果为

$$(0.7)_{10} = (0.1011)_2$$

由此可见,有限位的十进制小数所对应的二进制小数可能是无限位的循环或不循环小数,这就必然导致转换误差。将上述转换方法简单归结如下。

若整数部分为一个十进制整数 A,必然对应一个 n 位的二进制整数 B,将 B 展开表示就得下式:

$$(A)_{10} = b_{n-1} \times 2^{n-1} + b_{n-2} \times 2^{n-2} + \cdots + b_2 \times 2^2 + b_1 \times 2^1 + b_0 \times 2^0$$

式子两端同除以2,则两端的结果和余数都应当相等。分析式子右端,除了最末项外,各项都含有因数2,所以其余数就是 b_0;同时 $b_1 \times 2^1$ 项除以2后为 b_1,若再次除以2,b_1 就是余数;依次类推,就逐次得到了 b_2、b_3、b_4 等余数,且知道式子左端的整数商为0。

小数部分转换方法的证明同样是利用转换结果的展开表达式,写出下式:

$$(A)_{10} = b_{-1} \times 2^{-1} + b_{-2} \times 2^{-2} + \cdots + b_{-(m-1)} \times 2^{-m+1} + b_{-m} \times 2^{-m}$$

显然,若式子两端乘以2,其右端的整数位就等于 b_{-1}。若式子两端再次乘以2,其右端的整数位就等于 b_{-2}。依次类推,直到右端的小数部分为0,或得到了满足要求的二进制小数位数。

最后将小数部分和整数部分的转换结果合并,并用小数点隔开就得到了最终转换结果。

3. 十进制数转换为八进制数和十六进制数

对整数部分"连除基数取余",对小数部分"连乘基数取整"的转换方法可以推广到十进制数向任意进制数的转换,基数要用十进制数表示。例如,用"除8逆向取余"和"乘8正向取整"的方法可以实现由十进制数向八进制数的转换;十进制数向十六进制数转换也可依次类推。将十进制数269转换为八进制数和十六进制数的计算如下:

$$269 \div 8 = 33, 余数为5 \qquad 269 \div 16 = 16, 余数为13$$

$$33 \div 8 = 4, 余数为1 \qquad 16 \div 16 = 1, 余数为0$$

$$4 \div 8 = 0, 余数为4 \qquad 1 \div 16 = 0, 余数为1$$

得

$$(269)_{10} = (415)_8 \qquad (269)_{10} = (10D)_{16}$$

4. 八进制数、十六进制数与二进制数之间的转换

由于3位二进制数所能表示的也是8个状态,因此1位八进制数与3位二进制数之间存在一一对应的关系,利用此对应关系,可将转换过程简化。八进制数转换成二进制数时,只需要将每1个八进制数码用3个二进制数码代替即可,例如:

$$(367.12)_8 = (011\ 110\ 111.001\ 010)_2$$

为了便于阅读,这里在数字之间特意添加了空格。若要将二进制数转换成八进制数,只需从小数点开始,分别向左和向右每 3 位分成一组,每组用 1 个八进制数码代替即可,例如:

$$(10100101.00111101)_2 = (10\ 100\ 101.001\ 111\ 010)_2 = (245.172)_8$$

这里要注意的是:整数部分不够 3 位,高位补 0;小数部分不够 3 位,最后一组低位(尾部)补 0,补足 3 位后再进行转换。

与八进制数类似,1 位十六进制数与 4 位二进制数之间存在一一对应的关系。将十六进制数转换成二进制数时,只需将每 1 个十六进制数码用 4 个二进制数码代替即可,例如:

$$(CF.5)_{16} = (1100\ 1111.0101)_2$$

将二进制数转换成十六进制数时,只需从小数点开始,分别向左和向右每 4 位分成一组,每组用 1 个十六进制数码代替即可。小数部分的最后一组不足 4 位时要在尾部用 0 补足 4 位,例如:

$$(10110111.10011)_2 = (1011\ 0111.1001\ 1000)_2 = (B7.98)_{16}$$

1.3.3 二进制数的算术运算

二进制数只有 0 和 1 两个数码,它的算术运算规则比十进制数的运算规则简单很多。

1. 二进制数的加法运算

二进制数加法规则共 4 条:0+0=0;0+1=1;1+0=1;1+1=0(向高位进 1)。

如将两个二进制数 1001 与 1011 相加,加法过程的竖式表示如下:

```
   1001    被加数
+  1011    加数
------
  10100    和
```

2. 二进制数的减法运算

二进制数减法规则也是 4 条:0−0=0;1−0=1;1−1=0;0−1=1(向相邻的高位借 1 当 2)。

例如:1010−0111=0011。

3. 二进制数的乘法

二进制数乘法规则也是 4 条:0×0=0;0×1=0;1×0=0;1×1=1。

如求二进制数 1101 和 1010 相乘的乘积,竖式计算如下:

```
        1 1 0 1    被乘数
      × 1 0 1 0    乘数
      ---------
        0 0 0 0
      1 1 0 1
      0 0 0 0           部分乘积
    + 1 1 0 1
    -----------
    1 0 0 0 0 0 1 0    乘积
```

二进制数乘法运算过程和十进制数的乘法运算过程非常一致,仅仅是换用了二进制数的加法和乘法规则,计算更为简洁。

二进制数的除法同样是乘法的逆运算,也与十进制数除法类似,仅仅是换用了二进制数的减法和乘法规则,不再举例说明。

1.4 计算机信息处理

广义上讲,信息就是消息,一般表现为 5 种形态,即数据、文本、声音、图形、图像。本节主要按数值信息和非数值信息分类讲述其计算机表示或处理。

1.4.1 数值信息的表示

1. 数的定点和浮点表示

在计算机中,一个带小数点的数通常有两种表示方法,即定点表示法和浮点表示法。在计算过程中小数点位置固定的数称为定点数,小数点位置浮动的数称为浮点数。

计算机中常用的定点数有两种,即定点纯整数和定点纯小数。将小数点固定在数的最低位,就是定点纯整数。将小数点固定在符号位之后、最高数位之前,就是定点纯小数。

我们知道一个十进制数可以表示成一个纯小数与一个以 10 为底的整数次幂的乘积,如 135.45 可表示为 0.13545×10^3。同理,任意一个二进制数 N 可以表示为下式:

$$N = 2^J \times S$$

其中,S 称为尾数,是二进制纯小数,表示 N 的有效数位;J 称为 N 的阶码,是二进制整数,指明了小数点的实际位置,改变 J 的值就改变了数 N 的小数点的位置。该式就是数的浮点表示形式,而其中的尾数和阶码分别是定点纯小数和定点纯整数。例如,二进制数 11101.11 的浮点表示形式可为 0.1110111×2^{101}。

2. 数的编码表示

1)机器数

一般数都有正负之分,计算机只能记忆 0 和 1,为了将数在计算机中进行存放和处理,就要对数的符号进行编码,基本方法是在数中增加一个符号位(一般将其安排在数的最高位之前),并用"0"表示数的正号,用"1"表示数的负号,如数 +1110011 在计算机中可存为 01110011;数 -1110011 在计算机中可存为 11110011。

这种数值位部分不变,仅用 0 和 1 表示其符号,得到的数的编码,称为原码,原来的数称为真值,编码形式称为机器数。

按上述原码的定义和编码方法,数 0 就有两种编码形式:0000…0 和 100…0。对于带符号的整数来说,n 位二进制原码表示的数值范围是 $-(2^{n-1}-1) \sim +(2^{n-1}-1)$。

例如,8 位原码的表示范围为 $-127 \sim +127$,16 位原码的表示范围为 $-32767 \sim +32767$。

2)补码和反码

为了简化运算操作,也为了把加法和减法统一以简化运算器的设计,计算机常用其他编码形式,如补码和反码。

为了说明补码的原理,先介绍数学中的"同余"概念。对于 a、b 两个数,若用一个正整数 K 去除,所得的余数相同,则称 a、b 对于模 K 是同余的(或称互补)。就是说,a 和 b 在模 K 的意义下相等,记作 $a = b \pmod{K}$。

例如,$a = 13$,$b = 25$,$K = 12$,用 K 去除 a 和 b 余数都是 1,记作 $13 = 25 \pmod{12}$。

用钟表校对来说明,顺时针方向拨 $K(0 \leq K \leq 12)$ 个小时与反时针方向拨 $12 - K$ 个小时效果是相同的,就是因为在表盘上只有 12 个计数状态,即其模为 12。

对于计算机,其运算器的位数(字长)总是有限的,即它也有"模"的存在,可以利用补码实现加减法之间的互相转换。

(1)求反码的算法。

对于正数,其反码和原码同形;对于负数,则将其原码的符号位保持不变,而将其他位按位求反(即将0换为1,将1换为0)。

(2)求补码的算法。

对于正数,其补码和原码同形;对于负数,先求其反码,再在最低位加1(称为"末位加1")。

如数+6的原码为0 000 0110,反码为0 000 0110,补码为0 000 0110;数-6的原码为1 000 0110,反码为1 111 1001,补码为1 111 1010。

若对一补码再次求补码就又得到了对应的原码。

注意:在对二进制数的小数进行取舍时,0舍1入。如$(0.82)_{10}=(0.110100011\cdots)_2$,取8位小数,就把第9位上的"1"入到第8位,而第8位进位,从而得知十进制数0.82的二进制数是0.11010010,在原码中,为了凑8位数字,可把最后一个"0"舍去。

(3)补码运算举例。

补码运算的基本规则是$[X]_补+[Y]_补=[X+Y]_补$,由此规律进行计算。

【例】 通过补码运算证明18-13=5。

18-13=18+(-13),则8位补码计算的竖式如下:

```
   00010010
 + 11110011
 ----------
  100000101
```

最高位进位自动丢失后,结果的符号位为0,即为正数,补码与原码同形,转换为十进制数即为+5,运算结果正确。

【例】 通过补码运算证明25-36=-11。

25-36=25+(-36),则8位补码计算的竖式如下:

```
   00011001
 + 11011100
 ----------
   11110101
```

结果的符号位为1,即为负数。由于负数的补码与原码不同形,所以要将其再求补码得到原码,即10001011,转换为十进制数即为-11,运算结果正确。

3.计算机中数的浮点表示

数的浮点表示形式中阶码和尾数都可以任意选用原码、补码或反码,这里仅简单说明采用补码表示的定点纯整数表示阶码、采用补码表示的定点纯小数表示尾数的数的浮点表示方法。例如,在IBM PC系列微机中,采用4个字节存放一个实型数据,其中阶码占1个字节,尾数占3个字节。阶码的符号(简称阶符)和数值的符号(简称数符)各占1位,且阶码和尾数均为补码形式。存放十进制数+256.8125时,其浮点格式为

0	0001001	0	1000000 00110100 00000000
阶符	阶码	数符	尾数

即$(256.8125)_{10}=(0.1000000001101\times 2^{1001})_2$。

存放十进制数-0.21875时,其浮点格式为

1	1111110	1	001000000000000 00000000
阶符	阶码	数符	尾数

即$(-0.21875)_{10}=(-0.00111)_2=(-0.111\times 2^{-10})_2$。

由上例可以看到，所有编码必须按规定写足位数。另外，为了充分利用编码表示高精度的数据，计算机中采用了规格化的浮点数的概念，即尾数中小数点的后一位必须是"0"或非"0"。对正数，小数点的后一位必须是"1"；对负数补码，小数点的后一位必须是"0"。

1.4.2 非数值信息的编码

由于计算机只能识别二进制代码，数字、字母、符号等必须以特定的二进制代码来表示，这一转换表示过程称为二进制编码。

1. 十进制数字的编码

前面提到十进制小数转换为二进制数时将会产生误差，为了精确地存储和运算十进制数，可用若干位二进制数来表示一位十进制数，由此表示出的数称为二进制编码的十进制数，简称二一十进制代码(binary code decimal，BCD)。由于十进制数有10个数码，起码要用4位二进制数才能表示1位十进制数，而4位二进制数能表示16个符号，所以就存在多种编码方法。其中，8421码是常用的一种，它利用了二进制数的展开表达式形式(即位权由高位到低位分别是8、4、2、1)，方便编码和解码运算操作。十进制数与8421码对照表如表1-1所示。若用8421码表示十进制数2365就可以直接写出结果0010 0011 0110 0101。

表1-1 十进制数与8421码对照表

十进制数	0	1	2	3	4	5	6	7	8	9
8421码	0000	0001	0010	0011	0100	0101	0110	0111	1000	1001

2. 字母和常用符号的编码

常用英文字母为52个(大、小写字母各26个)，数码为10个，数学运算符号和其他标点符号等约32个，再加上用于控制打印机等外围设备的控制字符，共计128个符号。对这128个符号进行编码需要7位二进制数，且可以有不同的排列方式，即不同的编码方案。其中，美国标准信息交换码(American Standard Code for Information Interchange，ASCII)是使用最广泛的字符编码方案。在7位ASCII之前再增加一位用作校验位，形成8位编码。7位ASCII编码表如表1-2所示。

表1-2 7位ASCII编码表

ASCII	符号	ASCII	符号	ASCII	符号	ASCII	符号
0000000	NUL	0100000	空格	1000000	@	1100000	`
0000001	SOH	0100001	!	1000001	A	1100001	a
0000010	STX	0100010	"	1000010	B	1100010	b
0000011	ETX	0100011	#	1000011	C	1100011	c
0000100	EOT	0100100	$	1000100	D	1100100	d
0000101	ENQ	0100101	%	1000101	E	1100101	e
0000110	ACK	0100110	&	1000110	F	1100110	f

续表

ASCII	符号	ASCII	符号	ASCII	符号	ASCII	符号
0000111	DEL	0100111	'	1000111	G	1100111	g
0001000	BS	0101000	(	1001000	H	1101000	h
0001001	HT	0101001	)	1001001	I	1101001	i
0001010	LF	0101010	*	1001010	J	1101010	j
0001011	VT	0101011	+	1001011	K	1101011	k
0001100	FF	0101100	,	1001100	L	1101100	l
0001101	CR	0101101	-	1001101	M	1101101	m
0001110	SO	0101110	.	1001110	N	1101110	n
0001111	SI	0101111	/	1001111	O	1101111	o
0010000	DLE	0110000	0	1010000	P	1110000	p
0010001	DC1	0110001	1	1010001	Q	1110001	q
0010010	DC2	0110010	2	1010010	R	1110010	r
0010011	DC3	0110011	3	1010011	S	1110011	s
0010100	DC4	0110100	4	1010100	T	1110100	t
0010101	NAK	0110101	5	1010101	U	1110101	u
0010110	SYN	0110110	6	1010110	V	1110110	v
0010111	ETB	0110111	7	1010111	W	1110111	w
0011000	CAN	0111000	8	1011000	X	1111000	x
0011001	EM	0111001	9	1011001	Y	1111001	y
0011010	SUB	0111010	:	1011010	Z	1111010	z
0011011	ESC	0111011	;	1011011	[	1111011	{
0011100	FS	0111100	<	1011100	\	1111100	|
0011101	GS	0111101	=	1011101	]	1111101	}
0011110	RS	0111110	>	1011110	∧	1111110	~
0011111	US	0111111	?	1011111	_	1111111	DEL

3. 汉字编码

依据汉字处理阶段的不同,汉字编码可分为输入码、显示字形码、机内码和交换码。

①用键盘输入汉字用到的汉字输入码归纳起来可分为数字码、拼音码、字形码和混合码。数字码以区位码、电报码为代表。一般用 4 位十进制表示一个汉字,每个汉字编码唯一,记忆困难。拼音码又分全拼和双拼,基本上无须记忆,但重音字太多。为此,人们又提出双拼双音、智能拼音和联想等方案,推进了拼音汉字编码的普及使用。字形码以五笔字型为代表,优点是重码率低,适合专业打字人员应用,缺点是记忆量大。混合码中的自然码则将汉字的音、形、义都反映在其编码中,是混合编码的代表。

②要在屏幕或在打印机上输出汉字,就需要用到显示汉字字形信息的显示字形码。目前表示汉字字形常用点阵字形法和矢量字形法。

点阵字形法是将汉字写在方格纸上,用一位二进制数表示一个方格的状态,有笔画经过记为"1",否则记为"0",方格并称为点阵,把点阵上的状态代码记录下来就得到一个汉字的显示字形码。将字形信息有组织地存放起来就形成了汉字字形库。一般的汉字系统中汉字字形点阵有 16×16、24×24、48×48 几种,点阵越大,对每个汉字的修饰作用就越强,打印质量也就越高,通常用 16×16 点阵来显示汉字。

矢量字形法则是抽取并存放汉字中每个笔画的特征坐标值,即汉字的矢量字形信息,在输出时依据这些信息经过运算恢复原来的字形。矢量字形信息可适用于显示和打印各种字号的汉字。

③若输入一个汉字并要将其显示出来,就要将其输入码转换成为能表示其字形码存储地址的机内码。根据字库的选择和字库存放位置的不同,同一汉字在同一计算机内的机内码是不同的。

④汉字的输入码、显示字形码和机内码都不是唯一的,使不同计算机系统之间不便进行汉字信息交换,为此我国制定了《信息交换用汉字编码字符集 基本集》(GB 2312—1980),提供了统一的国家信息交换用汉字编码,即国标码。该标准集中规定了汉字信息交换用的基本图形字符及其二进制编码表示。

除 GB 2312—1980 外,GB/T 7589—1987 和 GB/T 7590—1987 两个辅助集也对非常用汉字做出了规定。

1.5 多媒体技术

多媒体技术是以数字技术为基础,把通信技术、广播技术和计算机技术融于一体,能够对文字、图形、图像、声音、视频等多种媒体信息进行存储、传送和处理的综合性技术。

"多媒体"一词大约出现于 1990 年,从 20 世纪 80 年代初期至今,共经历了孕育(20 世纪 80 年代初期—90 年代初期)、问世(20 世纪 90 年代初期—中期)和发展(20 世纪 90 年代中期至今)三个阶段。

目前,随着多媒体技术及应用遍及国民经济与社会生活的各个角落,它给人们的生产方式、工作方式、学习方式乃至生活方式带来了巨大的变革。

1.5.1 多媒体技术的基本概念

1. 多媒体

媒体(media)在计算机中有两种含义:一是指存储信息的物理实体,如磁盘、磁带、光盘等;二是指信息的表现形式或载体,如大家已熟悉的文字、图形、图像、声音、动画和视频等。多媒体技术中的"媒体"通常指后者。

根据国际电信联盟的定义,媒体包括感觉媒体、表示媒体、表现媒体、存储媒体和传输媒体五种。

感觉媒体:能直接作用于人的感觉器官,使人直接产生感觉的一类媒体,如自然界的各种声音以及人类的语言、文字、音乐、动画等。

表示媒体:传输感觉媒体的中介媒体,即用于数据交换的编码,如图像编码(JPEG 编码、MPEG 编码等)、文本编码(ASCII、GB 2312 编码等)和声音编码等。

表现媒体:显示媒体,是计算机用于输入/输出信息的媒体,如键盘、鼠标、光笔、显示器、扫描仪、打印机、数字化仪等。

存储媒体:存储二进制信息的物理载体,具有表现两种相反物理状态的能力,存储器的存取速度就取决于这两种物理状态的改变速度。

传输媒体:通信网络中发送方和接收方之间的物理通路,分为有线和无线两大类。如同轴电缆、双绞线及光缆是有线传输媒体,微波、无线电、激光和红外线等是无线传输媒体。

多媒体(multimedia)从字面上理解就是文字、图形、图像、声音、动画和视频等多种媒体信息的集合。计算机能处理的多媒体信息从时效上可分为两大类:

(1)静态媒体,包括文字、图形、图像。

(2)动态媒体,包括声音、动画、视频。

通常情况下,多媒体并不仅仅指多种媒体本身,而主要指处理和应用它们的一整套技术。因此,多媒体实际上常被看作多媒体技术的同义词。

多媒体技术是指利用计算机技术把多种媒体信息综合一体化,使它们建立起逻辑联系,并能进行加工处理的技术。这里所说的"加工处理"主要是指对这些媒体的录入及对信息的压缩、解压缩、存储、显示和传输等。显然,多媒体技术是一种基于计算机的综合技术,包括数字化信息的处理技术、音频和视频技术、计算机硬件和软件技术、人工智能和模式识别技术、通信和图像技术等,因而是跨学科的综合技术。

2. 多媒体技术的特性

多媒体技术的主要特性包括信息媒体的多样性、集成性、交互性和实时性等,这些特性也是在多媒体研究中必须要解决的主要问题。

1)多样性

多样性是多媒体技术的主要特征,也是多媒体研究需要解决的关键问题。人类对于信息的接收主要通过视觉、听觉、触觉、嗅觉和味觉,其中前三项接收的信息占信息总量的95%以上。信息媒体的多样化相对于计算机以及与之相应的一系列设备而言,远远没有达到人类需求的水平。多媒体技术目前提供了多维信息空间下的视频和音频信息的获取和表示方法,使计算机中的信息表达方式不再局限于文字和数字,而广泛采用图像、图形、视频、音频等信息形式,使得人们的思维表达有了更充分、更自由的扩展空间,也使得计算机变得更加人性化,人们能够从计算机世界里真切地感受到信息的美妙。

2)集成性

集成性主要是指以计算机为中心,综合处理多种信息媒体的特性。它包括信息媒体的集成以及处理这些媒体的设备和软件的集成。信息媒体的集成包括信息的多通道统一获取、统一存储、组织和合成等方面。设备集成是指显示和表现媒体设备的集成,计算机能和各种外设(如打印机、扫描仪、数码照相机、音箱等设备)联合工作。软件的集成是指有集成一体的多媒体操作系统、适合多媒体信息管理的软件系统、创作工具及各类应用软件等。

3)交互性

多媒体技术最重要的一点就是它的交互性。交互性是指向用户提供更加有效的控制和使用信息的手段,它可以使人们加强对信息的注意和理解,延长信息的保留时间,使人们获取信息和使用信息的方式由被动变为主动。传统的电视之所以不能称为多媒体,其原因就在于它不能和用户交流,用户只能被动地收看。

4)实时性

实时性又称动态性,是指视频图像和声音保持同步和连续的特性。

3. 媒体元素

媒体元素是指多媒体应用中可以显示给用户的媒体组成元素,主要包括文本、图形、图像、动画、视频、音频等。

1) 文本

文本(text)是计算机中基本的信息表示方式,包含字母、数字以及各种专用符号。多媒体系统除了利用字处理软件(如记事本、Word 等)实现文本输入、存储、编辑、格式化、输出等功能外,还可应用人工智能技术对文本进行识别、理解、翻译、发音等。

2) 图形

图形(graphics)一般是指通过绘图软件绘制的由直线、圆、圆弧、任意曲线等组成的画面,图形文件中存放的是描述生成图形的指令(图形的大小、形状及位置等),以矢量图形文件形式存储。计算机辅助设计(CAD)系统中常用矢量图来描述复杂的机械零件、房屋结构等。

3) 图像

图像(image)是通过扫描仪、数字照相机、摄像机等输入设备捕捉的真实场景的画面,数字化后以位图格式存储。图像可以用图像处理软件如 Adobe Photoshop 等进行编辑和处理。

4) 动画

动画(animation)是利用人眼的视觉特性得到的,当一系列画面按一定的时间在人的视野中经过时,人脑就会产生物体运动的印象。计算机动画通常通过 Flash、3ds Max 等软件制作。这些软件目前已成功地用于网页制作、建筑效果图制作、游戏软件制作等,尤其是将动画用于电影特技,使电影动画技术与实拍画面相结合,真假难辨,效果显著。

5) 视频

视频(video)是来自录像带、摄像机、影碟机等视频信号源的影像,是对自然景物等的捕捉,数字化后以视频文件格式存储。视频的处理技术包括视频信号导入、数字化、压缩/解压缩、视频和音频编辑、特效处理、输出到计算机磁盘、光盘等。视频在多媒体系统中充当了非常重要的角色,在计算机辅助教学(CAI)中,也起到越来越重要的作用。

6) 音频

音频(audio)包括话语、音乐以及各种动物和自然界(如风、雨、雷等)发出的各种声音。音乐和解说词可使文字和画面更加生动;音频和视频同步才能使视频影像具有真实的效果。计算机中的音频处理技术主要包括声音的采集、数字化、压缩和解压缩、播放等。

4. 多媒体信息处理的关键技术

多媒体信息的处理和应用需要一系列相关技术的支持,以下几个方面的关键技术是多媒体研究的热点,也是未来多媒体技术发展的趋势。

1) 多媒体数据压缩技术

信息时代的重要特征是信息的数字化,而将多媒体信息中的视频、音频信号数字化后数据量非常庞大,给多媒体信息的存储、传输、处理带来了极大的困难。解决这一难题的有效方法就是数据压缩和编码。因此,多媒体数据压缩和编码技术是多媒体技术中的核心技术。采用先进的压缩编码算法对数字化的视频和音频信息进行压缩,既节省了存储空间,又提高了通信介质的传输效率,同时也使计算机实时处理和播放视频、音频信息成为可能。

2) 集成电路制作技术

数字多媒体信息的处理需要大量的计算。例如,图像的绘制、生成、合并、添加特殊效果等处理需要大量的计算,音频、视频信息的压缩、解压缩和播放处理也需要大量的计算,对于处理时间有苛刻的要求。具有强大数据压缩运算功能的专用大规模集成电路,能够以一条指令完成以往需要多条指令才能完成的处理,为多媒体技术的进一步发展创造了有利的条件,例如,专用于多媒体计算机的数字信号处理器(digital signal processor,DSP)芯片可用于多媒体信息的综合处理。

3)多媒体数据库技术

传统的数据库技术只能解决数值、字符等结构化数据的存储和检索。多媒体数据库要存储大量的图像、音频、视频等非结构化数据。多媒体数据库技术需要解决的问题主要有:

①研究多媒体信息的特征,建立多媒体数据模型。

②有效地组织和管理多媒体信息。

③多媒体信息的检索和统计。

随着多媒体技术的发展、面向对象技术的成熟及人工智能技术的发展,多媒体数据库、面向对象的数据库及智能化多媒体数据库的发展越来越迅速,它们将进一步发展或取代传统的关系数据库,形成对多媒体数据进行有效管理的新技术。

4)虚拟现实技术

虚拟现实(virtual reality,VR)技术利用计算机生成一种模拟环境(如飞机驾驶舱、操作现场等),通过多种传感设备,使人能够沉浸在计算机生成的虚拟境界中,并能够通过语言、手势等自然的方式与之进行实时交互,创建了一种适人化的多维信息空间。使用者不仅能够通过虚拟现实系统感受到如同在客观物理世界中所经历的逼真情境,而且能够突破空间、时间以及其他客观限制,感受到在真实世界中无法亲身经历的体验。

虚拟现实技术是一项难度很大的综合技术,涉及计算机软硬件技术、传感技术、人工智能技术及心理学技术等,需要计算机、心理学、人类工程学等方面专家共同开发研究。虚拟现实涉及的关键技术主要有大规模数据的场景建模技术,动态实时的立体视觉、听觉等生成技术,三维定位、方向跟踪、触觉反馈等传感技术(和设备),符合人类认知心理的三维自然交互技术,三维交互软件及系统集成技术等。

虚拟现实技术之所以能让用户从主观上有一种进入虚拟世界的感觉,参与者不仅具有参与感,而且具有身临其境的沉浸感,主要是因为采用了一些特殊的输入/输出设备,如跟踪器、数据传感手套、头盔式显示器、大屏幕立体显示系统等。

虚拟现实技术的应用前景十分广阔。它始于军事和航空航天领域的需求,在这些领域中仿真和训练特别重要,迫切需要一种逼真的、灵活的、网络化的模拟系统。随着虚拟现实技术的发展,它还被广泛应用于计算机辅助设计与制造、医学、科学研究和计算的可视化、远程控制、教育、娱乐等领域。专家预测,随着计算机软、硬件技术的发展和价格的下降,预计在21世纪虚拟现实技术将会走进家庭。

5)大容量存储技术

信息的组织和管理是一个较为复杂的系统,涉及对信息的输入、编辑、存储、检索、排序、统计、传递和输出等,数字化的多媒体信息虽然经过了压缩处理,但仍然需要相当大的存储空间,闪存盘、移动硬盘、存储卡等大容量存储设备在多媒体处理中得到了广泛的应用。

6)视频点播技术

视频点播技术是通信、计算机和电视相结合的技术,实现了人们随意观看电视的想法,成为互联网和计算机发展过程中的优质产物,改变了传统单一的电视传媒娱乐方式。

7)流传媒技术

流传媒技术将动画和声乐等通过服务器实现流式传输,这种新型的在线观看方式可以让用户在文件下载的过程中就进行观看,实现信息的传送和放映同步,可有效节省移动终端客户的存储空间,提升效率。

5. 多媒体技术的应用领域

众所周知,多媒体技术的应用领域已遍布国民经济与社会生活的各个角落,尤其是互联网的迅速兴起,进一步开阔了多媒体应用的领域。

1)多媒体教育

教育领域是应用多媒体技术最早、发展最快、受益面最广的领域。与传统教学相比,多媒体教学不仅丰富多彩、扩大了信息量、提高了知识的趣味性,而且可通过各种计算机辅助教学软件(CAI课件)的运用来呈现教学目标、教学内容,记录学生的学习情况和控制学习进程等,以实现因材施教,用"以学生为中心"取代"以教师为中心"等。CAI课件根据具体的教学目标和教学内容,有多种教学模式:

①课堂演示型:应用在课堂教学中,通过多媒体教学软件,给学生演示教学过程,创设教学情境或进行标准示范等。

②学生自主学习型:在多媒体CAI网络教室的环境下,教师向学生提出学习要求,学生利用计算机进行个别化自主学习。

③技能训练型:通过问题的形式来训练、强化学生某方面的知识和能力,或在学科多媒体专用技能训练的环境下,利用有专门教学功能的系统进行专业技能的示范和训练,或进行实验仿真及实验数据的分析处理等。

④问题求解型:追踪学生思维的智能型教学模式,在课件的引导下,通过启发和尝试,与学生一起进行设计,掌握某一问题的研究操作过程。

⑤教学游戏型:基于学科的知识内容,寓教于乐,通过游戏的形式,使学生掌握学科知识和提高能力。

⑥模拟型:也称仿真,是用计算机来模拟真实的自然现象或社会现象。

2)电子出版物

电子出版物也是多媒体技术较早应用的领域之一。与传统纸质出版物相比,电子出版物不仅能够储存图像、文字,而且能够储存声音和活动画面,从而提高人们的学习兴趣,提高效率。电子出版物的另一个重要特点是其具有交互性,即人们在使用电子出版物时要大量进行人机交流,这使得人们在学习时有了一定程度的主动性,并产生了一定意义上的参与意识。电子出版物的问世是人类社会进入信息时代的结果和标志,它同信息高速公路一起,在很大程度上给人们的生活、工作和学习方式带来了深刻影响。

电子出版物从内容分,大致有以下几类:

①教学类:服务于各级各类教育的需要,除制作的CAI课件、电子教材和与纸质教材配套的教学光盘外,还包括多媒体教学中需要的各种音像素材。

②文化类:帮助人们开阔视野,增长知识,如字典、辞典、百科全书等。

③数据库类:多为专业知识或文献、索引等。

此外,还有游戏类,供人们休闲娱乐;旅游类,使人们足不出户便可游历天下,等等。

3)多媒体网络应用

互联网的兴起与发展,在很大程度上对多媒体技术的进一步发展起到了促进的作用。人们除了通过电子邮件、网页浏览、文件传输等互联网服务传送文字、静态图片等媒体信息外,随着流媒体技术的发展,还可以通过多媒体网络应用收听、观看动态的音、视频信息。流媒体是从英语"streaming media"翻译过来的,它是一种可以使音频、视频等多媒体文件在互联网上以实时的、无须下载等待的流式传输方式进行播放的技术。

① 互联网直播。

互联网直播是将摄像机拍摄的实时视频信息传输到专门的视频直播服务器上,视频直播服务器对活动现场的实时过程进行视频信息的采集和压缩,同时通过网络传输到用户的计算机上,实现现场实况的同步收看,就像电视台的现场直播一样。一年一度的春节联欢晚会就是网上、现场同步直播的例子。

互联网直播流媒体技术在互联网直播中充当着重要的角色,流媒体技术实现了在低带宽的环境下提供高质量影音的效果。

② 视频点播。

视频点播(video on demand,VOD)技术最初应用于卡拉OK点播,随着计算机技术的发展,VOD技术逐渐应用于局域网及有线电视网中,但由于音、视频信息容量的庞大,VOD技术的发展受到了阻碍。

视频点播服务器中存储的是大量压缩的视频音频库,但不主动传输给任何用户。客户端采用浏览器方式进行"按需点播"收看所需的内容,可控制播放的过程。

③ 远程教育。

远程教育一般由两部分组成,即实时教学和交互教学,这实际上相当于上述的互联网直播和视频点播。就目前来讲,在互联网上进行多媒体交互教学的技术多为流媒体技术。

在远程教学过程中,要将多媒体的信息从教师端传递到远程的学生端,这些信息可能是多元化的,包括视频、音频、图片、文本等。为了在网上实时、快速地传递这些信息,流媒体技术是最佳的选择。教师只要通过摄像头和计算机就可进行授课,学生在家通过一条电话线、一台调制解调器、一台电脑就可以参加。除实时教学外,使用流媒体技术中的VOD技术,可以实现交互式教学。

④ 视频会议系统。

计算机多媒体视频会议系统综合了视频、音频、图像、图形及文字等多种媒体信息的处理和传输,使异地与会者如同面对面坐在一起讨论,不仅可以借助多媒体形式充分交流信息、意见、思想、感情,而且可以使用计算机提供的信息加工、存储、检索等功能。视频会议最常见的例子就是可视电话。只要有一台已接入互联网的电脑和一个摄像头,人们就可以与世界上任何地点的人进行音、视频通信。此外,大型企业可以利用基于流技术的视频会议系统组织跨地区的会议和讨论,从而节省大量的开支。

1.5.2 多媒体计算机系统

多媒体计算机系统是指能综合处理多种媒体信息,使信息之间建立联系,并具有交互性的计算机系统。

为促进多媒体计算机的标准化,Microsoft、IBM等公司组成了多媒体PC工作组(The Multimedia PC Working Group),先后发布了4个MPC标准。计算机技术的高速发展,从现在的计算机软、硬件性能来看,已完全超过MPC标准的规定,MPC标准已成为一种历史,但MPC标准的制定对多媒体技术的发展和普及起到了重要的推动作用。

多媒体计算机系统一般由多媒体计算机硬件系统和多媒体计算机软件系统组成,通常应包括5个层次结构,如图1-13所示。

最底层(第1层)为多媒体计算机(multimedia PC,MPC)主机、各种多媒体外设的控制接口和设备。

第2层为多媒体操作系统和设备驱动程序。该层软件除驱动、控制多媒体设备外,还要

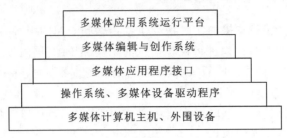

图 1-13　多媒体计算机系统层次结构

提供输入/输出控制界面程序(I/O 接口程序)。

第 3 层为多媒体应用程序接口(application programming interface，API)，为上层提供软件接口，使程序开发人员能在高层通过软件调用系统功能，并能在应用程序中控制多媒体硬件设备。

第 4 层为媒体制作平台和媒体制作工具软件。设计者可利用该层提供的接口和工具采集、制作媒体数据。

第 5 层为多媒体应用系统运行平台，即多媒体播放系统。该层直接面向用户，通常有较强的交互功能和良好的人机界面。

构成多媒体硬件系统除了需要较高性能的计算机主机硬件外，通常还需要音频、视频处理设备、光盘驱动器、各种媒体输入/输出设备等，例如摄像机、电视、话筒、录像机、录音机、扫描仪、CD-ROM、高分辨率屏幕、视频卡、声卡、实时压缩和解压缩专用卡、家电控制卡、通信卡、操纵杆、键盘、触摸屏等。

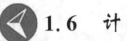

1.6　计算机病毒及信息安全

1.6.1　计算机病毒及其防治

从世界上第一台计算机出现以来，计算机用户一直在为避免数据丢失、被窃以及损坏而不懈努力。随着计算机资源共享和网络技术应用的日益广泛与深入，特别是互联网技术的发展，计算机安全问题越来越受到人们重视。其中，严重影响计算机系统安全的问题之一就是计算机病毒的攻击。

1. 计算机病毒的定义及特点

计算机病毒(computer viruses)概括来讲是指具有破坏作用的程序或一组计算机指令。在《中华人民共和国计算机信息系统安全保护条例》中，计算机病毒的定义是，编制或者在计算机程序中插入的破坏计算机功能或者毁坏数据，影响计算机使用，并且能够自我复制的一组计算机指令或者程序代码。

计算机病毒虽然也是一种计算机程序，但它与一般的程序相比，具有以下几个主要的特点：

①破坏性：这是绝大多数病毒最主要的特点。病毒的制作者一般将病毒作为破坏他人计算机或计算机中存放的重要数据和文件的一种工具或者手段，在网络时代则通过病毒阻塞网络，导致网络服务中断甚至整个网络系统瘫痪。

②传染性：计算机病毒一般都具有自我复制功能，并能将自身不断复制到其他文件内，

达到不断扩散的目的,尤其在网络时代,更是通过互联网中网页的浏览和电子邮件的收发而迅速传播。

③隐蔽性:计算机病毒一般都不易被人察觉,附加在其他可执行的程序体内,或者隐藏在磁盘中较隐蔽处,有些病毒还会将自己改为系统文件名,不通过专门的杀毒软件一般很难发现它们。

④潜伏性:大多数病毒在发作之前都潜伏在机器内并不断繁殖自身,当病毒的触发条件满足时病毒才开始其破坏行为,不同的病毒触发的机制也不同,例如"黑色星期五"病毒就是每逢13日且星期五时发作。

⑤激发性:病毒可以在一定条件下通过外界刺激活跃起来。例如,某个特定时间或日期、特定的用户标识符出现、特定文件被使用,都可以使病毒被激活并发起攻击。

⑥隐蔽性:计算机病毒往往以隐含文件或程序代码的方式存在,普通的病毒查杀过程难以对其实现及时有效的查杀。病毒伪装成正常程序或病毒修复程序,诱导用户使用。

2. 计算机病毒分类

根据病毒寄生方式的不同,可将传统单机病毒分为以下四种主要类型:

①引导型病毒:在系统启动、引导或运行的过程中,病毒利用系统扇区及相关功能的疏漏,直接或间接地修改扇区,直接或间接地实现传染、侵害或驻留等。"石头"病毒(Stoned)、小球病毒和"磁盘杀手"(Disk Killer)等都属于此类病毒。

②文件型病毒:这种病毒感染可执行文件,如COM、EXE、DOC文件等,寄生在这些文件的首部或尾部,使用户无法正常使用该文件或直接破坏系统和数据。"黑色星期五"、1465等病毒属于此类病毒。

③宏病毒:这种病毒打破了计算机的非执行文件不会被感染的记录,寄生于文档或模板宏中,影响文件的各种操作,如打开、存储、关闭或删除等。

④混合型病毒:既感染可执行文件又感染磁盘引导记录的病毒,只要中毒,一开机病毒就会发作,然后通过可执行程序感染其他的程序文件。

3. 计算机病毒的传播途径及传染方式

计算机病毒的传播主要是通过拷贝文件、传送文件、运行程序等方式进行的,主要的传播途径有存储设备(如U盘、移动硬盘等)和网络(如网上下载资料等)两种。

计算机病毒的主要传染方式有直接和间接两种:

(1)病毒程序的直接传染方式是由病毒程序A将病毒传播给程序P1,P2,…,Pn。

(2)病毒程序的间接传染方式是由病毒程序A将病毒传播给程序P1,染有病毒的程序P1再将病毒传播给程序P2,染有病毒的程序P2再将病毒传播给程序P3,以此继续传播下去。

实际上,计算机病毒在计算机系统内往往是直接和间接两种方式同时(即纵横交错的方式)进行传染的,它以令人吃惊的速度进行病毒扩散。

4. 计算机病毒的防治

计算机病毒防治的关键是做好预防工作,首先在思想上给予足够的重视,采取"预防为主,防治结合"的方针,主要有以下几种预防措施:

(1)尽量做到专机专用,重要资料建立备份,使用移动存储设备时,尽可能不要共享这些设备。

(2)经常运行Windows Update,安装操作系统的补丁程序。

(3)安装防火墙工具,设置相应的访问规则,过滤不安全的站点访问。

(4)安装最新杀毒软件,并及时升级病毒库,定时对计算机进行病毒查杀,开启杀毒软件的全部监控。

(5)慎用网上下载软件,不要随意打开来历不明的电子邮件、页面链接,不随意安装或执行未经杀毒处理的软件。

(6)自觉培养信息安全意识,不要使用盗版的软件。

1.6.2 信息安全

国际标准化组织(ISO)对信息安全的定义为:为数据处理系统建立和采用的技术、管理上的安全保护,为的是保护计算机硬件、软件、数据不因偶然和恶意的原因而遭到破坏、更改和泄露。

1. 网络环境中的信息安全隐患

假冒:非法用户通过输入账号等信息的方式冒充合法用户入侵系统,窃取信息。

身份窃取:合法用户的正常通信过程被非法用户拦截。

数据窃取:非法用户截获通信网络的数据。

否认:用户否认自己曾经完成的操作。

拒绝服务:对合法用户的正当申请进行拒绝或者延迟服务。

2. 信息安全的目标和原则

1)目标

保密性(confidentiality):阻止非授权主体访问敏感信息,防止信息泄露,即只让有权限的用户访问信息。

完整性(integrity):防止信息在传输、存储过程中被非法篡改,保护信息的原始状态及真实性。

可用性(availability):授权主体在需要信息时及时得到服务的能力,即有访问权限的用户任何时候都能访问被授权的信息。

可控性(controllability):对信息和信息系统实施安全监控管理,即可对信息内容进行审查、追踪,防止非法利用。

不可否认性(non-repudiation):在信息交互过程中保留双方通信的证据,使得通信双方不能否认其在信息交换过程中发送或接收信息的行为。

2)原则

为了达到信息安全的目标,各种信息安全技术的使用必须遵守一些基本的原则。

最小化原则:受保护的敏感信息只能在一定范围内被共享,在满足工作需要的前提下,授予适当权限。最小化原则是一种限制性开放,可细化为知所必需(need to know)和用所必需(need to use)原则。

分权制衡原则:在信息系统中,对所有权限进行划分,根据需求授予每个主体部分权限,使各主体间相互制约、相互监督,共同保证信息系统的安全。

安全隔离原则:隔离和控制是实现信息安全的基本方法,而隔离是控制的基础,安全隔离原则是指将信息的主体与客体分离,依据一定的安全策略,在可控和安全的前提下实施主体对客体的访问。

3. 信息安全技术

1)加密技术

加密技术是在数据传输前利用某种算法将其打乱(称之为加密),到达目的地后用一定的技术手段将乱码还原(称之为解密),加密技术是最常用的安全保密手段。

算法和密钥是加密技术的两个主要元素。算法是将待处理的信息与密钥结合,形成密文的过程,密钥则是对数据进行编、解码的算法。对数据加密的技术分为对称加密(私人密钥加密)和非对称加密(公开密钥加密)两种,相应的密钥体制分为对称密钥体制和非对称密钥体制两种。对称加密的加密密钥和解密密钥相同,以数据加密标准(data encryption standard,DES)算法为典型代表;非对称加密的加密密钥和解密密钥不同,加密密钥可以公开而解密密钥需要保密,以 RSA(Rivest-Shamir-Adleman)算法为代表。

2)报文摘要技术

报文摘要技术是通过报文摘要算法对完整报文进行报文摘要运算,从任意长度的报文中产生有限位数的报文摘要,类似文章摘要,并对其进行加密,附在完整报文(明文)后发送。接收端接收到信息后,对附在明文后的密文进行解密,还原报文摘要,然后采用报文摘要算法重新对明文进行报文摘要运算,生成新的报文摘要,比较两个报文摘要,若完全相同,则确定明文在传输过程中未被篡改。报文摘要算法不关心信息的保密性,而强调信息的完整性。

3)数字签名技术

数字签名,又称公钥数字签名,是由信息发送者产生的一段数字串,这一段数字串具有唯一性、关联性和可证明性。唯一性强调数字签名只能由发送者生成;关联性强调数字签名对发送者的身份鉴别;可证明性确保数字签名的唯一性和特定报文的关联性可以得到证明。

数字签名技术通常定义两种互补的运算,分别用于签名和验证,可解决伪造、冒充、抵赖等问题。私有密钥只有签名者自己知道,其他人不可能构造出正确的数字签名,由此解决了伪造问题;区别于传统面对面手工签名,通信双方可通过数字签名鉴定对方所宣称的身份,也可保存双方参与该项活动的证据,由此解决了冒充及抵赖问题;数字签名与源文件形成混合的完整数据,完成签名后不能篡改,由此保证了数据的完整性;信息加密要用数字签名,可保护信息不被泄露,由此解决了保密性问题。

4)防病毒技术

CPU 内嵌的防病毒技术是一种硬件防病毒技术,与操作系统相配合,可以防范大部分针对缓冲区溢出(buffer overrun)漏洞的攻击。Intel 的防病毒技术是 EDB(Execute Disable Bit);AMD 的防病毒技术是 EVP(Enhanced Virus Protection)。从反病毒产品对计算机病毒的作用来讲,防病毒技术可以直观地分为病毒预防技术、病毒检测技术及病毒清除技术。

病毒预防技术就是通过一定的技术手段防止计算机病毒对系统进行传染和破坏,首先根据一定的规则对病毒进行分类处理,之后工作过程中遇到类似规则的则认定为病毒。病毒预防技术包括磁盘引导区保护、加密可执行程序、读写控制技术、系统监控技术等。

病毒检测技术是通过一定的技术手段判定特定计算机病毒的技术。它包括两种:一种是根据关键字、特征程序段内容、病毒特征及传染方式、文件长度的变化,在特征分类的基础上建立的病毒检测技术;另一种是不针对具体病毒程序的自身校验技术,即对某个文件或数据段进行检验和计算并保存其结果,以后定期或不定期地以保存的结果对该文件或数据段进行检验,若出现差异,即表示该文件或数据段完整性已遭到破坏,感染上了病毒,从而检测到病毒的存在。

病毒清除技术是在某种病毒出现后,通过对其进行分析研究而研制出来的具有相应解毒功能的软件。这类软件技术的发展往往是被动的,带有滞后性和局限性,对有些变种病毒的清除无能为力。

5)防火墙技术

防火墙是一个由计算机硬件和软件组成的系统,部署于网络边界,是连接内、外部网络的桥梁,同时保护进出网络边界的数据,防止恶意入侵、恶意代码的传播等,保障内部网络数据的安全。防火墙技术是建立在网络技术和信息安全技术基础上的应用型安全技术,能够起到安全过滤和安全隔离外网攻击、入侵等有害信息和行为的作用。

防火墙按照不同的使用场景可以分成以下四类。

(1)过滤防火墙:提前预设好过滤规则,根据规则对网络中流动的数据包进行过滤行为。符合过滤规则则放行,违背过滤规则即删除。过滤防火墙主要工作在数据链路层和 IP 层,第一代的防火墙就属于过滤防火墙。

(2)应用网关防火墙:主要工作在最上层应用层,有自身独特的逻辑分析,基于此进行危险数据过滤,对内部网络应用层的使用协议及数据包进行分析,没有应用逻辑则拒绝放行。

(3)服务防火墙:主要用于对服务器的保护,防止外部网络的恶意信息进入服务器的网络环境。

(4)监控防火墙:对内,像传统的防火墙一样过滤网络中的有害数据;对外,对数据进行分析和测试,监控网络中是否存在外部攻击。

1.6.3 网络道德

所谓网络道德,是指以善恶为标准,通过社会舆论、内心信念和传统习惯来评价人们的上网行为,调节网络时空中人与人之间以及个人与社会之间关系的行为规范。

网络社会需要遵循诚信、安全、公开、公平、公正、互助的基本原则。

1. 网络道德的斟酌原则

全民原则:一切网络行为应服从于网络社会的整体利益。其又可引申为:①平等原则,即每个网络用户和网络社会成员享有平等的社会权利和义务;②公正原则,即网络对每一个用户都应该做到一视同仁,不应该为某些人制订特别的规则并给予某些用户特殊的权利。

兼容原则:网络主体间的行为方式应符合某种一致的、相互认同的规范和标准,个人的网络行为应该被他人及整个网络社会所接受,最终实现人们网际交往的行为规范化、语言可理解化和信息交流的无障碍化。

互惠原则:信息交流和网络服务是双向的,任何一个网络用户既是网络信息和网络服务的使用者和享受者,也是网络信息的生产者和提供者,在享受相应权利时,也应承担必要的责任。

2. 网络道德的特点

网络社会生活是一种特殊的社会生活,正是它的特殊性决定了网络社会生活中的道德具有不同于现实社会生活中的道德的新特点与发展趋势。

自主性:与现实社会生活中的道德相比,网络社会生活中的道德呈现出一种更少依赖性、更多自主性的特点与趋势。

开放性:与现实社会生活中的道德相比,网络社会生活中的不同的道德意识、道德观念和道德行为之间存在经常性的冲突、碰撞,呈现出开放、融合的特点与趋势。

多元性:与传统社会道德相比,网络道德呈现出一种多元化、多层次化的特点与趋势。

3. 网络用户的职业道德

全球互联网将网民互相连接在一起,每个网民都应该自觉遵守网络道德规范,符合网络礼仪要求,尊重知识产权,保证计算机安全,遵守网络行为规范、文明上网,获得网络生活的美好体验。

第 2 章　操作系统

操作系统是管理和控制计算机硬件与软件资源的系统软件,是整个计算机系统的控制中心,任何其他软件都必须在操作系统的支持下才能运行。它向下管理硬件资源与设备,向上管理和支撑用户程序的运行,其目标是通过协调多进程的并发,高效率地利用系统资源,为用户提供统一、方便、有效的操作接口和编程接口。

要使计算机系统的所有软、硬件资源协调一致,有条不紊地工作,就必须有一个软件进行统一的管理和调度,这个软件就是操作系统。操作系统是最基本的系统软件,是用于管理和控制计算机的所有硬件和软件资源的一组程序。操作系统直接运行在裸机之上,是对计算机硬件系统的第一次扩充。在操作系统的支持下,计算机才能运行其他的软件。从用户的角度看,操作系统加上计算机硬件系统形成一台虚拟机(通常意义上的计算机),它为用户构成了一个方便、有效、友好的使用环境。因此可以说,操作系统是计算机硬件与其他软件的接口,也是用户和计算机的接口,用户面对的计算机如图 2-1 所示。

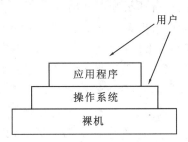

图 2-1　用户面对的计算机

本章主要介绍操作系统的基本概念、目标、功能,程序在操作系统平台上的运行,以及常用的 Windows 10 操作系统。

【知识要点】
- 操作系统的基本概念
- Windows 10 操作系统基础知识及常用操作

2.1　操作系统概述

2.1.1　相关基础知识

计算机不过是一台机器,本身不具备智能,它只具有高速地自动逐条执行有限种简单功能指令的能力。它所能支持的全部指令的集合,称作这台计算机的指令集。

程序是指为了实现某个目标而设定的一组指令序列。完成同一功能,存在多种不同的指令序列。有限条基本的操作指令,可以构成无限种操作序列,完成各种不同的功能。如同开车时,不同的司机,操作步骤不同,利用相同的基本操作,可以去不同的地方。

进程是指程序的一次执行过程。程序只是一个操作序列,它是静态的。如果没有一步步执行过程,是达不到目的的。

程序的执行过程是可以中断的。如同开车到半路,可以找个地方休息,等休息好了继续前行。正因为如此,一个进程运行一个很小的时间片段(如1毫秒)后,由系统时钟产生中断信号,进程调度程序可借此机会,切换另一个进程运行。这样,从一段时间(如1分钟)来看,多个进程均得到了运行。尽管多个进程是在分时运行,由于计算机运行的速度非常快,用户会感觉他启动的多个进程是在同时运行。

进程的运行需要用到多种资源(如CPU、内存空间、文件、输入/输出设备等),而计算机系统各种资源的可用数量是有限的,同一资源在某个时间段最多通常只能由一个进程独占。

2.1.2 计算机系统结构

现代计算机系统一般都包含一个或多个处理器、内存、磁盘驱动器、光盘驱动器、打印机、时钟、鼠标、键盘、显示器、网络接口以及其他输入/输出设备。计算机硬件系统构成了计算机本身和用户作业赖以活动的物质基础。只有硬件系统而无软件系统的计算机称为裸机。用户直接使用裸机不仅不方便,而且将严重降低系统效率。

计算机运行的基本原理是程序存储和程序控制。预先要把指挥计算机如何进行操作的指令序列(即程序)和原始数据通过输入设备输送到计算机内存储器中。每一条指令中明确规定了计算机从哪个地址取数、进行什么操作、然后送到什么地址去等。

计算机在运行时,先从内存中取出第一条指令,通过控制器译码,按指令的要求,从存储器中取出数据进行指定的运算和逻辑操作等加工,再按地址把结果送到内存中去。接下来,再取出第二条指令,在控制器的指挥下完成规定操作。依次进行下去,直至遇到停止指令。这就要求,如果用户有一个计算任务需提交给计算机运行,用户必须学会直接用机器指令根据设计的算法编写程序。可以想象,对于非专业的人员而言,其难度有多高。此外,因为程序直接在硬件上运行,每次只能有一个程序在机器上运行,只有等机器上当前程序运行完成、退出系统,才能开始下一个任务的装载。按照这种方式使用计算机,有以下两种不足:

(1)使用困难。用户要解决一个问题,必须用一条条只能完成简单基本功能的指令实现解决该问题的算法,不仅工作量大,而且用户必须十分熟悉机器的指令系统。这对于普通用户来说,几乎是不可能的。

(2)系统资源的使用效率低。一个程序在运行期间是独占整个计算机系统资源的,而该程序在某个时刻真正使用到的资源只有其中极少一部分,因而造成资源的浪费。

由此可见,直接基于硬件的计算方式,是无法最大限度发挥计算机作用的。通过采用软件方式,将计算机系统改造成资源高效使用、用户操作更加简单方便的计算机系统,成为计算机系统向前发展的必然趋势,这就是操作系统诞生的需求背景。有了操作系统对计算机系统的管理,计算机系统结构变成如图2-2所示的样子。用户对计算机系统的使用,无论是普通用户通过运行特定软件实现自己想要的功能,还是专业用户(编辑用户)自己编写程序实现特定功能,都已经变得相对简单很多。

在计算机系统组成的分层结构中,硬件是最底层。用户通过操作系统来使用计算机,在多数计算机机器语言级的体系结构(包括指令系统、存储组织、I/O和总线结构)上编程是相当困难的,尤其是输入/输出操作。为了让普通用户和编辑用户在使用计算机时不涉及硬件细节,使编程与硬件细节独立开来,需要建立一种高度抽象。这种抽象就是为用户提供一台

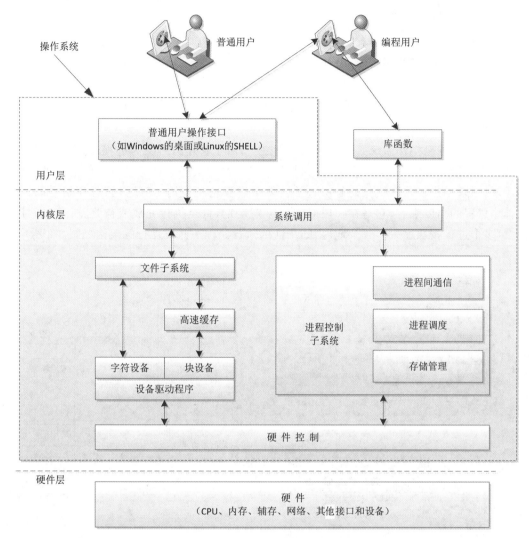

图 2-2 计算机系统结构

等价的扩展计算机,这样的计算机称为虚拟计算机,简称虚拟机。操作系统作为虚拟机为用户使用计算机提供了方便,用户可不必了解计算机硬件工作的细节,仅通过操作系统来使用计算机,操作系统就成了用户和计算机之间的接口。

用户可通过三种方式使用计算机:

第一种,命令方式。用户可通过键盘输入由操作系统提供的一组命令,来直接操纵计算机系统。

第二种,系统调用方式。用户可在自己的应用程序中,通过调用操作系统提供的一组系统调用命令,来操纵计算机系统。

第三种,图形、窗口方式。用户通过屏幕上的窗口和图标,来操纵计算机系统和运行自己需要的程序。

通过这几种方式,用户就可以不涉及硬件的实现细节,方便而有效地取得操作系统为用户提供的各种服务,合理地组织计算机工作流程。所以说,操作系统是用户与计算机硬件系统之间的接口。

2.1.3 操作系统的功能

操作系统作为计算机系统的资源管理者,它的主要功能是对系统所有的软、硬件资源进行合理而有效的管理和调试,提高计算机系统的整体性能。具体来说,操作系统具有处理机管理、存储器管理、设备管理、文件管理和用户接口五大功能。

以下主要介绍处理机管理功能及操作系统作为资源管理器所做的主要工作。

1. 处理机管理

处理机管理是操作系统必备的核心功能之一,由于管理的对象为进程,通常也叫作进程管理。现代操作系统,为了提高资源的利用率,解决高速设备和低速设备之间的速度不匹配的矛盾,引入了进程并发执行的解决办法。多个进程轮流使用CPU进行程序指令的运行,从单个进程的角度来看,它是在一段时间里停停走走,直至执行完成或被终止;从时间序列来看,多个进程按顺序一个一个地得到CPU的执行。程序并发运行的架构如图2-3所示。

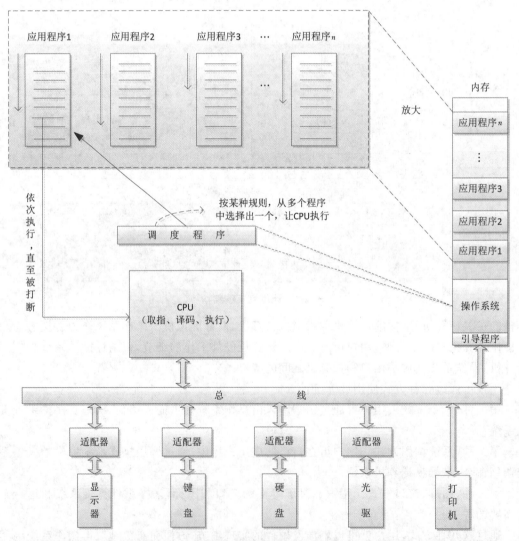

图 2-3 程序并发运行的架构

由于程序的并发执行,程序的执行具有间断性,失去封闭性,另外,其他进程的穿插,可能导致其执行结果具有不可再现性。进程是操作系统分配资源的基本单位,在没有引入线程概念之前,进程也是操作系统进行 CPU 调度的基本单位。

为了实现图 2-3 所示的进程并发与进程停停走走的执行过程,从单个进程的推进过程来看,进程应具有基本的三种状态,即就绪状态、执行状态和阻塞状态,如图 2-4 所示。

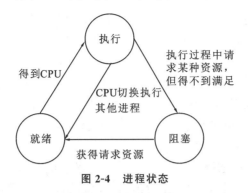

图 2-4　进程状态

就绪状态是指进程请求的资源全部得到满足,只要调度程序分配 CPU 时间给它,它就能前往执行。

执行状态是指进程占用 CPU,CPU 正在执行该进程所对应的程序代码。

阻塞状态是指进程在运行到某段代码时,需要请求更多资源,但操作系统暂时无法满足其资源请求,致使该进程无法向前执行,只能等待。其他占用资源的进程用完资源后,在释放资源时发现该进程因等待资源而阻塞,对其进行唤醒,被唤醒的该进程即由阻塞状态转变为就绪状态。

2. 操作系统是资源管理器

计算机系统的资源包括硬件资源和软件资源。站在资源管理的角度,可把计算机系统资源分为四大类,即处理机、存储器、输入/输出设备和信息。前三类为硬件资源,最后一类为软件资源。操作系统的任务就是使整个计算机系统的资源得到充分、有效的利用,并且在相互竞争的程序之间合理、有序地控制系统资源的分配,从而实现对计算机系统工作流程的控制。

作为资源管理器,操作系统要完成以下工作:

(1) 跟踪资源状态。时刻维护系统资源的全局信息,掌握系统资源的种类、数量、已分配和未分配的情况。

(2) 分配资源。处理对资源的使用请求,协调请求中的冲突,确定资源分配算法。当有多个用户争用某个资源时,进行裁决。同时,根据资源分配的条件、原则和环境,决定是立即分配还是暂缓分配。

(3) 回收资源。用户程序在资源使用完毕之后要释放资源。此时,资源管理器应及时回收资源,以便下次可重新分配。

(4) 保护资源。资源管理器负责对资源进行保护,防止资源被有意或无意地破坏。

系统资源的使用方法和管理策略决定了操作系统的规模、类型、功能与实现方法,基于这一点,可以把操作系统看成由一组资源管理器(即资源管理程序)组成。根据资源的分类情况,可以为操作系统建立相应的四类管理器,即处理机管理、存储器管理、输入/输出设备管理和信息管理(通常指文件系统)。因此可以说,操作系统是资源管理器。

2.1.4 操作系统的形成过程

操作系统从无到有,其经过了如下几个发展阶段。

1. 手工操作阶段

在计算机刚刚出现时,由于计算机的存储容量小,运算速度慢,输入/输出设备只有纸带输入机、卡片阅读机、打印机和控制台,人们使用这样的计算机只能采用手工操作方式,根本没有操作系统。在手工操作情况下,用户一个挨一个地使用计算机。每个用户的使用过程大致如下:先把手工编写的程序(机器语言编写的程序)穿成纸带(或卡片),装上输入机,然后经人工操作把程序和数据输入计算机,接着通过控制台开关启动程序运行,待计算完毕,用户拿走打印结果,并卸下纸带(或卡片)。这个过程需要人工装纸带、人工控制程序运行、人工卸纸带,即需要进行一系列的人工干预。这种由一道程序独占机器的情况,在计算机运算速度较慢的时候是可以容忍的,因为此时计算所需的时间相对而言较长,手工操作时间所占比例还不算很大。随着计算机技术的发展,计算机的速度、容量、外设的功能和种类等都有了很大的发展,比如,计算机的速度就有了几十倍、上百倍的提高,这就使手工操作的低速和计算机运算的高速之间形成了矛盾,即所谓人机矛盾。

随着计算机速度的提高,人机矛盾已到了不可调和的地步。为了解决这一矛盾,只有设法去掉人工干预,实现作业的自动过渡,这样就出现了批处理系统技术。

2. 批处理系统

各用户把自己的作业提交给计算机中心,由操作员把一批作业装到输入设备上,由监督程序控制任务的执行。只有一个作业处理完毕后,监督程序才可以自动地调度下一个作业进行处理,依次重复上述过程,直到该批作业全部处理完毕。在这种批处理系统中,作业的输入/输出是联机的,因此,这种系统也叫作联机批处理系统。作业从输入设备到磁带、由磁带调入内存,以及结果的输出打印,都是由 CPU 直接控制的。随着 CPU 速度的不断提高,CPU 和输入/输出设备之间的速度差距就形成了矛盾。因为在进行输入/输出时,CPU 是空闲的,高速的 CPU 要等待低速的输入/输出设备工作,不能发挥 CPU 应有的效率。

为了克服联机批处理系统存在的缺点,人们在批处理系统中引入了脱机输入/输出技术,从而形成了脱机批处理系统。脱机批处理系统由主机和卫星机组成,卫星机又称外围计算机,它不与主机直接连接,只与外部设备打交道。作业通过卫星机输入到磁带上,当主机需要输入作业时,就把输入带同主机连上。主机从输入带上把作业调入内存,并予以执行。作业完成后,主机负责把结果记录到输出带上,再由卫星机负责把输出带上的信息打印输出。这样,主机摆脱了低速的输入/输出工作,可以较充分地发挥它的高速计算能力。同时,由于主机和卫星机可以并行操作,脱机批处理系统与早期联机批处理系统相比,大大提高了系统的处理能力。

批处理系统是在解决人机矛盾以及高速 CPU 和低速 I/O 设备间的矛盾的过程中发展起来的。它的出现改善了 CPU 和外设的使用情况,实现了作业的自动定序、自动过渡,从而使整个计算机系统的处理能力得以提高,但仍存在许多缺陷,如卫星机与主机之间的磁带装卸仍需人工完成,操作员需要监督机器的状态,等等。如果一个程序进入死循环,系统就会踏步不前,只有当操作员提出请求,要求终止该作业,删除它并重新启动,系统才能恢复正常运行。当目标程序执行一条引起停机的非法指令时,机器就会错误地停止运行。此时,只有操作员进行干预,即在控制台上按启动按钮,程序才会重新启动运行。并且,系统由于没有任何保护自己的措施,无法防止用户程序破坏监督程序和系统程序。

3. 多道批处理系统

中断和通道技术出现以后,输入/输出设备和 CPU 可以并行操作,初步解决了高速 CPU 和低速外部设备的矛盾,提高了计算机的工作效率。但不久人们就发现,这种并行是有限度的,并不能完全消除 CPU 对外部传输的等待。比如,一个作业在运行过程中请求输入一批数据,在纸带输入机花 1 000 ms 输入 1 000 个字符后,CPU 只花 100 ms 就处理完了,而这时,第二批输入数据还需等 900 ms 才能输入完毕。因此,CPU 尽管具有和外部设备并行工作的能力,但是在单道程序系统(见图 2-5)的情况下无法多做工作。

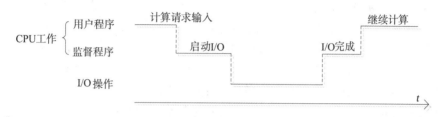

图 2-5　单道程序系统

多道程序设计(多道批处理系统)技术是在计算机内存中同时存放几道相互独立的程序,使它们在管理程序控制之下,相互交替地运行。当某道程序因某种原因(如等待外部设备传输数据)不能继续运行下去时,管理程序便将内存中的另一道程序投入运行,这样可以使 CPU 及各外部设备尽量处于忙碌状态,从而大大提高了计算机的使用效率。例如,用户程序 A 首先在 CPU 上运行,当它需要光电机(即纸带输入机)输入新的数据而转入等待时,系统帮助它启动光电机进行输入工作,并让用户程序 B 开始在 CPU 上运行,直到程序 B 需要进行输入/输出操作,再启动相应的外部设备进行工作。

如果此时程序 A 需要的输入尚未结束,也无其他用户程序需要运行,CPU 就处于空闲状态,直到程序 A 或程序 B 在输入结束后重新运行。若程序 B 的输入/输出处理结束,程序 A 仍在执行,则程序 B 需等待,直到程序 A 计算结束、请求输出才转入程序 B 的执行。因此,当有多道程序工作时,CPU 将几乎始终处于忙碌状态。多道程序设计技术使得多道程序在系统内并行工作。但是,在冯·诺伊曼计算机结构中(在单 CPU 情况下),CPU 严格地按照指令计数器的内容顺序执行每一个操作,即一个时刻只能有一个程序在处理机上执行。那么,如何理解多道程序的并行执行呢?多道程序设计技术可以实现使同时被接收进入计算机内存的若干道程序相互交替地运行,即一个正在 CPU 上运行的程序因为要进行输入/输出操作而不能继续运行下去时,就把 CPU 让给另一道程序。所以,从微观上看,一个时刻只有一个程序在 CPU 上运行;但从宏观上看,几道程序都处于执行状态(因为都已存放在内存),有的正在 CPU 上运行,有的在打印结果,有的正在输入数据,它们的工作都在向前推进。我们把多道程序在单处理机逻辑上同时执行称为并发执行。

综上所述,多道程序运行的特征如下:

(1)多道。计算机内存中同时存放多道相互独立的程序。

(2)宏观上并行。同时进入系统的几道程序都处于运行过程中,即它们先后开始了各自的运行,但都未运行完毕。

(3)微观上串行。从微观上看,内存中的多道程序轮流地或分时地占用处理机,交替执行(单处理机情况)。

多道批处理系统的优点是系统的吞吐量大,缺点是对用户的响应时间(用户向系统提交作业到获得系统的处理结果的这一段时间)较长,用户不能及时了解自己程序的运行情况并加以控制。

2.1.5 现代操作系统的分类

现代操作系统根据不同的设计需求,逐步演变出几种不同的类型。

1. 分时系统

20世纪60年代中期,计算机硬件技术和软件技术发展,产生了一种新的既能实现用户联机操作又能保证机器使用效率的计算机系统,即分时系统。在分时系统中,一个计算机和许多终端设备连接,每个用户可以通过终端向系统发出命令,请求完成某项工作,而系统则分析从终端设备发来的命令,完成用户提出的要求。之后,用户又根据系统提供的运行结果,向系统提出下一个请求,就这样重复上述交互会话过程,直到用户完成全部工作为止。在分时系统中,计算机能同时为许多终端用户服务,而且能在很短的时间内响应用户的要求。因为系统采用了分时技术,把处理机运行时间划分成很短的时间片(如几百毫秒)轮流地分配给各个联机作业使用,如果某个作业在分配给它的时间片用完之前计算还未完成,该作业就暂时中断,等待下一轮继续计算,此时处理机让给另一个作业使用。这样,各个用户的每次请求都能得到快速响应,给单个用户的印象就好像自己独占一台计算机一样。

分时系统具有以下特点:

(1)多路性。众多联机用户可以同时使用一台计算机,所以亦称同时性。系统按分时原则为每个用户服务。宏观上是多个用户同时工作,共享系统资源;微观上则是一个CPU轮流地按时间片为每个用户作业服务。

(2)独占性。所配置的分时操作是采用时间片轮转的办法使一台计算机同时为许多终端用户服务的,因此,客观效果是这些用户都感觉不到别人也在使用这台计算机,好像只有自己独占计算机一样。一般分时系统在3秒之内响应用户要求,用户就会感到满意,因为这样用户在终端上感觉不到需要等待。

(3)交互性。用户与计算机之间进行会话,即用户从终端输入命令,提出计算要求,系统收到命令后分析用户的要求并给予执行,然后把运算结果通过屏幕或打印机输出,用户可以根据运算结果提出下一步要求,这样一问一答,直到全部工作完成。

(4)及时性。用户的请求能在很短的时间内获得响应,此时间间隔是以人们所能接受的等待时间来确定的。

分时系统的出现标志着操作系统的形成。在某些计算机系统中配置的操作系统结合了批处理能力和交互作用的分时能力。它以前台/后台方式提供服务:前台以分时方式为多个联机终端服务,终端作业运行完毕后,后台系统就可以运行批量的作业。

2. 实时系统

实时系统是操作系统的又一种类型。对外部输入的信息,实时系统能够在规定的时间内处理完毕并做出反应。"实时"二字的含义是,计算机对于外来信息能够及时进行处理,并在被控对象允许的时间范围内做出快速反应。实时系统对响应时间的要求比分时系统更高,一般要求响应时间为秒级、毫秒级甚至微秒级。

实时系统按其使用方式不同分为两类,即实时控制系统和实时信息处理系统。

实时控制系统是指利用计算机对实时过程进行控制和提供环境监督。它是对从传感器获得的输入数据进行分析处理后,激发一个活动信号,从而改变可控过程,以达到控制的目的,例如对轧钢系统中炉温的控制,就是通过传感器把炉温传给计算机控制程序,控制程序通过分析再发出相应的控制信号以便对炉温进行调整,系统响应时间要满足温控要求。

实时信息处理系统是指利用计算机对实时数据进行处理。这类系统大多应用于服务性工作,比如自动订购飞机票系统、情报检索系统等。用户可以通过这样的系统预订飞机票、查阅文献资料。用户还可通过终端设备向计算机提出某种要求,而计算机系统处理后将通过终端设备回答用户,系统响应时间与分时系统相同,即满足人的反应时间。

实时系统主要是为联机实时任务服务的,其特点如下:

(1)及时响应。系统对外部实时信号能及时响应,响应时间满足能够控制发出实时信号的那个环境的要求。

(2)高可靠性和安全性。实时系统有高可靠性和安全性,系统的效率则放在第二位。

(3)整体性强。实时系统所管理的联机设备和资源按一定的时间关系和逻辑关系协调工作。

(4)交互会话功能较弱。实时系统没有分时系统那样强的交互会话功能,通常不允许用户通过实时终端设备去编写新的程序或修改已有的程序。实时终端设备通常只是作为执行装置或询问装置,是为特殊的实时任务设计的专用系统。

3. 网络系统

计算机技术和通信技术的结合使得共享资源和分散计算能力的愿望成为现实。这两种技术的结合已经对计算机的组织方式产生了深远的影响。"计算机中心"的概念正在迅速变得陈旧,集中式计算机系统的模式正被一种新的模式所取代。在这种新模式下,计算任务是由大量分离而又互相联系的计算机来完成的,某一台计算机上的用户可以使用其他机器上的资源,由此引出了计算机网络的概念。计算机网络系统就是利用通信线路,将分散在不同地点的一些独立自治的计算机系统相互连接起来,按照网络协议进行数据传输和通信,实现资源的共享。这里要求计算机是"独立自治"的,即计算机网络中的各个计算机是平等的,可以独立工作,任何一台计算机都不能强制性地启动、停止或控制另一台计算机。"相互连接"指的是两台计算机能彼此交换信息。"连接"不一定必须经过导线,也可以采用激光、微波来实现。

计算机联网的目的有以下两点:

(1)各计算机间资源共享、负载均衡。

(2)通过提供可替换的资源而达到高度的可靠性。

计算机网络系统能够使用户突破地域条件的限制使用远程计算机,并借助网络互相交换信息,从而大大拓展了计算机的应用范围。

计算机网络分为两大类,即广域网和局域网。两者之间的主要区别是网络覆盖区域的大小不同。因特网(Internet)是一种广泛区域内的数据包交换网络,已成为世界上连接范围最广、用户数量最多的广域网,其中的每一台主机都作为客户服务器运行。实际上,因特网的每一个节点都被看作一台主机,甚至路由器也被视为主机。每一台主机都有一个唯一的因特网协议(IP)地址。

网络上的计算机是独立自治的,即各计算机有自己的处理机、存储器、外部设备、各种软件资源和自己的用户。用户只能利用特定的语言和操作命令使用计算机。计算机联网后,怎样才能适应网络环境的需要?一种较简单的方法是对原有的操作系统做某种改造,这样,既不会使原有的软件失效,又可以实现网络通信的需要。这种方法是在原有的操作系统中增加一个模块——网络通信模块,由它负责本机系统同网上其他系统之间的资源共享和负载均衡,并实现网上信息的传输。

4. 分布式系统

一个分布式系统由若干台独立的计算机构成,整个系统给用户的印象就像一台完整的计算机。实际上,分布式系统中的每台计算机都有自己的处理机、存储器和外部设备,它们既可独立工作(自治性),亦可合作。在这个系统中各机器可以并行操作且有多个控制中心,即具有并行处理和分布式控制的功能。分布式系统是一个一体化的系统,在整个系统中要有一个全局操作系统,它负责全系统(包括每台计算机)的资源分配和调度、任务划分、信息传输、控制协调等工作,并为用户提供一个统一的界面、标准的接口。有了分布式系统,用户通过统一界面实现所需操作和使用系统资源,至于操作是在哪个计算机上执行的或使用的,用户是无须了解的,也就是说,系统对用户是透明的。

分布式系统和计算机网络系统的区别在于,前者是多机合作且具有健壮性的。多机合作表现为自动的任务分配和协调;健壮性表现在,当系统中有一个甚至几个计算机或通路发生故障时,其余部分可自动重构成为一个新的系统,该系统仍可以工作,甚至可以继续其失效部分的全部工作,故障排除后,系统自动恢复到重构前的状态。研发分布式系统的根本出发点和目的就是它具有的多机合作和健壮性的特点。正是由于多机合作,系统才具有响应时间短、吞吐量大、可用性好和可靠性高等特点。分布式系统是具有强大生命力的新生事物,在计算机技术和网络技术高度发达的今天,其应用的领域越来越广。

2.1.6 操作系统的主要特征

安装操作系统的目的在于提高计算机系统的效率,增强系统的处理能力,提高系统资源的利用率,方便用户的使用。为此,现代操作系统广泛采用并行操作技术,使多种硬件设备并行工作,如 I/O 操作和 CPU 计算同时进行,在内存中同时存放并执行多道程序等。以多道程序设计为基础的现代操作系统具有以下主要特征。

1. 并发性

并发性是指两个或多个事件在同一时间间隔内发生。在多道程序环境下,并发性是指在一段时间内,宏观上有多个程序在同时运行。在单处理机系统中,每一时刻却仅能有一道程序在执行,故微观上这些程序是分时地交替执行的。倘若在计算机系统中有多个处理机,则这些可并发执行的程序便可被分配到多个处理机上,实现并行执行,即每个处理机处理一个可并发执行的程序,这样,多个程序便可同时执行。两个或多个事件在同一时刻发生称为并行。在操作系统中存在着许多并发或并行的活动。例如,系统中同时有三个程序在运行,它们可能以交叉方式在 CPU 上执行,也可能一个在执行计算,一个在进行数据输入,另一个在进行计算结果的打印。由并发而产生的一些问题是如何从一个活动转到另一个活动,如何保护一个活动不受另一个活动的影响,以及如何实现相互制约活动之间的同步。为使并发活动有条不紊地进行,操作系统要对其进行有效的管理与控制。

2. 共享性

共享是指系统中的资源可供内存中多个并发执行的程序共同使用。由于资源属性不同,对资源共享的方式也不同,目前主要有以下两种资源共享方式:

(1)互斥共享方式。系统中的某些资源,如打印机、磁带机,虽然它们可以提供给多个用户程序使用,但为使所打印或记录的结果不致造成混淆,应规定在一段时间内只允许一个用户程序访问该资源。这种资源共享方式称为互斥共享方式。

（2）同时访问方式。系统中还有另一类资源,允许在一段时间内由多个用户程序"同时"对它们进行访问。这里的"同时"往往是宏观上的,而在微观上,这些用户程序可能是交替对该资源进行访问的,如对磁盘设备的访问。

并发和共享是操作系统的两个最基本的特征,它们又互为对方存在的条件。一方面,资源共享是以程序的并发执行为条件的,若系统不允许程序并发执行,自然不存在资源共享问题;另一方面,若系统不能对资源共享实施有效管理,不能协调好多个程序对共享资源的访问,也必然影响到程序并发执行的程度,甚至导致根本无法并发执行。

3. 虚拟性

虚拟是指将一个物理实体映射为若干个逻辑实体。物理实体是客观存在的;逻辑实体是虚构的,是一种感觉性的存在,即主观上的一种想象。例如,在多道程序系统中,虽然只有一个 CPU,每次只能执行一道程序,但采用多道程序技术后,在一段时间间隔内,宏观上有多个程序在运行,在用户看来,就好像有多个 CPU 在各自运行自己的程序。这种情况就是将一个物理的 CPU 虚拟为多个逻辑上的 CPU,逻辑上的 CPU 称为虚拟处理机。类似的还有虚拟存储器、虚拟设备等。

4. 不确定性

多道程序环境允许多个程序并发执行,但程序只有在获得所需的资源后方能执行。在单处理机环境下,系统中只有一个处理机,因而每次只允许一个程序执行,其余程序只能等待。正在执行的程序提出某种资源要求,如打印请求,而此时打印机正在为其他程序打印(打印机属于互斥型共享资源),正在执行的程序就必须等待,且放弃处理机,直到打印机空闲并再次把处理机分配给该程序时,该程序方能继续执行。可见,由于资源等因素的限制,程序的执行通常都不是一气呵成的,而是以停停走走的方式运行。内存中的某个程序在何时能获得处理机运行,何时又因提出某种资源请求而暂停,以怎样的速度向前推进,以及每道程序总共需多少时间才能完成,等等,都是不可预知的。因此,操作系统存在着不确定性。

2.2 Windows 10 操作系统知识基础

目前计算机中广泛使用的操作系统有 Windows、Unix、Linux、Novell NetWare 等。本节将着重讲述 Windows 10 操作系统。

2.2.1 Windows 的历史和基本概念

Microsoft 公司从 1983 年开始研制 Windows 系统,最初的研制目标是在 MS-DOS 的基础上提供一个多任务的图形用户界面。第一个版本——Windows 1.0 于 1985 年问世,它是一个具有图形用户界面的系统软件。1987 年推出的 Windows 2.0,最明显的变化是采用了相互叠盖的多窗口界面形式。但这一切都没有引起人们的关注,直到 1990 年微软推出 Windows 3.0。Windows 3.0 成为一个重要的里程碑,它以压倒性的商业成功确定了 Windows 系统在 PC 领域的垄断地位,现今流行的 Windows 10 窗口界面的基本形式也是从 Windows 3.0 开始确定的。Windows 的发展历史(部分)如表 2-1 所示。

表 2-1 Windows 的发展历史(部分)

时间	产品	特点
1983 年	Windows 1.0	支持 Intel X386 处理器,具备图形化界面,实现了通过剪贴板在应用程序间传播数据的思想
1987 年、1990 年	分别推出 Windows 2.0 和 Windows 3.0	成为微软公司的主流产品,增加了对象链接和嵌入技术及对多媒体技术的支持等
1995 年、1998 年	Windows 95、Windows 98	可独立运行而无须 DOS 支持。采用 32 位处理技术,兼容以前 16 位的应用程序。Windows 98 内置 IE 4.0 浏览器
2000 年	Windows 2000 系列	2000 年 2 月 17 日发布,被誉为"迄今为止最稳定的操作系统",其由 Windows NT 发展而来。从 Windows 2000 开始,Windows 9X 的内核正式被抛弃
2001 年	Windows XP	比以往版本有更友好和清新的流线型窗口设计,菜单设计更加简化,在提高计算机的安全性、数字照片和视频处理、设置家庭及办公网络方面都有很大的改进
2007 年	Windows Vista	采用全新的图形用户界面,但系统兼容等问题比较突出,成为 Windows 家族中"寿命"最短的一个
2009 年	Windows 7	由于产品的稳定性和强大的系统兼容性,越来越多的用户开始使用 Windows 7
2012 年	Windows 8	Windows 8 支持来自 Intel、AMD 和 ARM 的芯片架构,被应用于个人电脑和平板电脑,尤其是移动触控电子设备,如触屏手机、平板电脑等
2015 年	Windows 10	是一款跨平台的操作系统,能够同时在台式机、平板电脑和智能手机等平台运行,为用户带来统一的操作体验

  事实上,最初的 Windows 并不是一个真正的图形界面操作系统,它只是一个在 DOS 环境下运行的、对 DOS 有较多依赖的 DOS 子系统。1995 年推出的 Windows 95 和 1998 年推出的 Windows 98 是真正的全 32 位的个人计算机图形界面操作系统。Windows NT 4.0 是 Windows 家族中第一个完备的 32 位网络操作系统,它主要面向高性能微型计算机、工作站和多处理器服务器,是一个多用户操作系统。

  Windows 2000 原名是 Windows NT 5.0,它具有全新的界面、高度集成的功能、稳定的安全性和便捷的操作方法。Windows 2000 在界面、风格与功能上都具有统一性,是一个真正面向对象的操作系统,用户在操作本机的资源和远程资源时不会感到有什么不同。

  2001 年 9 月推出的 Windows XP 把 NT 版本的设计带给了家庭用户,Windows XP 除了拥有图形用户界面操作系统所具有的多任务、即插即用等特点外,比以往版本有更友好和清新的流线型窗口设计,菜单设计更加简化,在提高计算机的安全性、数字照片和视频处理、设置家庭及办公网络方面都有很大改进,这些技术可使计算机的运行效率更高,而且更加可靠。

  2003 年春,微软公司发布了 Windows Server 2003。Windows Server 2003 有 4 个版本,分别是 Standard Edition、Enterprise Edition、Data Center Edition 和 Web Edition。

  Windows Vista 在 2007 年 1 月高调发布,采用了全新的图形用户界面,但系统兼容和运行速度不够快等问题比较突出,所以许多 Windows 用户仍然坚持使用 Windows XP。Windows Vista 成为 Windows 家族的"匆匆过客"。

2009 年底发布的 Windows 7 给用户带来了新的体验,它的运行比 Windows Vista 更流畅,特别是具有多达上千种的新功能、充分满足个性化的贴心设计、出众的产品稳定性和强大的系统兼容性。

2015 年 7 月 29 日,微软发布 Windows 10 正式版,截至 2021 年 2 月 14 日,Windows 10 正式版已更新至 10.0.19042.804 版本。Windows 10 共有如表 2-2 所示的家庭版、专业版、企业版、教育版、专业工作站版、物联网核心版 6 个版本。

表 2-2 Windows 10 版本说明

版 本	说 明
家庭版 (Windows 10 Home)	支持 Cortana 语音助手、Edge 浏览器、面向触控屏设备的 Continuum 平板电脑模式、Windows Hello(脸部识别、虹膜、指纹登录)、串流 Xbox One 游戏、微软开发的通用 Windows 应用(Photos、Maps、Mail、Calendar、Groove Music 和 Video)、3D Builder
专业版 (Windows 10 Professional)	以家庭版为基础,增添了管理设备和应用,保护敏感的企业数据,支持远程和移动办公,使用云计算技术。另外,它还带有 Windows Update for Business,微软承诺该功能可以降低管理成本,控制更新部署,让用户更快地获得安全补丁软件
企业版 (Windows 10 Enterprise)	以专业版为基础,增添了大中型企业用来防范针对设备、身份、应用和敏感企业信息的现代安全威胁的先进功能,供微软的批量许可客户使用,用户能选择部署新技术的节奏,其中包括使用 Windows Update for Business 的选项。作为部署选项,Windows 10 企业版将提供长期服务分支
教育版 (Windows 10 Education)	以企业版为基础,面向学校管理人员、普通教师和学生等。它将通过面向教育机构的批量许可计划提供给学校,使学校能够升级 Windows 10 家庭版和 Windows 10 专业版设备
专业工作站版 (Windows 10 Pro for Workstations)	包括许多普通版 Windows 10 Pro 没有的内容,着重优化了多核处理以及大文件处理,面向大企业用户以及真正的专业用户,优势包括 6 TB 内存、ReFS 文件系统、高速文件共享和工作站模式
物联网核心版 (Windows 10 IoT Core)	面向小型低价设备,主要针对物联网设备。已支持树莓派 2 代/3 代、Dragonboard 410c(基于骁龙 410 处理器的开发板)、MinnowBoard MAX 及 Intel Joule

Windows 10 与以往版本的操作系统不同,它是一款跨平台的操作系统,它能够同时在台式机、平板电脑和智能手机等平台运行,为用户带来统一的操作体验。Windows 10 系统功能和性能不断提高,在用户的个性化设置、与用户互动的操作界面、计算机的安全性、视听娱乐的优化等方面都有很大改进,并能通过 Microsoft 账号将各种云服务以及跨平台概念带到用户身边。

Windows 10 全新的视觉体验主要表现在以下几个方面:

(1)弱化开始屏幕,回归传统桌面;

(2)恢复"开始"菜单;

(3)虚拟桌面；

(4)窗口化程序；

(5)分屏多窗口功能增强；

(6)有多任务管理界面；

(7)CMD 窗口中支持迅捷复制；

(8)有操作中心；

(9)设备与平台统一；

(10)支持语音助手 Cortana；

(11)支持 Microsoft Edge 浏览器；

(12)查找文件更快；

(13)支持智能家庭控制。

下面将以 Windows 10 为例，介绍 Windows 操作系统的基本概念和基本操作。

2.2.2 Windows 10 桌面的组成

启动 Windows 10 之后，首先看到的如图 2-6 所示的整个屏幕就是 Windows 10 的桌面。桌面是打开计算机并登录到 Windows 10 之后看到的主屏幕区域，用户对计算机的控制都是通过它来实现的。桌面包括桌面图标、"开始"按钮和任务栏等。

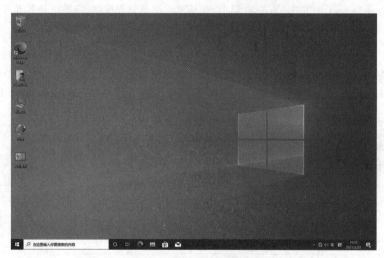

图 2-6 Windows 10 的桌面

1. 桌面图标

桌面图标是带有文字说明的小图片，它代表程序、文件、文件夹和网页等。桌面图标主要包括系统图标、快捷图标和文件/文件夹图标。

系统图标：对应系统程序、系统文件或文件夹的图标，主要有"此电脑"图标、"回收站"图标、"控制面板"图标等。

快捷图标：应用程序、文件或文件夹的快捷方式图标，图标左下角有"❐"标志。

文件/文件夹图标：桌面上的一类普通图标，提示保存在桌面上的文件或文件夹。

初始安装 Windows 10 时，桌面上只有一个"回收站"图标，用户为了使用方便，常常将"此电脑"、用户文件夹和"控制面板"等系统图标显示在桌上，方法是：鼠标右键单击桌面空白处，在弹出的快捷菜单中选择"个性化"命令，在打开的"设置"窗口中选择"主题"，再选择

"桌面图标设置",然后在打开的"桌面图标设置"对话框中将所需项目选中并显示到桌面上。

桌面上的图标通常代表 Windows 10 环境下的一个可以执行的应用程序,也可能是一个文件或文件夹。用户可以通过双击其中任意一个图标打开相应的应用程序,进行具体的操作。桌面上的常见图标有以下几种。

1)"此电脑"图标

桌面上的"此电脑"图标实际上是一个系统文件夹,用户通常通过它来访问硬盘、光盘、可移动磁盘及连接到计算机上的其他设备,并可选择设备上的某个资源进行访问或者查看这些存储介质的剩余空间。"此电脑"是用户访问计算机资源的一个入口,鼠标左键双击它就可以打开资源管理器程序。Windows 10"此电脑"窗口如图 2-7 所示。

图 2-7　Windows 10"此电脑"窗口

在"此电脑"图标上单击鼠标右键,在弹出的快捷菜单中选择"属性"命令,会打开系统属性窗口,如图 2-8 所示。在此可以查看到这台计算机安装的操作系统版本信息、处理器和内存等基本性能指标以及计算机名称等重要信息。

图 2-8　系统属性窗口

2) 用户文件夹图标

操作系统会自动给每个用户账户建立一个个人文件夹,该文件夹是根据当前登录到 Windows 10 的用户账户命名的。例如,当前用户是"administrator",则该文件夹的名称为"administrator",鼠标左键双击此用户文件夹图标,即可打开用户文件夹窗口,此文件夹中常包括"文档""音乐""视频"等子文件夹。用户在保存新建文件时,系统默认保存在用户文件夹下相应的子文件夹中。用户通过设置也可将自己的个人文件夹图标显示在桌面上。

3) "控制面板"图标

鼠标左键双击"控制面板"图标,打开"控制面板"窗口(类别窗口和小图标窗口分别如图 2-9 和图 2-10 所示),在该窗口中可以进行系统设置和设备管理等,用户可以根据自己的喜好,设置 Windows 10 的外观、语言、时间和网络等,还可以添加或删除程序,查看或维护硬件设备驱动等。

图 2-9　Windows 10 "控制面板"类别窗口

图 2-10　Windows 10 "控制面板"小图标窗口

4)"回收站"图标

"回收站"图标是系统自动生成的特殊文件夹,用来保存被逻辑删除的文件和文件夹,双击"回收站"图标打开"回收站"窗口,如图 2-11 所示。

图 2-11　Windows 10"回收站"窗口

在"回收站"窗口中显示以前删除的文件和文件夹的名字,用户可以从中恢复一些误删除的、有用的文件或文件夹,如果确认某些文件或文件夹无用,也可把这些文件或文件夹从回收站中彻底删除,文件在回收站被删除后,就无法再恢复了。与其他桌面图标不同的是,"回收站"图标不能从桌面上删除。

对桌面上的图标可以通过鼠标拖动改变其在桌面的位置,也可通过右击桌面空白处,在弹出的快捷菜单中选中"排序方式"命令,在其下级菜单中选择按名称、大小、项目类型及修改日期中的一种重新排列图标,还可通过右击桌面上某个图标,在弹出的快捷菜单中选择"删除"命令,删除桌面上不用的图标。

桌面上的图标对应的应该是最常用的一些程序或者文件,不常用的程序或文件图标应移动到磁盘的其他目录下,也可以删除。

2. "开始"按钮

"开始"按钮位于桌面的左下角。单击"开始"按钮或按下键盘上的 Win 键就可以打开 Windows 10 的"开始"菜单,对应的屏幕称为"开始"屏幕,如图 2-12 所示。Windows 10 的"开始"屏幕很人性化地照顾到了平板电脑的用户,用户可以在"开始"屏幕中选择相应的项目,轻松快捷地访问计算机上的所有应用。

Windows 10 的"开始"屏幕由左边的"开始"菜单和右边的动态磁贴面板组成。

(1)单击"开始"按钮,可显示系统中安装的所有程序,并以程序名首字母进行分类排序,用户还可以设置将最近添加和最常用的程序自动显示在此列表中。

(2)"开始"菜单的左下角是固定程序区域,这部分会有用户名、"文档"、"设置"、"电源"等按钮,用户也可以设置将其他常用项目显示在此。

用户名:显示当前登录系统的用户名,如果用户名是 Administrator,该用户为系统的管理员用户。

"文档":打开用户文件夹下的文档。用户通过"文档"按钮可以访问、管理用户文件夹下的文件资源。

"设置":打开系统的设置窗口,可以对系统、设备、时间和语言等内容进行设置。

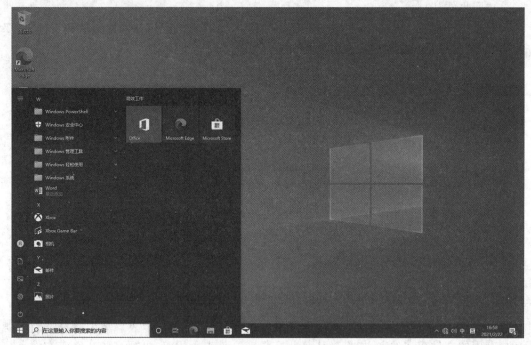

图 2-12 Windows 10"开始"屏幕

"电源":用来切换用户、重启或关闭计算机。

(3)"开始"屏幕右边的动态磁贴面板里面是各种应用程序对应的磁贴,每个磁贴既有图片又有文字,还是动态的,应用程序有更新的时候可以通过这些磁贴直接反映出来,无须运行它们。

Windows 10 中几乎所有的操作都可以通过"开始"菜单来实现,为了使"开始"菜单符合自己的使用习惯,用户可以自己设置"开始"菜单的样式。

3.任务栏

任务栏位于桌面的底部,从左到右依次为"开始"按钮、搜索框、任务视图、程序按钮区、通知区域和显示桌面按钮,如图 2-13 所示。

图 2-13 Windows 10 任务栏

(1)"开始"按钮:打开"开始"菜单。

(2)搜索框:可用于搜索计算机安装的程序以及保存的文件,除此之外,还可以从网络上获取结果。

(3)"任务视图"按钮:可快速在多个打开的软件、文档间进行切换;可新建桌面,在多个桌面间快速切换。

(4)程序按钮区:显示正在运行的应用程序和文件的按钮图标。

(5)系统通知区:显示时钟、音量及一些通知的特定程序和计算机设置状态的图标。

(6)显示桌面按钮:用来显示桌面的按钮。

2.2.3 Windows 10 的文件组织

与 DOS 操作系统相似,Windows 10 中处理的信息主要是以文件的形式存放在计算机的外存储器中的。Windows 10 操作系统对文件的存取也采用按名存取的原则,每一个文件应有相应的文件名。为了便于文件的管理,Windows 10 利用文件夹(相当于 DOS 操作系统中的目录)来组织和管理大量的文件。

1. 文件

在 Windows 10 中,所有信息(程序、数据和文本)都是以文件的形式存储在磁盘上的,文件是一组信息的有序集合。

文件有 3 个要素,即文件名、扩展名和存放位置。

每个文件都有一个文件名,文件名可以是英文或汉字,Windows 10 支持长文件名格式,文件名和文件夹名可突破 DOS 操作系统的"8.3"规则(即文件主名最多 8 个字符,扩展名最多 3 个字符)的限制,最多可用 255 个字符。具体规则如下:

(1)名称最长可达 255 个字符,其中一个汉字相当于 2 个字符;

(2)名称中不能使用/、\、*、:、?、"、<、>及|这些符号;

(3)名称不区分大小写;

(4)名称可以使用多个分隔符,可以使用诸如+、,、;、[、]、=和空格等特殊字符;

(5)名称最后的一个英文点号"."之后的字符为扩展名。扩展名表示该文件的类型,如 DOCX 是 Word 文档,EXE 或 COM 是程序或命令文件;

(6)同一个文件夹中的文件或文件夹不能同名。

在"命令提示符"窗口查看长文件和文件夹名时,可以"dir /x"显示"8.3"的格式。一般截取文件名的前 8 个字符和扩展名的前 3 个字符。如果文件名字符数超过 8 个,而前 6 个字符相同的文件有多个,则转换成"8.3"格式时,只保留前 6 个字符,而后面的两个字符用"~"符号加数字 1~9 表示,如图 2-14 所示。此时,系统并没有改变文件和文件夹的名称,只是改变了其显示方式,当系统返回到 Windows 10 界面时,文件及文件夹仍然是以前的长文件名。

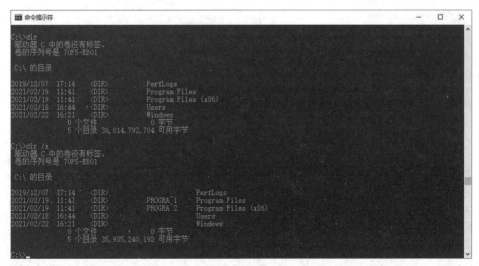

图 2-14 Windows 10"命令提示符"窗口查看前 6 个字符相同的多个文件

2. 文件类型与图标

文件的扩展名可帮助用户辨别文件的类型。Windows 10 注册了一些常用的文件类型。这些被注册了的扩展名在窗口中列表显示时,将显示相应的图标,而没有注册的文件类型,其显示的图标均为"□"。表 2-3 所示的是 Windows 10 注册的常见文件扩展名及其代表的类型。

表 2-3 常见文件扩展名及其类型

扩展名	类　　型	扩展名	类　　型	扩展名	类　　型
TXT	文本文件	PCX	图像文件	COM	DOS 命令文件
DOCX	Word 文档文件	WAV	声音波形文件	EXE	应用程序文件
XLSX	Excel 表格文件	MID	乐器数字化接口文件	BAT	DOS 批处理程序文件
HTM	网页文档文件	AVI	声音影像文件	SYS	DOS 系统配置文件
BMP	位图图像文件	TTF	TrueType 字体文件	INI	系统配置文件
JPG	图像文件	FON	字体文件	DRV	驱动程序文件
GIF	图像文件	HLP	帮助文件	DLL	动态连接库文件

3. 文件夹

文件夹也叫目录,是文件的集合体,或者说是用来放置文件和子文件夹的"容器"。文件夹中可以包含多个文件或子文件夹,当然也可以是空文件夹。

每个文件夹有一个文件夹名,文件夹的命名规则和文件的命名规则相同,而且为有效地组织文件,文件夹(目录)采用层次结构。每个逻辑磁盘的根部可以直接存放文件,形成的目录叫作根目录。根目录下面还可放子目录(文件夹),子目录下面还可再放子目录(文件夹),整个目录结构像一棵倒置的树,如图 2-15 所示。

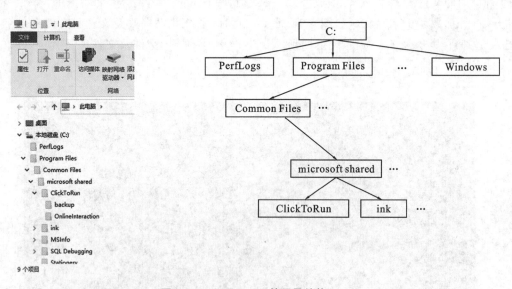

图 2-15 Windows 10 的目录结构

4. 逻辑盘

计算机的外存储器一般以硬盘为主。为了便于数据管理,一般会把硬盘进行分区,即划分成多个逻辑盘,用盘符 C:、D:、E:等来表示。

每个物理磁盘可以分成若干个逻辑盘,硬盘的逻辑盘盘符从 C：开始,到 Z：为止。一台电脑的物理磁盘如果有逻辑盘 C 和 D,它们可能属于同一个物理硬盘,也可能属于两个物理硬盘。Windows 10"此电脑"窗口中的逻辑盘如图 2-16 所示。

图 2-16　Windows 10"此电脑"窗口中的逻辑盘

5．路径

在文件的三要素中,除了文件名和扩展名以外,是存放位置,实际上就是指文件所在的路径。不光文件有所在路径,文件夹也有所在路径。

路径的作用在于表明文件所在的位置。根据路径表述方式的不同,可以把路径分为绝对路径和相对路径两种。

(1)绝对路径,即从根目录开始到文件所在位置的路线上的各级子目录名与分隔符"\"所组成的字符串。根目录的表示为"盘符\",如"C：\"。例如,文件"示例.docx"的绝对路径为"C：\用户\NewUser\下载\桌面\示例.docx"。

(2)相对路径,即从当前位置开始到文件所在位置的路线上的各级子目录名与分隔符"\"所组成的字符串。当前位置是指系统当前正在使用的目录。如果当前位置是"C：\用户\NewUser\下载",则文件"示例.docx"的相对路径是"..\桌面\示例.docx",这里".."表示上一级文件夹(父目录)。

在 Windows 中,两个不同文件的三要素不可能完全相同,即知道了某个文件的文件名、扩展名和路径,就可以唯一确定该文件。因此,常用"路径＋文件名＋扩展名"清楚地表示某个文件,文件名和扩展名之间用"."分隔,路径与文件名之间的分隔符为"\"。

2.2.4　Windows 10 窗口的组成

Windows 10 采用了多窗口技术,所以在使用 Windows 10 操作系统时,我们可以看到各种窗口,对这些窗口进行理解和操作也是 Windows 中基本的要求。

简单来说,Windows 操作系统中的窗口可以分为以下三类。

1．应用程序窗口

应用程序窗口是典型的 Windows 窗口,该窗口是应用程序运行时的工作界面,由标题栏、菜单栏、工具栏、最大化按钮、最小化按钮、关闭按钮、控制按钮、状态栏和窗体等组成,如图 2-17 所示。

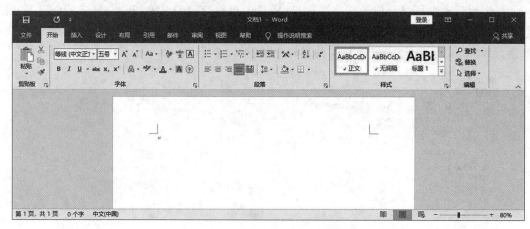

图 2-17　Windows 10 应用程序窗口

2. 文件夹窗口

文件夹窗口用于显示该文件夹中的文件及子文件夹。双击某个文件夹就可以打开文件夹窗口,如图 2-18 所示。

图 2-18　Windows 10 文件夹窗口

3. 对话框

当操作系统需要与用户进一步沟通时,它就显示一个对话框作为提问、解释或警告之用。对话框是系统和用户对话、交换信息的场所,而对话框的窗口形态也随着对话框种类的不同而变化很大。图 2-19 所示的是 Word 中设置字体格式时的"字体"对话框。与常规窗口不同,多数对话框无法实现最大化、最小化或调整大小,但是它们可以被移动。

2.2.5　Windows 10 的菜单

Windows 10 的菜单主要可以分为下拉式菜单和弹出式菜单两种。

1. 下拉式菜单

大多数菜单都属于下拉式菜单,如单击窗口的菜单栏中的某项,或者单击"开始"按钮等,都会出现下拉式菜单,如图 2-20 所示。下拉式菜单出现的方向不一定向下,也可能向右

（如"开始"菜单）。

图 2-19　Windows 10"字体"对话框

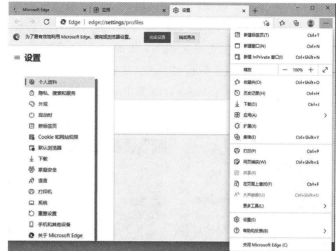

图 2-20　Windows 10 中的下拉式菜单

下拉式菜单含有若干条命令，为了便于使用，命令按功能分组，分别放在不同的菜单项里，当前能够执行的有效菜单命令以深色显示，无效命令以浅灰色显示。

如果菜单命令旁带有"〉"或黑色三角标记，则表示一旦鼠标移动到该命令项，就会弹出一个子菜单项；如果菜单命令旁带有"…"标记，则表示选择该命令将会弹出一个对话框，让用户进一步输入必要的信息或做进一步选择。

此外，有些菜单命令被选择后，左边会出现一个"√"，这表示该菜单命令按钮是一个复选按钮；有些则会出现一个"·"，这表示该菜单命令按钮其实是一个单选按钮。这些符号仅仅表示某种选择设置。有些应用程序中某些菜单的菜单命令内容还会随着程序状态的变化而变化。

2. 弹出式菜单

将鼠标指向某个位置或指向某个选中的对象，单击鼠标右键就会出现一个菜单，这种菜单就是弹出式菜单，也叫快捷菜单，如图 2-21 所示就是右键单击桌面上的"此电脑"图标弹出的快捷菜单。该菜单中的内容与选中的对象有关，包括与选中对象直接相关的一组常用命令，选中的对象不同，弹出的快捷菜单命令也不一样。

2.2.6　Windows 10 的剪贴板

剪贴板是 Windows 在内存中开辟的一块特殊的临时区域，用来在 Windows 程序之间、文件之间传送信息。可以把选中的文本（或其他对象）保存到剪贴板中，再把它们粘贴到目标位置。剪贴板是一个很重要的工具。用户经常进行的剪切、复制和粘贴操作都会用到剪贴板。

（1）剪切：把选中对象移动到剪贴板，原来的内容消失。热键为"Ctrl+X"。

（2）复制：把选中对象复制到剪贴板，原来的内容仍

图 2-21　Windows 10 中的弹出式菜单

存在。用户由于看不到剪贴板的内容,感觉好像什么事情也没发生。热键为"Ctrl+C"。

(3)粘贴:把剪贴板内容复制到目标位置,剪贴板中的内容仍存在。一个内容可以粘贴多次。热键为"Ctrl+V"。

剪贴板中可以存放多个内容,新的一次剪切或复制操作的内容都会加入剪贴板,在 Windows 10 中查看剪贴板的历史,可以使用"Win+V"快捷键,如图 2-22 所示;要查看 Word 2016 剪贴板中的内容,可以单击该程序窗口"开始"选项卡中的"剪贴板"功能区右下角的小按钮,单击剪贴板上的内容可进行粘贴,如图 2-23 所示。

图 2-22　查看 Windows 10 剪贴板历史

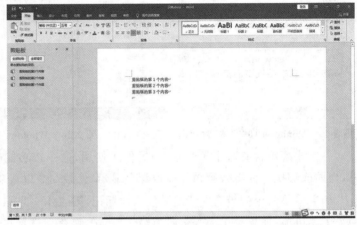

图 2-23　Word 2016 中使用剪贴板

在 Windows 10 中关于剪贴板的操作常常是用一组命令或操作来完成的。

例如,文件或内容的复制:先选择要复制的对象,再执行复制("Ctrl+C")操作,最后到目标位置用粘贴("Ctrl+V")操作完成复制。

又如,文件或内容的移动:先选择要移动的对象,再执行剪切("Ctrl+X")操作,最后到目标位置用粘贴("Ctrl+V")操作完成移动。

2.2.7　Windows 10 的"任务视图"按钮和虚拟桌面

鼠标左键单击任务栏上的"任务视图"按钮或者直接按"Win+Tab"快捷键,可以看到多个应用的缩略图同时出现在屏幕中央,用户可以通过鼠标单击进入某一个应用。

通过"任务视图"按钮能够同时以缩略图的形式展示计算机中所有打开的软件、浏览器和文件等任务界面,方便用户直观、快速地进入指定应用或者关闭某个应用,或在打开的软件之间进行快速切换。

Windows 10 新增了虚拟桌面(多桌面)功能,可以把不同类型的程序放在不同的桌面,从而让用户的工作更加有条理。例如,用户可以将办公内容设置在一个桌面,娱乐内容设置在另一个桌面,这样可以在不同的桌面中,打开不同的应用程序,分类处理不同的事务,互不干扰。

单击"任务视图"按钮,在任务视图界面下方显示了所有的虚拟桌面,如图 2-24 所示,用户可以单击左侧顶部的"新建桌面"按钮,增加新的虚拟桌面。鼠标停留在某个虚拟桌面上则可以预览此虚拟桌面上的所有应用视图。用户可以把某个虚拟桌面上的应用视图拖曳到新建的虚拟桌面中。单击任务视图界面下方的某个虚拟桌面,就可以打开该虚拟桌面。不同的虚拟桌面,任务栏的应用程序图标也会有不同的显示。任务栏上只显示当前虚拟桌面中的应用程序图标。

图 2-24　Windows 10 任务视图界面和虚拟桌面

如果要删除一个虚拟桌面,需要先打开任务视图界面,将鼠标移动到某个虚拟桌面上,单击其右上角的"×"按钮即可,如图 2-25 所示。删除了一个虚拟桌面后,此桌面上的应用视图会添加到前一个虚拟桌面中。

图 2-25　Windows 10 中删除虚拟桌面

用户可以设置是否将"任务视图"按钮显示在任务栏中,具体方式是:在任务栏空白处单击鼠标右键,在弹出的快捷菜单(见图 2-26)中选择"显示'任务视图'按钮"命令。

图 2-26　Windows 10 任务栏中单击鼠标右键弹出的快捷菜单

2.3　Windows 10 的基本操作

2.3.1　Windows 10 的启动和退出

将 Windows 10 安装在计算机上之后,每次打开计算机,系统先进行自检,加载驱动程序,检查系统的硬件配置,如果没有问题,Windows 10 就会自行启动,屏幕上显示登录界面,选择登录的用户账户之后,系统要求输入此账户的登录密码,密码检验通过后,屏幕上将显示此用户之前设置的 Windows 桌面。

打开"开始"菜单,直接单击左下角的" "电源选项,打开如图 2-27 所示的子菜单。

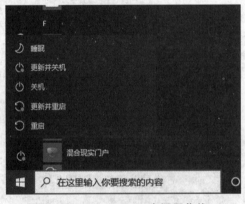

图 2-27　Windows 10 电源子菜单

(1)选择"关机"命令,计算机就可以关闭所有打开的程序,退出 Windows 10,完成关闭计算机的操作。注意:关机不会自动保存修改,因此,确认保存文件之后再关机。

(2)选择"睡眠"命令,计算机就处于低耗能状态,显示器将关闭,而且计算机的风扇通常也会停止。这一状态下计算机只需维持内存中的工作,操作系统会自动保存当前打开的文档和程序,所以在使计算机睡眠前不需要关闭用户的程序和文件。"睡眠"是计算机最快的关闭方式,而且也是快速恢复工作的最佳选择。按计算机主机上的电源按钮、单击鼠标或按键盘上的任意一键,即可唤醒计算机。睡眠时的屏幕显示将与关闭计算机时的完全一样。

(3)选择"重启"命令,系统将关闭所有打开的程序,重新启动操作系统。如果用户安装了多种操作系统,还可以选择其他的操作系统。使用"重启"命令有助于修复计算机运行时产生的错误,提高运行效率,有时候操作系统更新或安装新的应用程序后也需重启系统。

为了使 Windows 10 系统在退出前保存必要的信息及妥善处理相关的运行环境,保证能再次正常启动,Windows 10 操作系统的退出一定要按照规程去做,不要仅仅简单地采用关闭主机电源的方式直接退出。

2.3.2 Windows 10 的中文输入法

中文输入法已经有上百种之多,每种输入法都有自己的优势和不足,目前得到广泛使用的中文输入法只有几种,如微软拼音输入法、搜狗输入法、五笔字型输入法等。

在 Windows 10 操作系统中可以添加系统自带的输入法,也可以添加第三方输入法,用户可以根据自己的使用习惯进行添加。

以下将介绍 Windows 10 的输入法管理和系统自带的输入法等。

1. 添加或删除输入法

Windows 10 操作系统自带了两款中文输入法,即微软拼音和微软五笔。添加系统自带的输入法的操作方法如下:

在"开始"菜单的"设置"中,打开"时间和语言"设置窗口,单击左侧的"语言"选项,在选项设置窗口中的"首选语言"下单击"中文(简体,中国)",随后再单击"选项"按钮打开中文设置窗口,在"键盘"选项下单击"添加键盘"按钮,选择所需的输入法,如"微软五笔"。

如果系统自带的输入法使用起来不习惯,可以添加第三方输入法。当下流行的输入法有搜狗拼音输入法、QQ 拼音输入法、极点五笔输入法等。要使用这些第三方输入法,首先需要将其安装到系统中,下面以搜狗拼音输入法为例进行介绍,添加搜狗拼音输入法的具体操作方法如下:

(1)从网页上下载搜狗拼音输入法安装程序(网址:pinyin.sogou.com);

(2)双击下载好的安装文件启动搜狗拼音输入法安装向导,单击"立即安装"按钮,然后再根据安装向导一步一步完成搜狗拼音输入法的安装,如图 2-28 所示。

图 2-28 安装搜狗拼音输入法

2. 切换输入法

在电脑中添加输入法以后,要使用该输入法需要先切换到该输入法,可以通过以下两种方法来切换输入法:

(1) 通过鼠标选择输入法。

单击任务栏系统通知区中的输入法图标,在弹出的输入法列表中选择所需的输入法,如图 2-29 所示。

图 2-29　Windows 10 中通过鼠标切换输入法

(2) 使用快捷键切换。

在需要输入汉字时,还可使用组合键进行输入法设置。常用的组合键如下:

① 选择输入法:按"Win+空格"键。

② 中英文切换:按"Ctrl+空格"组合键。

③ 不同的中文输入法切换:按"Ctrl+Shift"组合键。

④ 全角/半角切换:按"Shift+空格"组合键。

⑤ 中英文标点切换:按"Ctrl+."组合键。

⑥ 中文模式/英语模式切换:按 Shift 键。

在使用第三方输入法时,切换到该输入法,窗口中还会出现相应的输入法状态框,图 2-30 所示就是在选择了搜狗拼音输入法后所出现的输入法状态框,可以单击其中的按钮进行中文、英文、全角、半角、中英文标点符号输入及打开软键盘等。

图 2-30　搜狗拼音输入法的输入法状态框

2.3.3　Windows 10 中鼠标的使用

Windows 10 是图形化操作系统,而鼠标的使用就是 Windows 环境下的主要特点之一。用鼠标作为输入设备比用键盘作为输入设备更简单、更容易、更"傻瓜",鼠标具有快捷、准确、直观的屏幕定位和选择能力。

鼠标的主要操作方法如下。

(1) 左键单击(简称左击):按一下鼠标左键,选中某个对象或启动按钮。

(2) 左键双击:快速连续地按两次鼠标左键,表示启动某个对象(等同于选中之后再按 Enter 键)。

(3) 右键单击(简称右击):按一下鼠标右键,表示启动快捷菜单(弹出式菜单)。

(4) 拖动:按住左键或右键不放,并移动鼠标指针至屏幕的另一个位置或另一个对象,表示选中一个区域,或是把对象拖到某个位置,或是改变对象的位置或大小。

(5)指向:移动鼠标指针至屏幕的某个位置或某个对象上,没有按键。

鼠标的位置以及它和其他屏幕元素的相互关系往往会反映当前鼠标可以做什么样的操作,为了使用户更清晰地看到这一点,在不同的情况下鼠标的形状会不一样。当然,用户可以自己定义鼠标的形状,但在默认的环境下,鼠标在对应不同操作时的形状如图2-31所示。

图2-31　Windows 10"鼠标 属性"窗口中显示的鼠标形状

2.3.4　Windows 10窗口的操作方法

根据前文中关于窗口的描述,我们知道Windows 10中有很多可操作的矩形区域叫作窗口。这些窗口可以分为应用程序窗口、文件夹窗口和对话框三大类。对于这些窗口常用的操作如下。

1. 窗口的移动

将鼠标指向窗口标题栏,左击并拖动鼠标到指定位置。

2. 窗口的最大化、最小化和还原

(1)窗口最大化与还原:"最大化"按钮是窗口右上角3个按钮中中间的一个,单击窗口中的"最大化"按钮,则窗口将放大到充满整个屏幕,"最大化"按钮将变成还原按钮。单击还原按钮则窗口将恢复原来的大小。双击窗口标题栏空白处,可以最大化或还原窗口。

(2)窗口最小化与还原:"最小化"按钮是窗口右上角3个按钮中左边的一个,单击它可以把窗口缩小为一个图标按钮并放在任务栏上。要把最小化后的窗口还原,只要单击任务栏上相对应的图标按钮即可。

3. 窗口大小的改变

当窗口不是最大时,可以改变窗口的宽度和高度。

(1)改变窗口的宽度:将鼠标指向窗口的左边框或右边框,鼠标变成双箭头符号后,左击并将鼠标拖动到所需位置。

(2)改变窗口的高度:将鼠标指向窗口的上边框或下边框,鼠标变成双箭头符号后,左击并将鼠标拖动到所需位置。

(3)同时改变窗口的宽度和高度:将鼠标指向窗口的任意一个角,鼠标变成倾斜双箭头符号后,左击并将鼠标拖动到所需位置。

注意:有些窗口的大小是固定的,不能进行改变,或者有最小限制。这在对话框中比较常见。

4. 窗口内容的滚动

当前窗口显示的是应用项或文本的"一帧",当窗口的宽度或高度未把应用项或所有文本全部显示出来时,窗口的下端会出现水平滚动条,右端则出现垂直滚动条,可操作鼠标,将所需显示内容滚动到当前窗口显示空间中,操作方法如下。

(1)小步滚动窗口内容:鼠标左击滚动条的滚动箭头。

(2)大步滚动窗口内容:鼠标左击滚动条中滚动箭头和滑块之间的空白区域。

(3)滚动窗口内容到指定位置:鼠标左击并拖动滚动条中的滑块到指定位置。

5. 窗口的关闭

在窗口右上角,"关闭"按钮是3个按钮中右面的一个。要关闭窗口,可以执行以下操作之一:

(1)单击"关闭"按钮;

(2)按组合键"Alt+F4";

(3)双击窗口左上角窗口标识;

(4)右击标题栏并在弹出式菜单中选择"关闭"命令。

6. 窗口控制菜单

单击窗口左上角窗口标识(应用程序的标识)或右击窗口标题栏空白区域,会打开窗口控制菜单。利用窗口控制菜单,可以用键盘操作一些原本只能用鼠标实现的操作。窗口控制菜单中各命令的意义如下:

(1)还原:将窗口还原成最大化或最小化前的状态。

(2)移动:使用键盘上的上、下、左、右方向键将窗口移动到另一位置。

(3)大小:使用键盘改变窗口的大小。

(4)最小化:将窗口缩小成任务栏图标。

(5)最大化:将窗口放大到最大。

(6)关闭("Alt+F4"):关闭窗口。

7. 不同窗口之间的切换

在 Windows 10 中,同时可以打开很多窗口,但只有当前正在被操作的窗口叫作活动窗口。实现窗口之间切换的方法有很多,如单击非活动窗口、单击任务栏上相应的按钮图标、按住组合键"Alt+Tab"然后选择需要的窗口等。

2.3.5　Windows 10 菜单的基本操作方法

Windows 10 中有下拉式菜单和弹出式菜单两种。对于弹出式菜单,一般在某个位置或对象上右击打开。对于下拉式菜单,主要有以下两种方法打开:

第一种,单击该菜单项处。

第二种,如果菜单项后的括号中含有带下画线的字母,也可按"Alt+字母"组合键。

若要执行菜单中的某个命令,一般有以下4种方法:

(1)打开菜单,然后单击该命令选项。

(2)打开菜单,然后用键盘上的4个方向键将高亮条移至该命令选项,然后按 Enter 键。

(3)若该命令选项后的括号中有带下画线的字母,则可以在打开菜单后直接按该字母键。

(4)若该命令选项后标有组合键,则可以不用打开菜单,而直接按组合键执行该菜单项命令。

打开菜单后,在菜单外单击,则表示取消对该菜单的选择。

2.3.6 Windows 10 对话框的操作

对话框是 Windows 10 的 3 种窗口类型之一,也是变化最多的一种窗口。不同的对话框,其大小和形状各异,但基本功能都是提供人机交互的界面,等待用户输入信息。对话框的组成元素包括标题栏、命令按钮、复选框、组合框、选项卡和列表框等,如图 2-32 所示,还包括文本框、单选按钮、标签、框体等。当然,这些组成元素不一定都有,而且数目多少不一,这也使对话框具有多样性。

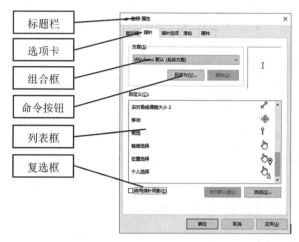

图 2-32 Windows 10 对话框的组成元素

对话框中的基本操作就是针对上述组成元素进行输入或设置,如文本框的输入、单选按钮和复选框的设置、列表框和组合框的选择等,选择有些命令按钮还会进一步打开新的对话框。用户完成所有输入和设置后,一般对话框会有一个"确定"按钮或类似含义的命令按钮,单击此按钮表示确认刚才的信息输入并关闭对话框。大多数对话框还有"取消"命令按钮,单击此命令按钮表示关闭对话框并且不进行信息输入。

2.3.7 Windows 10 工具栏的操作和任务栏的使用

1. 工具栏的操作

大多数程序包含几十个甚至几百个使程序运行的命令,其中很多命令组织在菜单或功能区下面,只有打开菜单或功能区,里面的命令才会显示出来,为了方便用户操作,通常会将常用命令一直在 Windows 10 的窗口中显示出来,这些命令通常是以按钮形式放在工具栏中的,大部分程序的工具栏显示在菜单栏的下方,但有些程序不是这样,如打开 Word 2016,标题栏左边显示快速访问工具栏。用户也可以自定义快速访问工具栏,单击工具栏右边的向下按钮,会显示一个下拉菜单,如图 2-33 所示,用户可以根据需要在此设置显示哪些快速访问工具按钮。

2. 任务栏的操作

Windows 10 是一个多任务的操作系统,用户可以同时打开多个应用程序和多个文档窗口,通过任务栏可以方便地在各个应用程序以及各个文档窗口之间进行切换。用户打开一个应用程序,任务栏就会出现代表该应用程序的图标,即使该应用程序窗口最小化了,在任务栏上依然留有这个图标按钮,用户要切换到某个应用程序,只需单击这个图标按钮。当前程序对应的图标会高亮显示。

1)任务栏按钮的显示方式

当用户打开的应用程序比较多时,程序对应的任务栏按钮图标就会占满任务栏,用户可以根据自己的喜好,设置合并按钮:在任务栏的空白处右击鼠标,在弹出的快捷菜单中选择"任务栏设置"命令,打开"设置"窗口,显示任务栏设置选项,如图 2-34 所示,在"合并其他任务栏上的按钮"下拉列表中选择"始终合并按钮"(见图 2-35)即可。

图 2-33　Word 2016 中自定义快速访问工具栏的下拉菜单

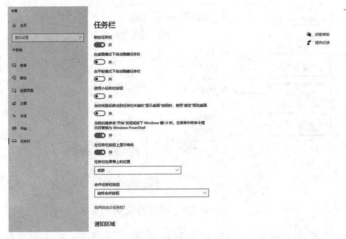

图 2-34　Windows 10 任务栏设置选项

图 2-35　在"合并其他任务栏上的按钮"下拉列表中选择"始终合并按钮"

若要重新排列任务栏上程序按钮的顺序,可以直接用鼠标将按钮从当前位置拖动到任务栏上的其他位置。

2)将程序锁定到任务栏

如果需要经常访问某个程序,可以将这个程序的按钮图标一直放在任务栏中,方法是:

鼠标右击任务栏上此程序对应的图标,在弹出的快捷菜单中选择"固定到任务栏"命令,即便这个程序关闭,程序按钮也将一直显示在任务栏上,以方便用户快速打开。可用相似的方法将固定在任务栏上的程序按钮取消。

还有一种方便用户调用程序的方法是:鼠标指向任务栏空白处,右击,在弹出的快捷菜单中选择将"任务视图"按钮、Cortana 按钮等显示在任务栏上。

3) 预览打开的窗口

在某个程序打开多个任务的情况下,可以使用任务栏来快速查看用户打开的其他窗口,将鼠标指向正在运行的程序的任务栏图标,可看到当前已被该程序打开的所有项目的缩略图,单击缩略图可使该窗口成为当前窗口,显示在桌面上。

4) 使用任务栏上的跳转列表

鼠标右击任务栏上程序图标按钮,会显示此程序的跳转列表,最近用此程序打开过的所有文档都会以列表的形式显示出来。

5) 自定义任务栏上的系统通知区

系统通知区位于任务栏的右侧,除了包含时钟、音量和网络连接等系统图标外,还包含一些程序图标,这些程序图标提供有关接收邮件、更新、安全和维护等事项的状态和通知。初始时,系统通知区已经有一些图标,安装新程序可能会自动将此程序的图标添加到系统通知区。用户可以根据自己的需要设置将部分图标关闭、可见或隐藏,方法如下:

先打开任务栏设置窗口,在窗口中的"通知区域"下单击"选择哪些图标显示在任务栏上",打开设置窗口,用户可以在此设置哪些通知按钮图标可见、哪些图标隐藏到溢出区域。单击任务栏系统通知区左边的隐藏按钮,溢出区域中的通知按钮图标便会显示出来。单击"打开或关闭系统图标",在弹出的窗口中可将不需要的系统通知图标关闭,这些图标就不会显示在系统通知区了。

6) 任务栏的移动、调整和隐藏

Windows 10 启动后,任务栏一般位于桌面屏幕的底部,但是任务栏的大小和位置并不是固定不变的。在任务栏设置窗口中可以设置任务栏显示位置、是否自动隐藏任务栏或锁定任务栏等。如果任务栏没有被锁定,也可以用鼠标拖曳方式把它拖动到桌面的顶部或左、右两边,方法是:先将鼠标指针指向任务栏的空白区域,左击并拖动任务栏到预定位置后释放鼠标即可。还可以用鼠标指针拖动任务栏的边缘来改变其高度。

7) 打开"任务管理器"窗口

将鼠标移至任务栏空白处,右击,在弹出的快捷菜单中选择"任务管理器"命令,可以打开如图 2-36 所示的"任务管理器"窗口。Windows 10 的任务管理器提供有关计算机性能的信息,并显示计算机上所运行的程序和进程的详细信息,用户可以通过"任务管理器"窗口中断进程或结束程序。

(1) 终止未响应的应用程序:系统出现"死机",往往是因为出现未响应的应用程序,此时,通过"任务管理器"窗口终止这些未响应的应用程序,系统就会恢复正常。

(2) 终止进程的运行:若 CPU 的使用率长时间达到或接近 100%,或者系统提供的内存几乎耗尽,通常是系统感染了蠕虫病毒的缘故,利用"任务管理器"窗口找到 CPU 使用率高或内存消耗大的进程,就可以终止这些进程,提高计算机运行速度。

2.3.8 Windows 10 "开始"菜单的定制

在 Windows 10 操作系统中,用户可以按照自己的意愿来定制"开始"菜单。鼠标右击任

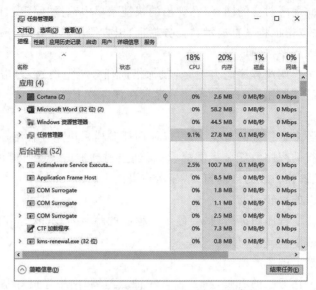

图 2-36　Windows 10"任务管理器"窗口

务栏空白处,在打开的快捷菜单中选择"任务栏设置"命令,打开设置窗口,单击左边的"开始"选项,即可打开"开始"菜单设置窗口,在此窗口中可以自定义"开始"菜单。

1. 自定义哪些文件夹显示在"开始"菜单固定程序区域

"开始"菜单左边窗格的下方是"开始"菜单固定程序区域,其中列出了部分 Windows 10 的项目链接,在默认情况下,"文档"和"设置"会显示在此处。用户也可以根据自己的需要添加或删除这些项目链接,具体操作是:单击"开始"菜单中的"设置"命令,打开"设置"窗口,在"设置"窗口中单击"个性化",打开个性化设置窗口,再在左侧单击"开始"选项,打开如图 2-37 所示的设置窗口,单击右下方的"选择哪些文件夹显示在'开始'菜单上"链接,打开如图 2-38 所示的窗口,在此选择(打开)需要显示的项即可。

图 2-37　个性化设置窗口中单击"开始"选项后出现的设置窗口

2. 令"开始"菜单中显示最常用的应用、最近添加的应用及使用全屏"开始"屏幕

Windows 10 的"开始"菜单中不仅可以显示系统中安装的所有程序,用户还可以设置将最近添加和最常用的程序自动显示在其中。单击"开始"菜单左边的"设置"命令,打开"设置"窗口,在"设置"窗口中单击"个性化"打开个性化设置窗口,再在左侧单击"开始"选项,在打开的设置窗口中可以设置将最近添加和最常用的程序自动显示在"开始"菜单中。在此窗口中还可以设置"使用全屏'开始'屏幕"。

图 2-38 "选择哪些文件夹显示在'开始'菜单上"设置窗口

3. 磁贴的设置

"开始"屏幕右边是动态磁贴面板,里面是各种应用对应的磁贴,可以用鼠标拖动磁贴调整磁贴的位置。选择磁贴,右击鼠标,在弹出的快捷菜单(见图 2-39)中选择"调整大小"下拉菜单中的对应选项可以设置磁贴的大小。还可在此快捷菜单中选择"从'开始'屏幕取消固定"命令,将不常使用的应用磁贴从"开始"屏幕磁贴面板中删除。

图 2-39 Windows 10"开始"菜单右边的磁贴上右击弹出的快捷菜单

如果需要将某个程序显示在磁贴面板中,可以用鼠标右击"开始"菜单中此程序项,在弹出的快捷菜单中选择"固定到'开始'屏幕"命令,这个程序对应的磁贴就会显示在"开始"屏幕右边的磁贴面板中。

4. 跳转列表

Windows 10 为"开始"菜单和任务栏引入了"跳转列表"的概念,跳转列表是最近打开的项目列表,如文件、文件夹或网站,这些项目按照用来打开它们的程序进行组织。

鼠标右击"开始"菜单上的程序项或右击任务栏上的程序按钮,均会打开跳转列表,如图 2-40 所示,跳转列表上会列出最近用此程序打开的项目,方便用户快速打开经常操作的文件或网页。某个程序在"开始"菜单和任务栏上的跳转列表中将出现相同的项目。

2.3.9 Windows 10 中对象的剪切、复制与粘贴操作

前面提到过剪贴板的概念,可以使用剪贴板这个临时存储空间在文件和程序之间复制

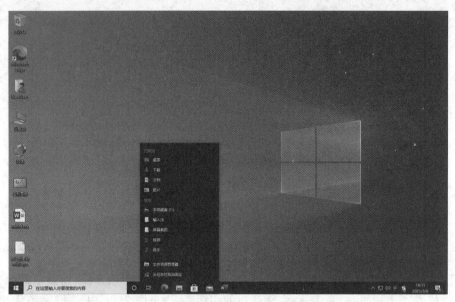

图 2-40　Windows 10 任务栏上鼠标右击程序按钮弹出的跳转列表

或移动信息(如文本、图片或表格等)。和剪贴板有关的命令有剪切、复制和粘贴,这三个命令一般放在编辑菜单中或剪贴板功能区中。

移动或复制对象之前,先要选择对象,使用剪切或复制命令,也可以使用快捷键"Ctrl+X"(剪切)、"Ctrl+C"(复制)。然后用鼠标定位到要粘贴的目的地,使用粘贴命令,或按快捷键"Ctrl+V"(粘贴),从而实现对象的移动或复制。

除了对选择的对象进行剪切、移动和复制外,还可以把屏幕图片复制到剪贴板上,并进一步粘贴到需要的地方去,方法如下:

(1)Windows 10 操作系统中,任何时候按下屏幕打印键,都会把整个屏幕信息作为一幅图片复制到剪贴板上。

(2)Windows 10 操作系统中,任何时候按下"Alt+屏幕打印"键,都可以把当前活动窗口在屏幕上显示的内容作为一幅图片复制到剪贴板上。非活动窗口,或者虽然是活动窗口但不在屏幕范围内的内容,则不会被复制下来。

2.3.10　Windows 10 中快捷方式的建立、使用与删除

所谓快捷方式,实际上是在某个文件夹中建立一个链接,该链接指向原来的对象文件,因此,对某个程序的快捷方式的"运行"实际上是在运行原来的程序,而对快捷方式的删除不会影响到原来的对象。这样可以方便用户在不同位置运行同一个程序。

为了与一般的文件图标和应用程序图标有所区别,快捷方式图标在左下角有一个弯曲的小箭头,如图 2-41 所示。

由于快捷方式图标仅仅是一个链接,而不是应用程序或者文件本身,所以相比简单的文件复制,它有不少特点:

(1)快捷方式只占据最小单位的存储空间,可以节省大量存储空间。

(2)某个对象的所有快捷方式,无论有多少,都指向同一个对象,这样可以防止数据的不完整性,即修改了某个文件而忘了修改其他备份文件所造成的数据不一致。这一优势在对应数据文件的快捷方式应用

图 2-41　快捷方式
　　　　图标示例

中表现得尤为突出。

(3)快捷方式并不直接对应原始对象,所以即使不小心删除了该图标,也仅仅是删除了一个链接,原始对象仍然存在。对于重要文档,用快捷方式来打开可以防止误删。

要建立一个对象的快捷方式图标,最简单的方法是:鼠标右击原始对象的图标,在如图 2-42 所示的快捷菜单中选择"创建快捷方式"命令,便可在当前文件夹中创建快捷方式。通常会选择"发送到"命令将对象的快捷方式创建到桌面上。

2.3.11 Windows 10 中的命令行方式

Windows 10 是在 DOS 操作系统的基础上发展起来的,命令行方式就是在 MS-DOS 模式下执行命令的方式。要进行命令行方式的操作,首先就要切换到 MS-DOS 模式。方法如下:

鼠标右击"开始"按钮,在弹出的快捷菜单中选择"运行"命令,在打开的对话框中输入"cmd",单击"确定"按钮后,打开如图 2-43 所示的"命令提示符"窗口,在此可以输入 DOS 命令,也可以在"开始"菜单程序列表中选择"Windows 系统"下的"命令提示符"命令,打开此窗口。

用户可以在此窗口中输入并运行 DOS 命令,可以输入 DOS 命令"EXIT"退出命令行方式并关闭该窗口,也可以像其他窗口一样点"关闭"按钮来关闭该窗口。

"命令提示符"窗口和其他的窗口一样,可以最大化、最小化、还原和关闭。该窗口同样有标题栏、滚动条和控制菜单等 Windows 10 窗口的常见元素。

图 2-42 鼠标右击原始对象图标弹出的快捷菜单

图 2-43 "命令提示符"窗口

2.3.12 Windows 10 中的回收站

"回收站"图标是 Windows 10 初始安装桌面上就有的图标,也是唯一不能从桌面上删除的图标。它的主要作用是暂时存放被"删除"的文件和文件夹,也就是在删除操作时没有按住 Shift 键,删除的文件和文件夹都会被放到回收站里面,对回收站的主要操作如下:

1. 还原文件

还原文件就是将文件恢复到原来删除的位置。若要恢复被删除的文件,用户可以用鼠标双击"回收站"图标,将看到如图 2-11 所示的"回收站"窗口,窗口中列出了被放入回收站的文件或文件夹。用户可以在"回收站"窗口中选定要恢复的文件和文件夹,然后进行以下操作之一:

(1)选择"回收站工具"—"还原"功能区中的"还原选定的项目"命令。

(2)右击鼠标,在弹出式菜单中选择"还原"命令。

回收站可以看成一种特殊的文件夹,所以也可以用剪切和粘贴操作将文件从回收站还原(移动)到适当的文件夹中。

2. 清空回收站

被删除的文件和文件夹放在回收站里,实际上还是占据着存储空间,要彻底删除回收站中所有文件和文件夹,就要清空回收站里的内容。打开"回收站"窗口,然后用下面方法之一清空回收站:

(1)选择"回收站工具"—"管理"功能区中的"清空回收站"命令,则所有回收站中的文件和文件夹被彻底删除。

(2)在桌面上鼠标右击"回收站"图标,在弹出式菜单中选择"清空回收站"命令,也可以清空回收站里的所有内容。

打开"回收站"窗口,选定某些文件或文件夹,用删除文件或文件夹的方法可以彻底删除被选定的内容。在回收站中清除(删除)内容是永久性地删除内容,并能释放存储空间。

3. 调整回收站的属性设置

在回收站中的文件和文件夹与一般的文件和文件夹一样占据存储空间,回收站的存储空间大小可以在"回收站 属性"对话框中设置。在桌面上鼠标右击"回收站"图标,在弹出式菜单中选择"属性"命令,打开"回收站 属性"对话框。在"回收站 属性"对话框中,可以设置回收站最大存储容量,也可以选择在删除文件时不将文件移入回收站而是彻底删除,即物理删除。此外,还可以设置删除文件时是否显示删除确认对话框等。

"回收站 属性"对话框也可以在如图 2-11 所示的"回收站"窗口中,选择"回收站工具"—"管理"功能区中的"回收站属性"命令打开。

2.3.13 使用 Cortana 私人助理

Cortana 是微软发布的全球第一款个人智能助理,它的中文名字叫小娜。它能了解用户的喜好和习惯、帮助用户进行日程安排、回答问题等,还能帮助用户在电脑上查找资料、管理日历、跟踪程序包、查找文件、跟用户聊天等,功能很强大。使用 Cortana 的次数越多,用户体验也会越来越个性化。

Cortana 作为 Windows 10 操作系统中的一款个人智能语音助理,可以给用户带来很多便捷的服务,下面将详细介绍如何使用它。

1. Cortana 个性设置

Cortana 可以全天候在用户设备上工作,它会随着时间的推移学习更多的内容,从而变得更加个性化和实用。对 Cortana 进行个性设置,才能从 Cortana 中获得更好的帮助,如更改称呼、配置个性化信息、添加提醒等,具体操作如下:

鼠标左击"开始"按钮右侧的 Cortana 图标"◯",打开 Cortana 登录窗口,如图 2-44 所示。单击"登录"按钮,弹出"登录"对话框,选择微软账户,然后再单击"继续"按钮进行登录。

2. 开始使用 Cortana

要使用 Cortana,电脑需要配备麦克风等音频设备。用户可以让 Cortana 做很多事情,如启动程序、播放音乐、添加提醒、查询信息、讲故事等,部分功能的具体操作如下:

(1)打开日历:打开 Cortana,单击搜索框右侧的"语音识别"按钮,提示"正在聆听",用户对着麦克风说"打开日历",系统自动将语音转换成文字,Cortana 识别完成后将启动"日历"应用。

(2)添加提醒事项:打开 Cortana,单击搜索框右侧的"语音识别"按钮,提示"正在聆听",用户对着麦克风说"提醒我早上 8 点去 2 栋 202 上计算机课",同样,Cortana 系统识别后将添加提醒,单击提醒,再单击"时间"按钮,选择"别的时间"选项,设置时间后单击保存按钮,即可保存提醒。

图 2-44　Windows 10 Cortana 登录窗口

(3)查询信息:打开 Cortana,单击搜索框右侧的"语音识别"按钮,提示"正在聆听",用户对着麦克风说"查询武汉的天气",Cortana 系统识别后将显示相应的天气情况。

(4)讲故事:打开 Cortana,单击搜索框右侧的"语音识别"按钮,提示"正在聆听",用户对着麦克风说"讲个故事",Cortana 系统识别后就会讲个故事。

2.4　Windows 10 文件资源管理器

2.4.1　Windows 10 文件资源管理器的启动和窗口组成

文件资源管理器是 Windows 10 提供的用于管理文件和文件夹的系统工具,使用它可以帮助用户管理和组织系统中各种软、硬件资源,查看各类资源的使用情况。

1. 打开文件资源管理器

方法一:打开"开始"菜单,鼠标左击固定程序区域中的文件资源管理器图标。

方法二:鼠标右击"开始"按钮,在弹出的快捷菜单上选择"文件资源管理器"命令。

方法三:选择"开始"菜单中所有程序列表里的"Windows 系统"下的"文件资源管理器"命令。

2. 文件资源管理器窗口的组成

打开文件资源管理器,选择 C 盘,窗口如图 2-45 所示。

(1)地址栏:显示当前打开的文件夹路径。每一个路径都由不同的按钮连接而成,单击这些按钮,就可以在相应的文件夹之间切换。

(2)搜索框:在此输入文件或文件夹名,可以帮助用户在计算机中快速搜索文件或文件夹。

(3)功能区:Windows 10 的文件资源管理器窗口与以往版本相比有较大改变,采用了 Office 的功能区概念,将同类操作放在一个选项卡中,按照功能划分不同功能区。

(4)窗口工作区:用于显示当前窗口的内容或执行某项操作后的内容,内容较多时,会出

图 2-45　Windows 10 C 盘文件资源管理器窗口

现垂直或水平滚动条。

(5)窗格:文件资源管理器窗口中有多种类型的窗格,例如导航窗格、预览窗格和详细信息窗格。要打开或关闭不同类型的窗格,可选择"查看"选项卡"窗格"功能区中的对应命令。

导航窗格中显示了以树形目录结构展示的文件夹,它涵盖了当前计算机的所有资源。单击文件夹左侧的三角形按钮可以显示它的所有下一级子文件夹。窗口工作区显示的是左侧导航窗格中选中的文件夹中的内容。子文件夹是一个相对的概念,在导航窗格资源列表的树形结构中,从属于上层的下层文件夹称为上层文件夹的子文件夹。子文件夹自身也可以有更下层的文件夹。

将鼠标置于文件资源管理器窗格的分格条之上,当鼠标变成双箭头标记时,按住鼠标左键,可以左右拖动分格条,改变窗格和窗口的相对大小。

打开文件资源管理器默认显示的是"快速访问"界面,在窗口工作区中显示的是常用文件夹列表和最近使用的文件列表,方便用户快速打开经常操作的文件或文件夹,而不需要通过电脑磁盘查找文件。

3. 文件资源管理器的搜索功能

在文件资源管理器窗口中可以用搜索功能在当前文件夹中快速查找文件或文件夹。

具体方法如下:

(1)搜索前先选定要搜索的范围,例如要在 E 盘的"学习资料"文件夹中搜索,就要先在导航窗格中单击"学习资料"文件夹名,当前文件夹的路径就会显示在地址栏中,同时搜索框中显示出搜索范围。

(2)在搜索框中输入要搜索的关键字后,系统就会自动搜索并在文件资源管理器窗口工作区中显示包含此关键字的所有文件或文件夹。

在搜索过程中,文件或文件夹名中的字符可以使用通配符,即用"＊"或"?"来代替用户记不清的字符进行模糊查找。其中"＊"表示任意长度的一串字符串,"?"表示任意一个字符。如要查找以"a"开头的 JPG 文件,就可以在搜索框中输入"a＊.jpg"(搜索结果如图 2-46 所示);如要查找以字符"ab"开头、第 3 个字符记不清但文件名长度只有 5 个字符的所有种类的文件,就可以在搜索框中输入"ab???.＊"。

如果要按种类、大小或修改日期等条件搜索对象,可以在"搜索"选项卡中"优化"功能区里选择按照修改日期、类型或大小等条件进行搜索。

图 2-46　搜索"a＊.jpg"的结果

2.4.2　Windows 10 文件和文件夹的使用和管理

1. 创建新的文件或文件夹

可以在文件资源管理器窗口中任意文件夹下建立一个新的文件或文件夹,方法有两种:

方法一:在文件资源管理器窗口导航窗格中选定要新建文件或文件夹的位置,打开"主页"选项卡,在"新建"功能区中选择"新建项目"或"新建文件夹",再输入文件或文件夹的名字。

方法二:在文件资源管理器窗口导航窗格中选定要新建文件或文件夹的位置,然后在相应窗口工作区空白处右击鼠标,在弹出式菜单中选择"新建",可新建某一类型文件或文件夹,再输入文件或文件夹的名字。

2. 选择文件或文件夹

在对文件或文件夹进行进一步操作前,要先将其选定,选择文件夹和选择文件的操作相同。用鼠标配合键盘选定文件的方法如下:

(1)选择单个文件:鼠标左击所选文件的图标。

(2)选择一组连续排列的多个文件:先鼠标左击要选择的第一个文件,然后按住 Shift 键,移动鼠标指针至要选择的最后一个文件并左击,再释放 Shift 键,一组文件即被选定。也可用鼠标拖曳框选的方式选择连续排列的多个文件。

(3)选择不连续排列的多个文件:按住 Ctrl 键,再用鼠标逐个左击要选择的文件即可。

(4)选择某文件夹中的全部文件:在文件资源管理器窗口中选择并显示该文件夹,打开"主页"选项卡,在"选择"功能区中选择"全部选择"命令,也可以直接按住"Ctrl＋A"组合键全部选定。

(5)取消已选定的文件:如在已选定的文件中,要取消一些项目,则按住 Ctrl 键,鼠标左击要取消的项目。如要全部取消只需鼠标左击窗口上的空白处即可。

(6)选择除了某些文件外的文件:若整个窗口中仅有少数几个文件或文件夹不想选定,而想选定其余的大部分文件,用前几种方法先选择此处不想选择的文件,再在"主页"选项卡上的"选择"功能区中选择"反向选择"命令,其他文件即可被选定。此项操作用于不需要被选择的文件比需要被选的少得多的情况,其操作较快。

3. 移动、复制文件或文件夹

Windows 10 中可以用剪切、粘贴和复制命令在不同文件夹和磁盘分区之间移动和复制文件或文件夹。

要移动或复制文件或文件夹,首先要选定需要移动或复制的文件或文件夹,使用文件资源管理器窗口"主页"选项卡上"剪贴板"功能区中的"剪切"或"复制"命令,然后单击目标文件夹,此时该文件夹呈反相显示状态,在"剪贴板"功能区中选择"粘贴"命令,即可完成文件或文件夹的移动或复制。

移动、复制操作也可用右击对象、在弹出的快捷菜单中选择"剪切"—"粘贴"和"复制"—"粘贴"命令实现,还可利用鼠标拖动来实现文件或文件夹的移动或复制。方法如下:

(1)文件或文件夹的移动:如要在同一个逻辑盘上的文件夹之间移动文件或文件夹,首先选定要移动的文件或文件夹,直接拖动到目标位置。如要移动到不同逻辑盘,首先选定要移动的文件或文件夹,按住 Shift 键并用鼠标拖动选定的文件或文件夹到目标位置。

(2)文件或文件夹的复制:如要在同一个逻辑盘上复制文件或文件夹,首先选定要复制的文件或文件夹,按住 Ctrl 键并用鼠标拖动到目标位置。如要在不同的逻辑盘上复制文件或文件夹,首先选定要复制的文件或文件夹,不需要按住 Ctrl 键,直接用鼠标拖动选定的文件或文件夹到目标位置即可。

Windows 10 中在"主页"选项卡"组织"功能区中增加了"移动到"和"复制到"命令,如图 2-47 所示,也可以完成文件或文件夹的移动和复制操作。

图 2-47 "主页"选项卡"组织"功能区中增加了"移动到"和"复制到"命令

4. 删除文件或文件夹

要删除文件或文件夹,首先也是要选定准备删除的对象,然后选择下面方法之一删除对象:

(1)选择"主页"选项卡"组织"功能区中的"删除"命令。

(2)右击鼠标,在弹出式菜单中选择"删除"命令。

无论选择以上哪种方式,文件都会被删除并默认放在回收站中(回收站已满除外)。如果用户希望直接、彻底地删除对象,可以在做上述操作时按住 Shift 键,对象不会被放入回收站。

Windows 10 的文件资源管理器窗口"主页"选项卡"组织"功能区中的"删除"命令增加了"永久删除"选项,可以用来永久删除文件或文件夹。

5. 恢复文件或文件夹

(1)在文件资源管理器窗口或"此电脑"中,如果刚做完删除文件操作,可在窗口的空白处右击,在弹出的快捷菜单中选择"撤消删除"命令。

(2)从回收站恢复:打开回收站,选定要恢复的文件或文件夹,再单击"回收站工具"选项卡"还原"功能区中的"还原选定的项目"命令。

6. 重命名文件或文件夹

文件或文件夹的重命名(更名)可用下面三种方法之一：

(1)左击选中要更名的文件或文件夹，然后再次左击被选中的对象(注意：两次左击的时间间隔不能太短，太短会被理解成打开该文件或程序)。

(2)右击要更名的文件或文件夹，在弹出式菜单中选择"重命名"命令。

(3)用文件资源管理器窗口"主页"选项卡"组织"功能区中的"重命名"命令。

在以上操作中，被选中的要更名的文件或文件夹的名字被加上了矩形框并呈现反相显示状态，用户可以在该矩形框中输入新的名字，最后按 Enter 键或者单击框外任何地方确认修改。

7. 调整显示环境

文件资源管理器的窗口工作区中显示的是被选中的文件夹中的内容，包括子文件夹和文件，用户可以设置它们的显示方式和排序方式，还可以设置是否显示隐藏的文件或文件夹。

1)调整对象的显示形式

打开"查看"选项卡，选择"布局"功能区中的"超大图标""大图标""中等图标""小图标""列表""详细信息""平铺""内容"这几种显示方式之一，窗口中的文件和文件夹将以选定的方式显示。

对象的个数超出显示窗口范围时出现水平滚动条或垂直滚动条，用户可以通过移动水平或垂直滚动条来显示其他的对象信息。

2)调整文件夹和文件的排序

在文件资源管理器的窗口工作区中可以按照一定的顺序排列文件和文件夹：打开"查看"选项卡，在"当前视图"功能区中选择"排序方式"命令，在子菜单中可以选择按照名称、文件类型、文件大小、文件的修改日期等进行排序。

在窗口工作区的空白处右击鼠标，在出现的弹出式菜单中也可以设置文件或文件夹的显示形式和排序方式。

3)显示、隐藏文件或文件夹

Windows 10 操作系统中的有些文件和文件夹是比较重要的，操作系统将这些文件和文件夹隐藏了起来，以防止用户误删这些重要文件和文件夹。用户也可以把自己认为比较重要的文件和文件夹隐藏起来。

要使隐藏的文件和文件夹显示出来，可以单击勾选文件资源管理器"查看"选项卡"显示/隐藏"功能区中的"隐藏的项目"选项。在此功能区中勾选"文件扩展名"选项还可以使文件的扩展名显示出来，取消勾选则隐藏。

8. 查看对象属性

1)查看计算机系统的属性

右击桌面上的"此电脑"图标，在弹出式菜单中选择"属性"命令，或者在文件资源管理器中选定"此电脑"，然后选择"计算机"选项卡"位置"功能区中的"属性"命令，就可以打开系统属性窗口。在此窗口中用户可以查看这台计算机的操作系统版本、基本性能指标等信息，还可以调用"设备管理器""远程界面""系统保护""高级系统设置"等，对计算机的属性进行设置。

2)查看逻辑盘的详细情况

右击文件资源管理器中某个逻辑盘图标,在弹出式菜单中选择"属性"命令;或者在文件资源管理器中选定某个逻辑盘(既可以在左边导航窗格中选定,也可以在右边的文件内容窗口中选定),然后选择"主页"选项卡"打开"功能区中的"属性"命令。此时就可以打开如图 2-48 所示的逻辑盘属性窗口。该属性窗口中可以显示当前逻辑盘的使用状况、共享情况、安全设置和一些系统工具等。例如,在"常规"选项卡中,可以显示当前逻辑盘的卷标、文件系统的格式、存储空间的使用情况等。在"工具"选项卡中,可以进行查错、优化和碎片整理。

3)查看文件和文件夹的属性

右击文件资源管理器中某个文件或文件夹图标,在弹出式菜单中选择"属性"命令;或者在文件资源管理器中选定某个文件或文件夹(对于文件夹,既可以在左边的导航窗格中选定,也可以在右边的文件内容窗口中选定),然后选择"主页"选项卡"打开"功能区中的"属性"命令,此时就可以打开如图 2-49 所示的文件属性窗口或者文件夹属性窗口。两种属性窗口大体相同。

在文件或者文件夹属性窗口中,最常用的操作是设置属性。用户建立的文件具有默认的存档属性。若要将该文件设为"只读"属性,则要在打开的属性窗口中选中"只读"复选框,再左击"确定"按钮。

图 2-48 Windows 10 逻辑盘属性窗口

图 2-49 Windows 10 文件属性窗口

2.5 Windows 10 系统环境的设置

控制面板是用来进行系统设置和设备管理的工具集。使用控制面板,用户可以根据自己的喜好,对系统的外观、语言和时间等进行设置和管理,还可以添加或删除程序、查看硬件设备、更新硬件设备驱动程序等。

2.5.1 Windows 10 控制面板的打开

先打开"开始"菜单,在所有程序列表中,找到"Windows 系统"下的"控制面板"命令,左击即可打开"控制面板"窗口;也可以在文件资源管理器中找到并双击"控制面板"来打开"控制面板"窗口。用户对计算机的环境设置都可以从此窗口中选择对应的命令进行。

2.5.2 Windows 10 中应用程序的安装与管理

在"控制面板"窗口中选择"程序"图标,就会出现"程序"窗口。在此窗口中可以选择"程序和功能"下的"卸载程序""查看已安装的更新"等功能,例如,单击"卸载程序",会弹出"程序和功能"窗口,在此窗口中选择某个程序,左击"卸载/更改"按钮,就可进行程序的卸载或更改。

1. 安装应用

在 Windows 10 操作系统中,用户可以通过多种方法安装应用,如从微软商店安装应用,从网站下载并安装应用,以及使用第三方软件管理程序安装应用。

1) 从微软商店安装应用

Windows 10 微软商店中提供了大量的通用应用,从各种游戏到可以帮助用户保持交流和高效工作的应用,应有尽有。要获得微软商店应用,需要网络连接和登录 Microsoft 账户。

单击"开始"按钮,在应用列表中单击"Microsoft Store"程序即可打开微软应用商店窗口。在微软应用商店窗口中浏览或查找所需要的应用,如我们需要安装微信应用,可以搜索"微信",在搜索结果中选择"微信 For Windows"应用。在打开的窗口中可以查看有关所选应用的详细信息,单击"获取"按钮就会自动下载该应用并显示操作进度,下载完成后系统会自动将其安装到电脑中,单击"固定到'开始'屏幕"按钮,即可将安装的应用固定到"开始"菜单的磁贴区中,单击应用列表中的该应用或该应用的磁贴,该应用即可启动。

2) 从网站下载并安装应用

用户可以从网上受信任的站点下载并安装应用,一般可以通过两种途径:一是从应用软件的官方站点下载并安装;二是从知名的软件网站进行下载并安装。

特别说明:千万不要随意在不知名的网站上下载破解软件,因为这些软件大多含有病毒和木马,会严重影响计算机的安全。

3) 使用第三方软件管理程序安装应用

第三方软件管理程序提供了包括软件下载、安装、升级及卸载等管理功能,同时拥有高速下载、去插件安装、卸载恶意软件等特色功能,其中的软件库提供了丰富的软件供用户下载安装,如腾讯电脑管家、百度软件中心等。下面以腾讯电脑管家为例进行介绍。使用腾讯电脑管家安装应用的具体操作方法如下:

登录腾讯电脑管家官方网站,如图 2-50 所示,下载腾讯电脑管家安装程序文件。

图 2-50 腾讯电脑管家官方网站

找到下载好的腾讯电脑管家安装程序文件,如图 2-51 所示,双击运行安装程序。

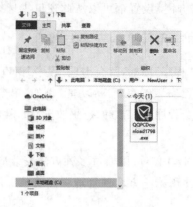

图 2-51　腾讯电脑管家安装程序文件

在打开的安装程序窗口(见图 2-52)中单击"一键安装"即可开始安装腾讯电脑管家。

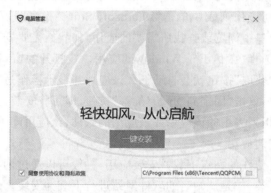

图 2-52　腾讯电脑管家的安装程序窗口

安装完成后运行腾讯电脑管家,打开如图 2-53 所示的腾讯电脑管家程序窗口。

图 2-53　腾讯电脑管家程序窗口

用鼠标单击窗口左侧的"软件管理",弹出如图 2-54 所示的软件管理窗口,在这里可以搜索所需的软件进行安装。

2. 应用的卸载与修复

当某个应用程序无法正常工作时,可以对其进行修复。当不再需要某个应用程序,或该应用程序妨碍到用户的正常工作时,可以将其从电脑中卸载。卸载程序的方法有多种,下面将分别对其进行介绍。

图 2-54　腾讯电脑管家的软件管理窗口

1）快速卸载通用应用

对于从微软商店安装的通用应用,微软提供了快速卸载的方法,具体操作如下:

打开"开始"菜单,找到要卸载的通用应用并右击,选择"卸载"命令,在弹出的提示信息框中单击"卸载"按钮即可。

2）通过设置窗口卸载应用

在 Windows 10 操作系统中可使用"设置"窗口卸载程序,同时可以清楚地了解磁盘上都安装了什么程序,卸载方法也很简单,具体操作如下:

按"Win+I"组合键打开"设置"窗口,单击"应用"按钮,打开应用和功能设置窗口,在左侧选择"应用和功能"选项则会列出电脑中已安装的应用,通过搜索或筛选应用找到并选择要卸载的应用,单击"卸载"按钮,在弹出的提示信息框中单击"卸载"按钮即可。

3）通过控制面板卸载应用

通过"控制面板"—"程序"—"程序和功能"卸载应用是比较传统的方法,同样适用于 Windows 10 操作系统,具体操作如下:

在"开始"菜单应用列表中找到要卸载的应用并右击,选择"卸载"命令,打开"程序和功能"窗口,在应用列表中选择要卸载的程序,单击"卸载/更改"按钮,弹出应用卸载对话框,确认卸载,在弹出的对话框中可以输入卸载原因,单击"继续"按钮,开始卸载应用并显示卸载进度,等待卸载完成后单击"完成"按钮即可。

4）通过控制面板修复应用

在"程序和功能"窗口中除了可以卸载应用外,还可以修复应用,具体操作如下:

打开"程序和功能"窗口,选择要修复的应用。在此选择"Microsoft Office 专业增强版 2016",如图 2-55 所示,单击"更改"按钮,在弹出的对话框中选中"快速修复"单选按钮,单击"修复"按钮后按提示一步步完成修复。

3. 安装与关闭系统功能

Windows 10 操作系统自带很多程序用于实现各种功能,由于用户要求不同,默认情况下并未将所有的程序全部安装和启用,用户可以根据需要来安装或关闭这些功能程序。

1）安装系统功能

要学习动态网页制作,需要 IIS 功能,它包括万维网服务器、FTP 服务器和 SMTP 服务器,是架设个人网站服务器的一个工具。Windows 10 操作系统中包含此功能程序,启用它的具体操作如下:

图 2-55　选择"Microsoft Office 专业增强版 2016"

打开"程序和功能"窗口,在左侧单击"启用或关闭 Windows 功能"超链接,打开"Windows 功能"窗口,展开"Internet Information Services"选项,选中"FTP 服务器"和"Web 管理工具";展开"万维网服务"选项,选中"安全性"等选项,对"万维网服务"选项进行设置。然后选中"Internet Information Services 可承载的 Web 核心"复选框,单击"确定"按钮,开始安装 Windows 10 功能,并显示安装进度。Windows 10 功能安装完毕后单击"关闭"按钮即可。

2) 关闭系统功能

要关闭系统功能,只需在"Windows 功能"窗口中取消选择相应的选项即可。例如,要关闭 IE 浏览器,只需在如图 2-56 所示的"Windows 功能"窗口中取消选择"Internet Explorer 11"复选框,此时将弹出提示信息框,单击"是"按钮即可。

图 2-56　"Windows 功能"窗口

4. 管理默认程序

默认程序是通过双击打开某种类型的文件(如音乐文件、图像或网页)时系统所使用的程序,例如,在电脑上安装了多个视频播放软件,则可以选择其中之一作为视频打开或播放的默认程序。在最新版的 Windows 10 中,可以管理系统默认应用,还可以通过按文件类型指定默认应用、按协议指定默认应用和按应用设置默认值等方法来管理默认应用程序,下面将介绍管理默认应用程序的两种操作。

1)更改系统默认应用

默认情况下,在 Windows 10 操作系统中使用默认应用打开指定类型的文件,如使用"照片"应用查看照片、使用"Groove 音乐"播放音频文件、使用"Microsoft Edge"浏览网页等,用户可以根据需要更改系统默认应用,具体操作方法如下:

在"开始"菜单中单击"设置"打开"设置"窗口,再在"设置"窗口中单击"应用"打开应用设置窗口,在左侧选择"默认应用"选项后,可以查看当前系统的默认应用程序。若要更改默认的应用程序,可以在应用列表中选择某个应用,在弹出的菜单(见图 2-57)中选择另一种应用作为新的默认应用。

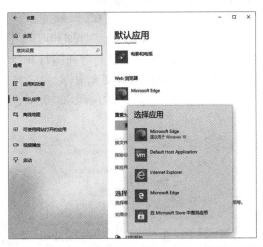

图 2-57　Windows 10 默认应用列表中选择应用后弹出的菜单

2)按文件类型设置默认应用

若不想使用系统默认程序打开特定类型的文件,可以为该类型的文件设置另外的默认应用程序,例如,设置 MP3 格式的文件默认使用"QQ 音乐"打开,具体操作如下:

在"此电脑"中找到一个 MP3 格式的文件,选择"主页"选项卡,单击"打开"功能区中"打开"下拉按钮,选择"选择其他应用"选项。在弹出的对话框中选择"QQ 音乐"应用,若要查看更多应用,则单击"更多应用"超链接。若在应用列表中没有所需的应用,可单击"在这台电脑上查找其他应用"超链接,弹出"打开方式"对话框,自动进入 C 盘的"Program Files"文件夹,若要在 64 位系统下查找 32 位应用,可返回 C 盘根目录打开"Program Files(x86)"文件夹,在该目录下找到"QQ 音乐"应用程序文件,单击"打开"按钮返回对话框,可以看到"QQ 音乐"已经添加到应用列表中,选择"QQ 音乐"程序,再选中"始终使用此应用打开.mp3 文件"复选框,单击"确定"即可。

5. 应用兼容性检查

如果某个应用在低版本的操作系统中可以正常使用,而在 Windows 10 中无法正常使用,可以尝试设置应用以兼容性模式运行,具体操作如下:

在"开始"菜单中找到应用并右击,选择"更多"选项,再选择"打开文件位置"命令,找到并选择该应用的快捷方式图标,在窗口的快速访问工具栏中单击"属性"按钮,在弹出的程序属性对话框中选择"兼容性"选项卡,选中"以兼容模式运行这个程序"复选框,选择操作系统,在此选择"Windows XP",选中"以管理员身份运行此程序"复选框,单击"确定"按钮即可以在兼容"Windows XP"模式下运行该程序了。

6. 设置程序使用权限

在多用户系统中，标准用户要使用某些应用需要先取得管理员的授权，管理员可根据需要设置程序权限，以被所有用户使用，具体操作如下：

在"开始"菜单中找到应用程序并右击，选择"更多"选项，再选择"打开文件位置"命令。在打开的窗口中可以看到应用程序的快捷方式图标，选择应用快捷方式图标并按"Alt＋Enter"组合键。再在弹出的属性对话框中选择"安全"选项卡，然后选择某个用户，在下方的权限列表中查看其权限，单击"编辑"按钮。在弹出的权限对话框中对该用户的权限进行设置，最后单击"确定"按钮完成设置并关闭对话框。

2.5.3 Windows 10 中时间和日期的调整

在控制面板的小图标查看方式窗口中鼠标左击"日期和时间"图标，弹出如图 2-58 所示的"日期和时间"窗口。然后用鼠标左击"更改日期和时间"，打开"日期和时间设置"对话框，如图 2-59 所示，在该对话框中可以调整系统的日期和时间。在"日期和时间"窗口上鼠标左击"更改时区"按钮，便会打开"时区设置"对话框，如图 2-60 所示，可以根据实际情况选择某一地区的时区。

图 2-58　Windows 10"日期和时间"窗口

图 2-59　"日期和时间设置"对话框

图 2-60　"时区设置"对话框

用户可以让计算机自己设置时间，具体的操作如下：

在"日期和时间"窗口中单击"Internet 时间"选项卡（见图 2-61）上的"更改设置"按钮，在弹出的"Internet 时间设置"对话框中勾选"与 Internet 时间服务器同步"复选框，并在服务器列表中选择一个服务器，如图 2-62 所示，这里选择了"time.windows.com"服务器，单击"立刻更新"按钮后系统将会自动设置当前的时间。

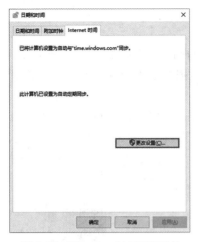
图 2-61 "Internet 时间"选项卡

图 2-62 "Internet 时间设置"对话框

2.5.4 Windows 10 中显示器环境的设置

在"开始"菜单中单击"设置",在打开的"设置"窗口中单击"个性化"图标,打开如图 2-63 所示的个性化设置窗口。在此窗口中,用户可以对显示器环境进行各种设置。

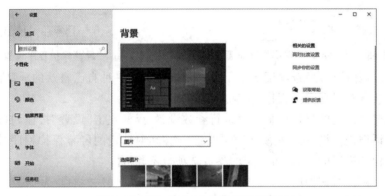

图 2-63 Windows 10 个性化设置窗口

1. 自定义桌面背景

桌面背景是指 Windows 10 桌面上的墙纸。第一次启动时,用户在桌面上看到的图案背景是系统的默认设置。为了使桌面的外观更具有个性,用户可以在系统提供的多种方案中选择自己满意的背景,也可以使用自己的图片文件取代 Windows 10 的预设方案。更改桌面背景方法如下:

在图 2-63 所示的个性化设置窗口左侧单击"背景"选项,可得如图 2-64 所示的背景设置窗口,在窗口右侧"背景"列表中选择"图片",在"选择图片"处选择一个所需的图片即可完成桌面背景的更换。如果这里没有喜欢的墙纸文件则单击"浏览"按钮,查找硬盘上的图片文件。还可以在窗口中通过"选择契合度"列表,调整背景图片显示位置。

在"背景"列表中还可以选择"幻灯片放映"来设

图 2-64 Windows 10 背景设置窗口

置多张图片并自动定时切换。

2. 设置屏幕保护程序

屏幕保护程序可在用户暂时不工作时屏蔽用户计算机屏幕,这不但有利于保护计算机的屏幕和节约用电,而且可以防止用户屏幕上的数据被他人看到。要设置屏幕保护程序,可参照下面的步骤:

(1)在图 2-63 所示的个性化设置窗口左侧单击"锁屏界面",可得如图 2-65 所示的锁屏界面设置窗口,再在右侧单击"屏幕保护程序设置",弹出如图 2-66 所示的对话框。

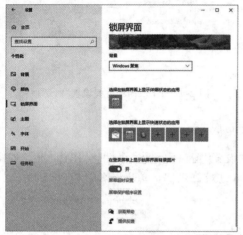

图 2-65　Windows 10 锁屏界面设置窗口　　图 2-66　"屏幕保护程序设置"对话框

(2)在"屏幕保护程序"选项区域的下拉式列表中选择一种自己喜欢的屏幕保护程序。

(3)如果要预览屏幕保护程序,鼠标左击"预览"按钮。

(4)如果要对选定的屏幕保护程序进行参数设置,鼠标左击"设置"按钮,打开"屏幕保护程序设置"对话框进行设置。注意:在单击"设置"按钮对选定的屏幕保护程序进行参数设置时,随着屏幕保护程序的不同,可设定的参数选项也不相同。

(5)调整"等待"微调器的值,可设定在系统空闲多长时间后运行屏幕保护程序。

(6)如果要在屏幕保护时防止别人使用计算机,可选中"在恢复时显示登录屏幕"复选框。这样,在运行屏幕保护程序后,如想恢复工作状态,系统将进入登录界面,要求用户输入密码。

(7)设置完成之后,鼠标左击"确定"按钮即可。

在桌面上任何空白区域右击鼠标,从弹出的快捷菜单中选择"个性化"命令,在弹出的"设置"窗口中选择"背景"和"锁屏界面"也可以分别设置桌面背景和屏幕保护程序。

3. 调整屏幕分辨率

屏幕分辨率是指屏幕所支持的像素的多少,例如,600×800 像素或 1 024×768 像素。现在的显示器大多支持多种分辨率,使用户的选择更加方便。在屏幕大小不变的情况下,分辨率的大小决定屏幕显示内容的多少。分辨率越大,则屏幕显示的内容越多。

目前主流的电脑显示器分辨率有以下几种:

①1080p:俗称"full HD",分辨率为 1 920×1 080 像素。

②2K:分辨率为 2 560×1 440 像素。

③4K:分辨率为 3 840×2 160 像素。

④8K:一种实验中的数字视频标准,分辨率为 7 680×4 320 像素(16∶9)(图像每帧

约3 300万像素)。

要调整显示器的分辨率,可以在如图2-67所示的系统设置窗口左侧选择"显示"选项,再在右侧的"显示分辨率"列表中选择适当的分辨率,如"1920×1080",最后在弹出的确认对话框中点击"保留更改"。

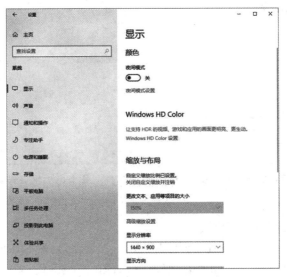

图2-67　Windows 10系统设置窗口

也可以在桌面上任何空白区域右击鼠标,从弹出的快捷菜单中选择"显示设置"命令,在打开的"设置"窗口中选择"显示"选项设置显示器分辨率。

4. 设置屏幕显示大小

通过调整显示比例可以整体调整屏幕上各项目的显示大小。系统提供了三种固定显示比例,即100%、125%和150%(显示器支持1 200×900像素以上的分辨率才有此设置),也可根据需要自定义显示比例,具体操作如下:

(1)右击桌面空白位置,在弹出的快捷菜单中选择"显示设置"命令。

(2)在弹出的显示设置窗口右侧的"更改文本、应用等项目的大小"下拉列表中选择"150%"选项(也可以单击"高级缩放设置"超链接,将屏幕缩放到100%~500%之间的任意大小),即可将屏幕显示比例增大到150%。

2.5.5　Windows 10中的打印机和输入法设置

1. 打印机的设置

在"开始"菜单中鼠标左击"设置",打开Windows设置窗口。在该窗口中选择"设备",然后在弹出的窗口左侧单击"打印机和扫描仪"选项,窗口如图2-68所示,在右侧单击"添加打印机或扫描仪"按钮,再按向导指示一步步执行。打印机安装之后,此打印机对应的图标会显示在下面的"打印机和扫描仪"列表中,在此列表中单击安装好的打印机图标,如图2-69所示,再单击选中下方的"管理"按钮,在弹出的窗口中可以设置是否将此台打印机设为默认打印机,也可以选择"打印机属性""打印首选项""硬件属性"等命令,还可以进一步设置共享等打印机属性。

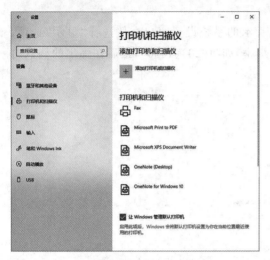

图 2-68　Windows 10 打印机与扫描仪设置窗口　　图 2-69　单击安装好的打印机图标

2. 输入法的设置

要进入输入法设置窗口,有以下几种方法:

(1)在"开始"菜单中单击"设置"打开 Windows 设置窗口,然后在该窗口中单击"时间和语言",再在弹出的对话框左侧单击"语言"选项,如图 2-70 所示。在此可以添加语言、设置应用默认语言等。

图 2-70　Windows 10 语言设置窗口

(2)在任务栏中单击输入法标志,在弹出的菜单中单击"语言首选项"命令,直接打开如图 2-70 所示的语言设置窗口。

2.6　Windows 10 自带的系统和常用工具

2.6.1　Windows 10 的常用系统工具

"开始"菜单所有程序列表中的"Windows 管理工具"菜单下,包含多个维护系统的常用工具,例如:

(1)磁盘清理:可以对一些临时文件、已下载的文件等进行清理,以释放磁盘空间。

(2)碎片整理和优化驱动器:由于磁盘的反复使用,磁盘上会出现一些空间很小的可用存储区域,"碎片整理和优化驱动器"程序可以把这些碎片整理成一块大的可用区域,以加快文件读取速度,提高系统性能。

(3)系统信息:可以查看计算机操作系统的版本、主要性能指标、硬件资源和软件环境等信息。

2.6.2 Windows 10 自带的常用工具

1. 记事本

记事本是 Windows 10 中常用的一种简单的文本编辑器,用户经常用它来编辑一些格式要求不高的文本文件。用记事本编辑的文件是一个纯文本文件(.txt),即只有文字及标点符号,没有格式。

1)记事本程序的打开

选择"开始"—"Windows 附件"—"记事本",就会打开记事本程序,并新建一个名为"无标题"的文档,如图 2-71 所示。

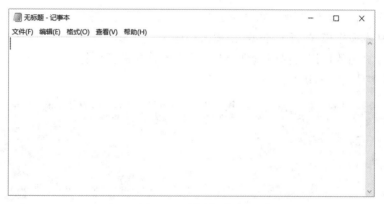

图 2-71　新建记事本

2)记事本的简单文档操作

(1)新建文档:选择"文件"—"新建"命令。

(2)打开文档:选择"文件"—"打开"命令,会出现"打开"对话框,按文档的路径(即文件保存在计算机里的位置)找到并选中要打开的文档,鼠标左击"打开"按钮。

(3)保存文档:选择"文件"—"保存"命令。如果是第一次保存,会出现"另存为"对话框,选择要保存文档的路径,在"文件名"一栏中输入文档的名称,鼠标左击"保存"按钮。

(4)另存为:选择"文件"—"另存为"命令,操作跟第一次保存操作相同。"另存为"操作是把原文档更换文档名称或文档路径后重新存储。

记事本文件的编辑可以用"编辑"菜单下的命令,利用"格式"菜单下的命令可以设置字体格式等。

2. 写字板

写字板是 Windows 10 操作系统中功能比记事本更强的文字处理程序,利用它不但可以对文字进行编辑处理,还可以设置文字的一些格式,如字体、段落和样式等。Windows 10 操作系统中的写字板相比之前版本系统中的功能增强了很多,一些要求不高的文档编辑,在写字板中就可以轻松完成。

写字板和记事本相比,最大的不同是,写字板的文档是有格式的,文件的默认类型为.rtf格式。选择"开始"—"Windows 附件"—"写字板"就可以打开写字板程序。启动写字板程序后,可以看到其窗口由快速访问工具栏、写字板按钮、功能区、标尺和文档编辑区组成,如图 2-72 所示。

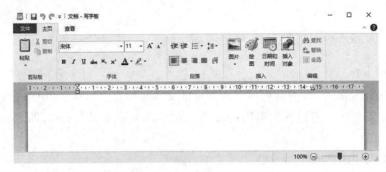

图 2-72　Windows 10 中的写字板窗口

3. 计算器

计算器程序在"开始"菜单的程序列表中,打开后可显示如图 2-73 所示的几种模式。计算器有多种基本操作模式,即标准型(按输入顺序单步计算)、科学型(按运算顺序复合计算,有多种算术计算函数可用)、程序员型(对不同进制数据进行计算)等,单击左上角的导航按钮,可以进行多种模式的切换。

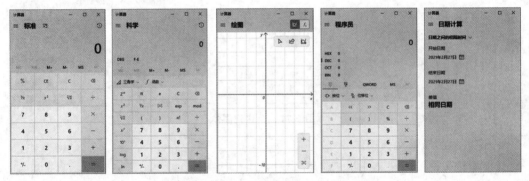

图 2-73　Windows 10 计算器程序的几种模式

4. Microsoft Edge

Microsoft Edge 是微软公司推出的一款全新的网页浏览器,其程序窗口如图 2-74 所示。它除了具备快速浏览网页且不会轻易崩溃等特点之外,还具有 IE 浏览器所不具备的新功能,如使用地址栏搜索、使用 Cortana 协助搜索、将网页固定到"开始"菜单、使用"阅读视图"消除阅读干扰、在网页上记笔记等。

1)搜索网页

在 Microsoft Edge 中使用地址栏即可实现快速搜索。下面介绍如何使用 Microsoft Edge 搜索网页和图片。具体操作如下:

单击桌面"Microsoft Edge"图标、从"开始"菜单中选择"Microsoft Edge"选项或在任务栏上单击 Microsoft Edge 图标 都可启动 Microsoft Edge 并打开主页,再在地址栏中输入搜索文字,弹出搜索建议,选择所需的选项,即可根据相应选项搜索网页。

图 2-74　Windows Edge 程序窗口

2）使用 Cortana 协助搜索

Microsoft Edge 整合了 Cortana 语音助手，以实现更多的功能，如快速查看菜谱、天气状况、股票信息等。下面介绍如何在 Microsoft Edge 中使用 Cortana。

默认情况下，Microsoft Edge 中的 Cortana 搜索为开启状态，若没有启动可以手动将其打开。在浏览网页时若遇到自己不懂的内容，用户可以让 Cortana 进行解答。

3）更改搜索引擎

默认情况下，Microsoft Edge 的地址栏搜索使用必应搜索引擎，可以根据需要将其更改为其他搜索引擎，如百度搜索引擎，具体操作方法如下：

打开 Microsoft Edge 设置窗口，如图 2-75 所示。在左侧单击"隐私、搜索和服务"，然后在"在地址栏中使用的搜索引擎"下拉列表中选择"百度"选项即可。

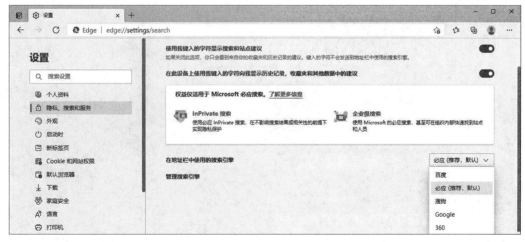

图 2-75　Windows Edge 设置窗口

4）使用标签页

标签页相当于 IE 浏览器中的选项卡，在 Microsoft Edge 中可以创建标签页来浏览新的网页或查看新闻与热门网站。在 Microsoft Edge 窗口中可以创建多个标签页，或将标签页移动到新窗口中，具体操作方法如下：

启动 Microsoft Edge，单击上方的新建标签页按钮"＋"，即可新建一个标签页，此时可以在新标签页上通过输入网址或搜索内容来打开网页。

5）使用 InPrivate 窗口浏览

Microsoft Edge 会存储诸如搜索历史记录等信息来改善用户浏览体验。为了保护个人隐私，可使用 InPrivate 窗口浏览网页。在 InPrivate 窗口下用户可以正常浏览网页，关闭浏览器时所有密码、搜索历史记录会瞬间自行销毁。使用 InPrivate 窗口具体操作如下：

单击 Microsoft Edge 右上方的"设置及其他"按钮，在弹出的列表中选择"新建 InPrivate 窗口"选项。打开"InPrivate"窗口后，窗口右上方显示 InPrivate 标记，在搜索框中输入网页地址或搜索内容即可以隐私保护方式使用 Microsoft Edge。

第 3 章　Word 2016 文字处理

本章主要介绍 Word 2016 的基本知识和基本操作方法,包括 Word 2016 的启动与退出,文档的创建与编辑修改,文档格式化,文档版面设置与打印,表格的插入和编辑,插入图形、文本框和艺术字等其他对象,简单绘制图形等。

【知识要点】
- Word 2016 文档的创建、启动与退出
- Word 2016 文档格式化
- Word 2016 文档中插入页眉、页脚、目录
- Word 2016 文档中插入表格与图片
- 打印 Word 2016 文档

3.1　Word 2016 的窗口介绍

Office 2016 是 Microsoft 公司推出的一款集成办公软件,其应用涉及办公自动化的所有领域,从编辑处理文档的 Word 2016、处理表格的 Excel 2016 到制作演示文稿的 PowerPoint 2016,任何一个组件都是一个功能强大的软件,都具有大量的操作命令和各自的设计制作理念。

Word 是目前使用非常广泛的文字处理软件之一,作为 Microsoft Office 办公软件中使用频率最高、功能最强的一个组件,它可以实现图文编辑、排版等多种功能,从而高质量、高效率地处理各种文件、资料和各类书信。

3.1.1　Word 2016 文档与窗口操作

文字处理软件的主要功能是创建文本或文档文件,同时还可以进行图文混排。一般而言,文字处理有非格式化和格式化两种。非格式化使用 ASCII 及 Unicode,形成的文件也称纯文本文件。格式化文件一般称为文档文件,在 Word 2016 中以 DOCX 为扩展名,文档支持图形、表格及其他类型的数据格式,带有排版信息,如字体、字形、段落和页面设置等。

1. 启动 Word 2016

在已安装 Word 2016 的情况下,有以下几种方法可以启动它。

(1)通过"开始"菜单启动:单击"开始"按钮,在"W"分组找到"Word 2016"按钮,单击即可启动 Word 2016。

(2)利用桌面上的快捷图标启动:如果在桌面上设置了快捷图标,双击此快捷图标也可启动 Word 2016。

(3)直接利用已经创建的文档启动:在 Windows 的"此电脑"或文件资源管理器中浏览文件,鼠标双击查找到的 Word 文档,即可进入 Word 2016。

2. Word 2016 窗口介绍

启动 Word 2016 应用程序后,屏幕上会出现如图 3-1 所示的工作窗口。它主要由标题栏、文件选项卡、功能区、文档编辑区和状态栏等部分组成。

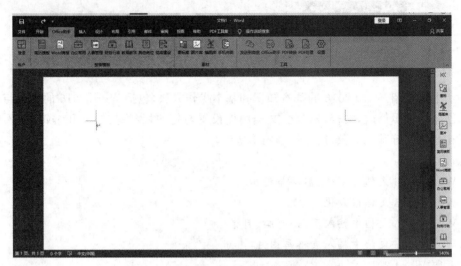

图 3-1　Word 2016 工作窗口

1)标题栏

标题栏位于窗口顶端,显示当前文档名称及应用程序名称,双击标题栏可实现窗口最大化或者还原,右侧 3 个窗口控制按钮分别为最小化、最大化/还原和关闭按钮,分别实现窗口的最小化与最大化/还原和关闭 Word 文档的功能。

2)文件选项卡

文件选项卡位于 Word 图标的下方,单击文件选项卡,可以弹出文件菜单,左侧为命令列表,包括"新建""打开""信息""保存""另存为""打印""共享""导出""关闭"等常用命令,右侧显示区域会根据左侧选择的命令显示具体子命令。

单击左上角向左箭头可返回。

3)功能区

Word 2016 包含"开始""插入""设计""布局""引用""邮件""审阅""视图""帮助"等功能区,单击这些功能区,可以切换到与之相对应的功能区面板。每个功能区根据功能的不同又分为若干个组,下面简要介绍常用功能区所拥有的功能。

(1)"开始"功能区。

"开始"功能区中包括剪贴板、字体、段落、样式和编辑 5 个组,主要用于帮助用户对 Word 2016 文档进行文字编辑和格式设置,是用户最常用的功能区。

(2)"插入"功能区。

"插入"功能区包括页面、表格、插图、加载项、媒体、链接、批注、页眉和页脚、文本、符号 10 个组,主要用于在 Word 2016 文档中插入各种元素,包括对页眉、页脚设置的功能。

(3)"设计"功能区。

"设计"功能区包括文档格式和页面背景 2 个组,主要用于对文档的主题、样式和页面背景进行设置。

(4)"布局"功能区。

"布局"功能区包括页面设置、稿纸、段落和排列 4 个组,用于帮助用户设置 Word 2016

文档的页面样式。

(5)"引用"功能区。

"引用"功能区包括目录、脚注、信息检索、引文与书目、题注、索引和引文目录 7 个组，用于实现在 Word 2016 文档中插入目录等比较高级的编辑功能。

(6)"邮件"功能区。

"邮件"功能区包括创建、开始邮件合并、编写和插入域、预览结果和完成 5 个组，该功能区的作用比较专一，主要用于在 Word 2016 文档中进行邮件合并相关操作。

(7)"审阅"功能区。

"审阅"功能区包括校对、辅助功能、语言、中文简繁转换、批注、修订、更改、比较、保护和墨迹等组，主要用于对 Word 2016 文档进行校对和修订等操作，适用于多人协作处理 Word 2016 的长文档。

(8)"视图"功能区。

"视图"功能区包括视图、页面移动、显示、缩放、窗口和宏等组，主要用于帮助用户设置 Word 2016 操作窗口的视图类型。

(9)"帮助"功能区。

"帮助"功能区提供用户与微软公司的交互接口，用户遇到无法解决的问题，可以寻求帮助和咨询。

Word 2016 允许用户自定义功能区，用户既可以创建功能区，也可以在功能区下创建组，让功能区更符合自己的使用习惯。右键单击功能区任意位置，在弹出的菜单中选择"自定义功能区"(或单击文件，鼠标移动至"更多"，单击"选项"菜单，选择"自定义功能区")，可进入自定义功能区设置对话框进行设置，如图 3-2 所示。

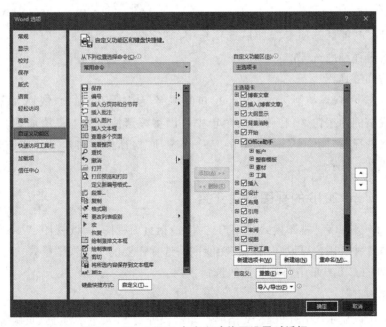

图 3-2 Word 2016 自定义功能区设置对话框

右键单击功能区任意位置，在弹出的菜单中单击"折叠功能区"(也可左键双击功能区选项卡，或单击功能区右侧功能区折叠按钮)，可将功能区折叠隐藏。功能区折叠之后单击相应功能区选项卡，可显示相关功能区面板，左键双击功能区选项卡，可取消折叠。

4）对话框启动按钮

在一些选项组的右下角有对话框启动按钮 ，单击此按钮可以启动该选项组对应的对话框或任务窗格。例如，单击字体选项组的对话框启动按钮将弹出字体设置对话框，单击剪贴板选项组的对话框启动按钮将打开剪贴板任务窗格。

5）文档编辑区

文档编辑区位于窗口的中央，是 Word 2016 中最大也是最重要的部分，所有关于文本编辑的操作都在该区域完成。

文档编辑区中有个闪烁的光标，用来定位文本的输入位置。当文档在编辑区内只显示了部分内容时，在文档编辑区的右侧和底部都有滚动条，可以通过拖动滚动条来显示其他内容。

单击"视图"功能区选项卡，在"缩放"分组中可选择文档编辑区显示比例，包括单页、多页、页宽以及 100% 显示四种，也可单击"缩放"按钮，进入"缩放"对话框选择其他显示比例，如图 3-3 所示。

6）文本选中区

文本编辑区左侧没有任何标记的空白区域为文本选中区，鼠标指针进入该区域会变为右指向箭头，单击鼠标左键，则选择当前行文本。

7）状态栏

状态栏位于 Word 2016 窗口底部，提供当前文档的页码、字数统计、拼写和语法检查、语言等状态信息，右键单击状态栏，可在弹出的"自定义状态栏"快捷菜单中自定义状态栏显示内容。

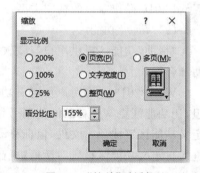

图 3-3 "缩放"对话框

单击"审阅"功能区选项卡"校对"选项组中的"字数统计"，可查看更详细的统计信息。

8）快速访问工具栏

在默认状态下，快速访问工具栏位于窗口的顶部，包含保存、撤销、恢复等命令。单击快速访问工具栏右侧的按钮 ，在弹出的菜单中可以将频繁使用的工具添加到快速访问工具栏中。也可以选择"其他命令"，在打开的"Word 选项"对话框中自定义快速访问工具栏，设置对话框如图 3-4 所示。

3.1.2 Word 2016 的视图模式介绍

Word 2016 提供多种视图模式供用户选择，包括页面视图、阅读视图、Web 版式视图、大纲视图和草稿 5 种。用户可以在"视图"功能区中选择需要的文档视图模式，也可以在 Word 2016 文档窗口的右下方单击"视图"按钮选择视图。

1. 页面视图

页面视图可以显示 Word 2016 文档的打印结果外观，主要包括页眉、页脚、图形对象、分栏设置、页面边距等元素，是最接近打印结果的页面视图。

2. 阅读视图

阅读视图以分栏样式显示 Word 2016 文档，文件选项卡、功能区等窗口元素被隐藏起来。在阅读视图中，用户还可以单击"工具"按钮选择各种阅读工具。

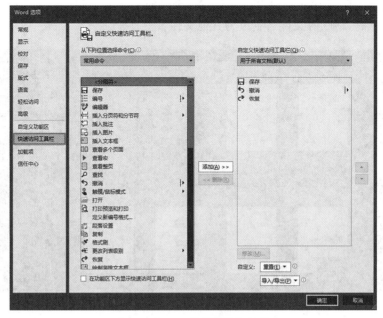

图 3-4 "Word 选项"设置对话框

3. Web 版式视图

Web 版式视图以网页的形式显示 Word 2016 文档,适用于发送电子邮件和创建网页。

4. 大纲视图

大纲视图主要用于在 Word 2016 文档中设置和显示标题的层级结构,并可以方便地折叠和展开各个层级的文档。

5. 草稿

草稿视图模式取消了页面边距、分栏、页眉、页脚和图片等元素,仅显示标题和正文,是最节省计算机系统硬件资源的视图模式。

 3.2 Word 2016 文档的基本操作

使用 Word 2016 处理文档,首先要创建或打开文档,再进行编辑和修改。使用完毕后要保存,创建和编辑的文档才不会丢失。

3.2.1 Word 2016 文档的创建

创建 Word 2016 文档的常用方法如下:

(1)启动 Word 2016 程序创建:选择"开始"菜单,单击"W"分组中"Word 2016"按钮,启动 Word 2016,即完成新建。

(2)使用右键快捷菜单创建:在桌面上单击鼠标右键,在弹出的菜单中选择"新建"—"DOCX 文档"。

(3)在已有文档的情况下新建:打开已有的 Word 2016 文档窗口,单击"文件"—"新建"按钮,如图 3-5 所示,在打开的"新建"面板中,单击需要创建的新文档类型,即可创建新文档;也可以按下"Ctrl+N"组合键完成新建。

在文档建立之后，Office 软件会自动给它一个临时文件名，如"文档1""文档2"，用户可以在保存该文档时，将临时文件名更改为其他文件名。

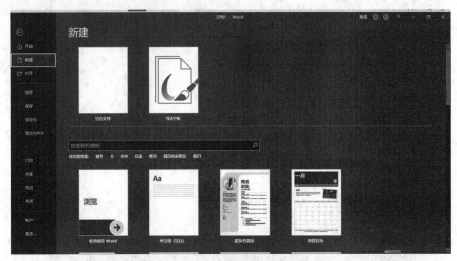

图 3-5　"新建"面板

3.2.2　Word 2016 文档的编辑

1. 打开、关闭和保存文档

1）打开文档

使用 Word 2016 对文档进行编辑操作，首先要打开已经存在的文档，打开一个 Word 文档的常用方法如下：

(1)鼠标左键双击需要打开的文档。

(2)打开 Word 2016 后在文件选项卡菜单中选择"打开"命令，或按"Ctrl＋O"组合键，再查找需要打开的文档的具体位置，单击需要打开的文档，即可打开该文档。

2）关闭文档

完成文档基本工作后，就可以将已经保存过的文档直接关闭。常用的关闭文档的方法有以下 3 种：

(1)单击"文件"—"关闭"命令；

(2)单击当前文档窗口右上角"关闭"按钮✖；

(3)按"Alt＋F4"组合键关闭当前文档。

3）保存文档

新建文档或对文档内容进行修改后，需要及时保存，才能将更新的数据存入硬盘，避免因断电或意外退出软件导致数据丢失。

保存文档的方法有很多种，单击快速访问工具栏中的"保存"按钮，选择文件选项卡菜单里的"保存"选项，或使用快捷键"Ctrl＋S"，均可保存文档。初次保存新建文档时，会进入"另存为"功能界面。

如果想备份已有文档，可选择文件选项卡菜单里的"另存为"命令，再选择需要保存的位置，在弹出的"另存为"窗口中，输入新的文件名（若不输入，则按系统给定的临时文件名保存），在"保存类型"下拉列表中选择存储格式，单击"保存"按钮即可。Word 2016 文档的默认存储格式为"＊.docx"，如果考虑版本的兼容性，也可以存储为"Word 97-2003 文档"格式的"*.doc"格式。

为防止因意外退出软件导致文档数据丢失,Word 2016 可设置定期对文档进行自动保存:单击文件选项卡菜单"更多"中的"选项"按钮,在打开的"Word 选项"对话框左侧列表中选择"保存"按钮,选中"保存自动恢复信息时间间隔"复选框,如图 3-6 所示,可以设定时间,单击"确定"按钮保存设置。

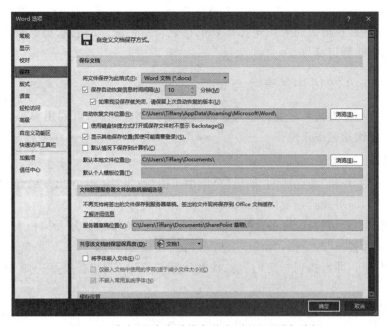

图 3-6 选中"保存自动恢复信息时间间隔"复选框

2. 撤销键入或恢复键入功能

使用 Word 2016 编辑文档时,如果已经键入的内容需要改动,或者要撤回操作使文档恢复到之前的状态,可以通过撤销键入或恢复键入功能实现。"撤销"功能可以保留最近执行的操作记录,用户可按照从前到后的若干操作步骤进行撤销,但不能有选择地撤销不连续的操作。单击快速访问工具栏面板上的"撤销"按钮 ,或按下"Alt+Backspace"组合键即可。执行撤销键入操作后,用户可以通过单击快速访问工具栏中已经变成可用状态的"恢复"按钮 ,或按下"Ctrl+Y"组合键恢复撤销,将文档恢复到最近的编辑状态。

3. 重复键入功能

利用重复键入功能可以在 Word 2016 中重复执行最后的编辑操作。

"重复键入"按钮和"恢复"按钮位于 Word 2016 文档窗口快速访问工具栏的相同位置,当用户未进行撤销键入操作时,按钮显示为"重复键入" ;执行过一次"撤销"操作后,则显示为"恢复"按钮。"重复键入"和"恢复"的快捷键均为"Ctrl+Y"组合键。

4. 文本的复制、剪切和粘贴

在 Word 2016 中复制、剪切和粘贴是最常用的文本操作。复制是在保持原有文档不变的基础上,将要复制的文本选中并放入剪贴板;剪切是在删除原有文本的基础上将删除的文本放入剪贴板;粘贴是将剪贴板上的内容放到目标位置。具体操作如下:

(1)打开 Word 2016 文档窗口,选择需要复制或剪切的文本,然后单击鼠标右键选择"复制"或"剪切",或在"开始"功能区的"剪贴板"分组中单击"复制"或"剪切"按钮,也可使用相应的快捷键实现此操作。"复制"的快捷键为"Ctrl+C"组合键,"剪切"的快捷键为"Ctrl+X"组合键。

(2)将插入点定位到目标位置,单击鼠标右键选择"粘贴"或单击"剪贴板"分组中的"粘贴"按钮,即可实现粘贴操作。粘贴操作也可通过快捷键"Ctrl+V"组合键来完成。

若单击"剪贴板"分组"粘贴"按钮下方的三角按钮,则可在下拉菜单中选择被粘贴文本是否保留原格式。单击下拉菜单中的"选择性粘贴"命令,打开"选择性粘贴"对话框,选中"粘贴"单选框,然后在形式列表中选择需要的格式,单击"确定"按钮,剪贴板中的内容即被以指定的形式粘贴到目标位置。

3.2.3 Word 2016 中的查找与替换

若需要在文档中查找某个关键字/词,或需要替换某个字符,可利用 Word 2016 提供的查找和替换功能快速完成该操作。

1. 查找文本

普通查找:在"开始"功能区的"编辑"分组中单击"查找"按钮,在出现的导航窗口中输入需要查找的内容,即可找到指定内容。

高级查找:在"开始"功能区的"编辑"分组中,单击三角按钮打开下拉列表,选择"高级查找",打开"查找和替换"对话框,如图 3-7 所示,在"查找内容"框中输入要查找的内容,单击"查找下一处"按钮,即可找到指定内容。找到后用户可以单击"查找下一处"按钮继续查找指定文本。

Word 2016 会将文本所在页面显示出来,并高亮显示找到的文本。

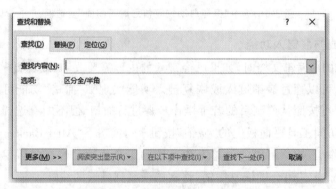

图 3-7 "查找和替换"对话框

2. 替换文本

(1)打开"查找和替换"对话框,选择"替换"选项卡。

(2)在"查找内容"框中输入要替换的文本,如"西红柿"。

(3)在"替换为"框中输入替换文本"番茄"。

(4)单击"查找下一处"按钮,Word 2016 会自动找到要替换的文本,并以高亮反白的形式显示。若要替换,则单击"替换"按钮,之后单击"查找下一处"按钮继续查找或单击"取消"不进行替换。单击"全部替换"按钮,则会自动替换文档中所有的指定文本。

查找和替换操作都可以首先设定要查找或替换的范围,方法都是单击"更多"按钮,展开查找和替换的高级选项,然后进行相关设置。

3.2.4　Word 2016 中显示和隐藏格式标记

使用显示和隐藏功能能够快速地显示段落标记和其他典型的格式标记。打开"Word 选项"对话框,选择"显示"选项,在"始终在屏幕上显示这些格式标记"选项区选择需要显示的格式标记,单击"确定"按钮,文档中就会显示这些标记。

3.3　Word 2016 中的文档排版

文档编辑完成后,为了达到整齐、美观的输出效果,还需要对其进行格式编排,排版内容包括字符、段落和页面设置等。

3.3.1　文字格式

文字格式设置主要是对字符进行设置,包括设置不同的字体、字号、字形、颜色和字符间距等。

1. 字体设置

通过"开始"功能区的"字体"分组(见图 3-8),可对文本字体进行设置。

图 3-8　"字体"分组

(1)字体选择：单击右侧下拉菜单按钮,可在弹出的下拉菜单中选择文字的字体,常用字体包括宋体、黑体、楷体等。

(2)字号选择：单击右侧下拉菜单按钮,可在弹出的下拉菜单中选择不同字号。

(3)增大字号/缩小字号：可放大或缩小文字字号,每单击一次,放大或缩小一个单位。

(4)更改大小写：在英文字母大小写间切换。

(5)清除格式：去除文本所有格式。

(6)字符边框：为选中字符加方框。

(7)加粗：文本在加粗显示和常规显示之间切换。

(8)倾斜：文本在倾斜显示和常规显示之间切换。

(9)下画线：添加或取消下画线,可单击右侧下拉菜单按钮,在弹出的下拉菜单中选择下画线类型。

(10)删除线：添加或取消删除线。

(11)下标/上标：将文字设置为下标或上标。

(12)文本效果和版式：设置文本轮廓、阴影、发光等效果。

(13)以不同颜色突出显示文本：文本将以不同颜色突出显示,方便对文本中某些重要部分进行标记。

(14)字体颜色：设置文字颜色。

(15)字符底纹 A :添加或取消字符底纹。

(16)带圈字符 ⊕:单击该按钮可进入带圈字符设置对话框,设置带圈样式和圈号。

选中需要操作的文本,单击相应按钮,即可完成相关操作。以上所有设置也可通过单击"字体"分组区域右下角的对话框启动按钮,在弹出的"字体"对话框中进行,如图 3-9 所示。

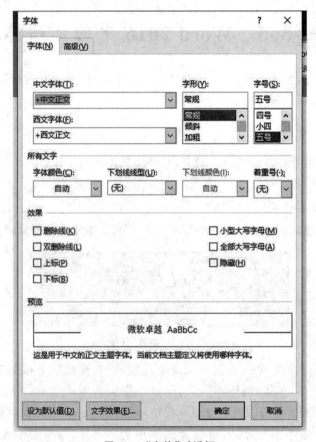

图 3-9 "字体"对话框

2. 设置文字的间距和缩放

通过设置文字的间距和缩放,可以改善文档的外观,使文字阅读起来更方便。具体操作如下:

①选定要调整的文本。

②单击"开始"功能区"字体"分组右下角的对话框启动按钮,在弹出的"字体"对话框中选择"高级"选项卡,如图 3-10 所示。

③在"字符间距"选项区中的"缩放"和"间距"下拉列表中选择需要的选项。

3. 首字下沉

在 Word 2016 中,对某段文字设置首字下沉的效果,具体操作如下:

①选中要设置首字下沉效果的文字。

②选择"插入"功能区中的"文本"分组,单击"首字下沉"按钮打开下拉列表,选择"首字下沉选项",在弹出的"首字下沉"对话框中进行具体设置,如图 3-11 所示。

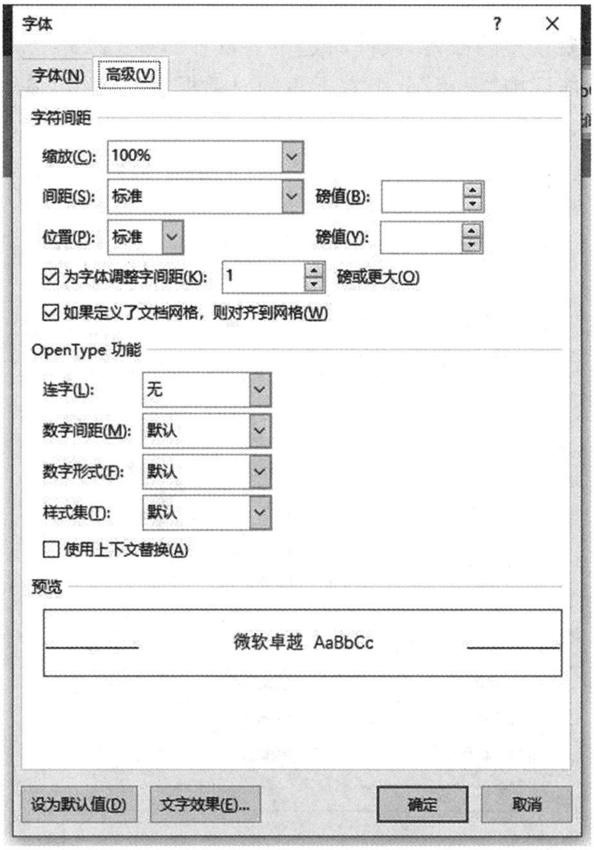

图 3-10 "高级"选项卡

图 3-11 "首字下沉"对话框

3.3.2 段落格式

利用 Word 2016 可以为文档中的整个段落设置特定的格式,如缩进、行间距、段前和段后的间距等。

1. 段落缩进

在文档编辑操作中,通常习惯在每一段的开头缩进 2 个字符,这一效果可以通过段落格式编辑来实现。具体操作如下：

①将光标定位到要设置的段落，或同时选中要设置的多个段落。

②单击"开始"功能区中"段落"分组右下角的对话框启动按钮，弹出"段落"对话框，选择"缩进和间距"选项卡，如图 3-12 所示。

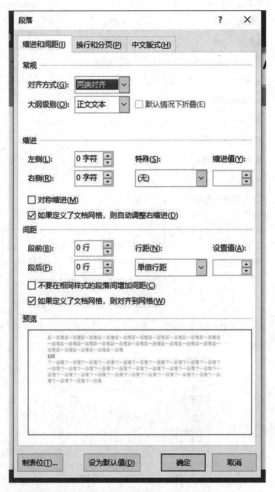

图 3-12 "段落"对话框中的"缩进和间距"选项卡

1）整段缩进

选择"缩进和间距"选项卡，在"缩进"选项区中，在"左侧""右侧"数值框中输入数值，可以调整段落相对左、右页边界的缩进值，单击"确定"按钮即可实现整段缩进。

2）首行缩进

首行缩进即中文写作习惯中的每段开头缩进 2 个字符。在"特殊"选项的下拉列表中选择"首行缩进"，在"缩进值"数值框中输入要缩进的字符数，一般为"2 字符"，单击"确定"按钮即可实现首行缩进。

3）悬挂缩进

在某些情况下，可能首行不需要缩进而其他行需要缩进，这种情况可以通过设置悬挂缩进实现。在"特殊"下拉列表中选择"悬挂缩进"选项，在"缩进值"数值框中输入要缩进的字符数，单击"确定"按钮即可。

2. 行间距

行间距是指文档段落中行与行之间的距离。设置行间距的具体操作如下：

①选择需要设置行间距的段落；

②在"段落"对话框"间距"选项区"设置值"数值框中输入需要设置的行距，单击"确定"按钮。

若要选择固定大小的行距，则单击"段落"对话框中"行距"下拉列表右侧的下拉按钮，在弹出的下拉列表中选择一种行距即可。

3. 段落对齐方式

段落文本对齐方式有五种，包括左对齐、居中对齐、右对齐、两端对齐和分散对齐，设置段落对齐方式的具体方法有两种：

①选择需要设置对齐方式的段落，单击"开始"功能区"段落"分组中的对齐方式按钮，从左至右分别为左对齐、居中对齐、右对齐、两端对齐和分散对齐。

②选择需要设置对齐方式的段落，单击"开始"功能区中的"段落"分组右下角的对话框启动按钮，弹出"段落"对话框，选择"缩进和间距"选项卡，在"常规"选项区中的"对齐方式"下拉列表中选择相关对齐方式。

4. 项目符号与编号

项目符号和编号可以使文档结构清晰、层次分明、易于阅读，添加项目符号与编号的具体操作如下：

①将光标定位在需要插入项目符号或编号的位置。

②单击"开始"功能区"段落"分组中项目符号下拉按钮或编号下拉按钮。

③单击需要的符号或编号样式，即可实现项目符号或编号的插入。

如果想要自己编辑插入的项目符号或编号，则单击项目符号下拉列表中的"定义新项目符号"按钮或编号下拉列表中的"定义新编号格式"按钮，进行自定义设置，弹出的"定义新项目符号"对话框和"定义新编号格式"对话框如图 3-13 和图 3-14 所示。

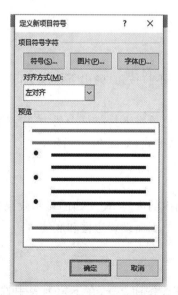

图 3-13 "定义新项目符号"对话框　　图 3-14 "定义新编号格式"对话框

5. 段前分页

很多书中,新的一章与前面章节分开,在新的一页单独显示,这就需要进行段前分页,其具体操作步骤为:

①将光标定位在需要分页显示的位置;

②单击"开始"功能区中的"段落"分组右下角对话框启动按钮,弹出"段落"对话框,选择"换行和分页"选项卡,如图 3-15 所示,选中"段前分页"复选框,单击"确定"按钮。

3.3.3 创建目录

对于书籍、论文或长文档,可添加目录,方便读者阅读和查阅。利用 Word 2016 的编制目录的功能,可自动生成目录。

1. 大纲级别

在自动生成目录之前,首先需要设置文本大纲级别,将文本正文部分与标题区分开,文档内容分层显示。设置大纲级别操作方式如下:

①选中需要设置大纲级别的文本段落;

②单击"开始"功能区中"段落"分组右下角对话框启动按钮,弹出"段落"对话框,选择"缩进和间距"选项卡,在"常规"选项区中的"大纲级别"下拉列表中进行相关设置即可。

设置好大纲级别后,单击选择"视图"功能区,选中"显示"分组中"导航窗格"复选框,可在页面左侧分级显示文本标题,鼠标左键单击标题,光标将定位到文本中该标题的起始位置。

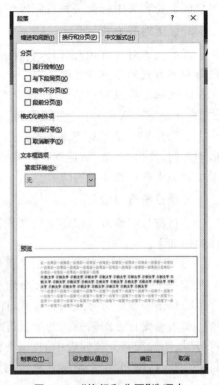

图 3-15 "换行和分页"选项卡

2. 创建目录

设置好大纲级别后,即可以自动生成目录。具体操作方式如下:

①将光标定位在需要插入文档目录的位置。

②单击"引用"功能区"目录"分组中的"目录"下拉按钮,弹出下拉菜单,选择一种预置的目录样式即可。

③若预置目录样式不满足当前文本要求,也可单击下拉菜单中的"自定义目录"选项,弹出"目录"对话框,选择"目录"选项卡,自定义目录样式,如图 3-16 所示。

3.3.4 边框和底纹

为文档添加边框和底纹,可以突出显示文档中的内容,使文档的显示效果更加美观。在 Word 2016 中,用户可以给字符、段落、图形或整个页面设置边框和底纹。

设置边框具体操作如下:

①选定要添加边框的文本。

②单击"开始"功能区"段落"分组中的下框线按钮,在下拉列表中选择"边框和底纹"命令,打开"边框和底纹"对话框,选择"边框"选项卡,如图 3-17 所示。

图 3-16 "目录"对话框"目录"选项卡

图 3-17 "边框和底纹"对话框中的"边框"选项卡

③在"设置"选项区选择边框的类型,在"样式"列表中选择线型,在"宽度"列表中选择边框粗细,在"应用于"下拉列表中选择边框应用范围,单击"确定"按钮完成设置。

用类似的方法可对文本或段落添加底纹,具体操作如下:

①选中要添加底纹的文本。

②在"边框和底纹"对话框中,单击选中"底纹"选项卡。

③在"填充"列表中,选择填充颜色。

④在"样式"下拉列表中,选择图案的样式。

⑤选定底纹样式后,在"颜色"下拉列表中选择图案颜色,单击"确定"按钮。

3.3.5 分栏设置

报纸和杂志常常需要刊登大篇幅文字,此时若将版面分栏显示,则显得相对生动活泼。分栏的具体操作如下:

选中"布局"功能区的"页面设置"分组,单击"栏"按钮,在下拉列表中选择分栏数;或者选择"更多栏"选项,在弹出的"栏"对话框中进行具体的设置,如图 3-18 所示。

3.3.6 格式刷的使用

对文本进行格式设置和修改时,使用格式刷可以方便地把某些文本的字符格式、段落格式等属性应用到其他文本上,有利于格式的统一。具体操作如下:

①选中具有需要格式的文本;
②单击"开始"功能区"剪贴板"分组中的"格式刷"按钮 ,鼠标变成刷子形状;
③选定需要应用格式的文本即可。

若要复制格式给多个目标对象,可双击"格式刷"按钮,锁定格式刷状态,然后逐个选中目标对象应用格式,全部对象格式设置完毕后,再次单击"格式刷"按钮或按 Esc 键,结束格式复制。

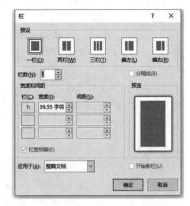

图 3-18 "栏"对话框

3.4 Word 2016 中的表格

为了准确呈现某些数据,文档中常常需要使用表格,下面介绍在 Word 2016 中插入、绘制和编辑表格的具体操作,以及表格中数据的相关处理方法。

3.4.1 插入表格

在 Word 2016 中,用户可以通过从一组预先设好格式的表格(包括示例数据)中复制或选择需要的行数和列数来插入表格,同时也可以将表格插入文档或将一个表格插入其他表格以创建更复杂的表格。插入表格的方法有如下三种。

1. 使用表格菜单

步骤如下:

(1)单击"插入"功能区"表格"分组中的"表格"按钮,选择"插入表格"选项,弹出如图 3-19 所示的对话框。

(2)在"表格尺寸"区域分别设置表格的行数和列数。在"'自动调整'操作"区域,如果选中"固定列宽"单选按钮,则可以设置表格的固定列宽尺寸;如果选中"根据内容调整表格"单选按钮,则单元格宽度会根据输入的内容自动调整;如果选中"根据窗口调整表格"单选按钮,则所插入的表格与当前页面的宽度一致。选中"为新表格记忆此尺寸"复选框,则再次创建表格时将使用当前尺寸。

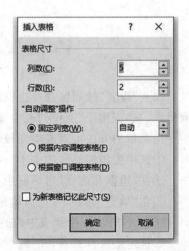

图 3-19 "插入表格"对话框

2. 快速插入表格

在 Word 2016 文档中,还可以通过快速插入表格的方法创建表格,具体操作如下:

单击"插入"功能区"表格"分组中的"表格"按钮,在打开的"插入表格"方框区域拖动鼠标选中合适数量的行和列插入表格。通过这种方式插入的表格会与当前页面的宽度一致,用户可以通过修改表格属性设置表格的尺寸。

3. 绘制表格

用户不仅可以通过指定行和列的数量插入表格,还可以通过绘制表格功能自定义插入需要的表格,具体操作如下:

单击"插入"功能区"表格"分组中的"表格"按钮,选择"绘制表格"选项。当鼠标指针呈现铅笔形状时,在 Word 文档中用户可按住鼠标左键拖动绘制表格边框,然后在适当的位置绘制行和列。

完成表格的绘制后,按 Esc 键,或者再次单击"绘制表格"按钮,可结束表格绘制状态。

3.4.2 表格编辑

成功插入表格之后,需要将内容填入表格,在表格中处理文本需要对表格中的每个独立的单元格分别进行处理,单元格大小会根据输入内容的多少自动调整。选定表格文本的操作方法如表 3-1 所示。

表 3-1 选定表格文本的操作方法

目 的	操 作
选定一个单元格文本	单击该单元格的左边界
选定一行文本	在该行的左边界外单击
选定一列文本	单击该列的顶端边界
选定多个单元格、行或列的文本	选定某单元格、行或列,然后按住 Shift 键同时单击其他单元格、行或列
选定下一个单元格中的文本	按 Tab 键
选定前一个单元格的文本	按"Shift+Tab"组合键
选定整个表格中的文本	单击表格左上角的表格整体标志

在表格中输入文本与在文档中输入文本的方法相似,对于表格中文字的处理与文档文字相同,也是在"开始"功能区的"字体"分组中设置字体、字号等。

1. 设置表格的属性

在 Word 2016 文档中,如果所创建的表格没有完全占用 Word 文档页边距以内的页面,可以为表格设置相对于页面的对齐方式。

单击 Word 文档中表格里的任意单元格,功能区增加"表格工具"功能区,选择其下"布局"选项卡中的"表"分组,单击"属性"按钮,打开"表格属性"对话框,如图 3-20 所示。在"表格"选项卡中,可对"对齐方式"和"文字环绕"方式进行设置;切换到"行"或"列"选项卡,可对行高及列

图 3-20 "表格属性"对话框

宽进行设置;切换到"单元格"选项卡,可设置"垂直对齐方式"。

2. 插入行或列

制作表格时,若需要给原有表格增加行或列,可通过"表格工具"功能区"布局"选项卡中的"行和列"分组实现。

3. 合并与拆分单元格

1) 合并单元格

在 Word 2016 文档表格中,通过使用合并单元格功能可以将两个以上的单元格合并成一个单元格,从而制作出样式、功能多样的表格。合并单元格的方法主要有以下两种方法。

(1) 选中需要进行合并的两个或两个以上单元格,选择"表格工具"功能区"布局"选项卡中的"合并"分组,单击"合并单元格"按钮,即可将选中单元格合并为一个单元格。

(2) 在文档窗口中选中要合并的单元格,用鼠标右键单击选中的单元格,在打开的快捷菜单中选择"合并单元格"选项。

2) 拆分单元格

与合并单元格相反,使用拆分单元格功能可以将一个单元格拆分成两个或两个以上的单元格。具体操作如下:

(1) 在文档窗口中单击需要进行拆分的单元格,选择"表格工具"功能区"布局"选项卡中的"合并"分组,单击"拆分单元格"按钮。

(2) 在打开的"拆分单元格"对话框中设置要拆分的"列数"和"行数",如图 3-21 所示,单击"确定",则该单元格将被拆分为等宽、等高的单元格。

4. 删除表格

在 Word 2016 中,用户不仅可以删除表格中的行、列或单元格,还可以删除整个表格,具体操作如下:

(1) 在文档窗口中,选中要删除的表格中的任意单元格。

(2) 选择"表格工具"功能区"布局"选项卡中的"行和列"分组,单击"删除"按钮,在打开的下拉菜单中选择"删除表格"。

图 3-21 "拆分单元格"对话框中设置"列数"和"行数"

5. 表格与文本的转换

使用表格转换文本命令可以将表格的内容转换成普通文本,各单元格的内容转换后用段落标记、制表符和指定的字符隔开。具体操作如下:

(1) 打开 Word 2016 文档,为准备转换成表格的文档添加段落标记作为分隔符,选中需要转换成表格的所有文字。

(2) 单击选择"插入"功能区"表格"分组中的"表格"按钮,在下拉菜单中选择"文本转换成表格"命令。

(3) 打开"将文字转换成表格"对话框对需要设置的项目进行设置,如图 3-22 所示,单击"确定"按钮,即可完成转换。

6. 表格数据的计算与排序

Word 2016 提供的排序和数学公式运算等功能,能对表格中的数据进行加、减、乘、除及求和、求平均值等运算。

1) 数据的计算

可以通过"自动求和"按钮对选中的数值进行快速求和运算。如果要进行复杂的计算，则需要使用公式功能。具体操作如下：

(1)在要进行计算的表格中，选择要生成计算结果的单元格。

(2)选择"表格工具"功能区"布局"选项卡中的"数据"分组，单击"公式"按钮，弹出"公式"对话框，如图3-23所示。

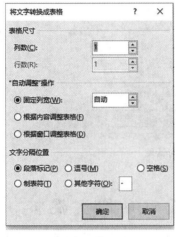

图 3-22　"将文字转换成表格"对话框　　　图 3-23　"公式"对话框

(3)在打开的"公式"对话框中，"公式(F)"编辑框的内容会根据表格中的数据和当前单元格所在位置自动推荐。单击"粘贴函数"下拉按钮可选择合适的函数，如平均数函数"AVERAGE"等。其中公式中括号内的参数包括 4 个，即左侧("LEFT")、右侧("RIGHT")、上面("ABOVE")和下面("BELOW")。完成公式编辑后，单击"确定"按钮即可得到计算结果。

也可在"公式"对话框的"公式"编辑框中手动输入运算公式进行计算。

2) 排序

对表格中的文字、数字、日期等数据进行排序的具体操作如下：

(1)在文档窗口中，选中需要进行排序的表格中的任意单元格，选择"表格工具"功能区"布局"选项卡中的"数据"分组，单击"排序"按钮，弹出"排序"对话框，如图3-24所示。

(2)在"排序"对话框"列表"区域选中"有标题行"单选按钮。若选中"无标题行"单选按钮，则文档表格中的标题也会参与排序。

(3)在"主要关键字"区域，单击第一个下拉按钮，选择排序依据的主要关键字。单击"类型"下拉按钮，可以选择"笔画""数字""日期""拼音"等选项。选中"升序"或"降序"单选按钮，设置顺序类型。

7. 绘制斜线表头

在表格的操作中，有时需要在第一个单元格中绘制斜线将表中内容分为多个项目的标题，分别对应表格的行和列，这种单元格称为斜线表头。绘制斜线表头的具体操作如下：

(1)将光标定位在要绘制斜线表头的单元格中。

(2)单击"开始"功能区"段落"分组中的下框线下拉按钮，在弹出的下拉菜单中选择"斜下框线"或"斜上框线"即可。

斜线表头设置完毕后，在表头中可直接输入文字，按 Enter 键切换输入。

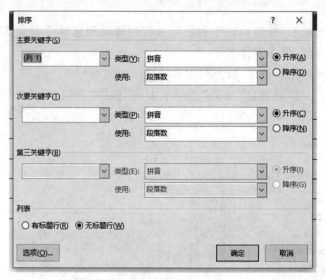

图 3-24 "排序"对话框

  3.5 Word 2016 中的图文混排

Word 的图文混排功能是文档编辑的最大特点之一,可以将其他软件的图形、表格、数据等对象插入 Word 文档中,制作图文并茂的文档。Word 2016 还提供绘图功能,供用户制作各种插图、标志等,并直接插入文档。

3.5.1 插入图片

用户利用 Word 2016 能快捷地将已有的图片和图形软件包中的图形插入文档。

1. 将储存在文件中的图片直接插入文档

具体操作如下:
(1)将插入点定位到文档中要插入图片的位置。
(2)单击"插入"功能区的"插图"分组中的"图片"按钮,弹出"插入图片"对话框。
(3)在弹出的"插入图片"对话框中找到需要插入的图片,单击"插入"按钮即可。

2. 使用屏幕截图功能插入图片

借助 Word 2016 的屏幕截图功能,用户可以方便地将已经打开且未处于最小化状态的窗口截图并插入当前文档。需要注意的是,屏幕截图功能只能用于文件扩展名为 DOCX 的文档中。插入屏幕截图的具体步骤如下:

(1)将准备插入 Word 2016 文档的窗口处于非最小化状态,然后打开 Word 2016 文档窗口,单击"插入"功能区"插图"分组中的"屏幕截图"按钮。

(2)"可用的视窗"中将显示 Word 2016 智能监测到的可用窗口。单击需要插入截图的窗口,即可将图片插入指定位置。

若只需要将特定窗口的一部分作为截图插入文档,则可以只保留该特定窗口为非最小化状态,然后在"可用的视窗"面板中选择"屏幕剪辑"按钮,进入屏幕裁剪状态,拖动鼠标选择需要的部分窗口,即可将其插入当前文档。

3.5.2 图片处理

1. 裁剪图片

在 Word 2016 文档中,用户可以方便地对图片进行裁剪操作,从而截取图片中最需要的部分,具体操作如下:

(1)选中需要进行裁剪的图片,新增"图片工具"功能区,单击功能区中"格式"选项卡"大小"分组中的"裁剪"按钮。

(2)图片周围出现 8 个方向的裁剪控制手柄,用鼠标拖动控制手柄将对图片进行相应方向的裁剪,同时可以拖动控制手柄将图片复原,直至调整到合适位置,单击图片之外任意处完成裁剪。

2. 设置图片尺寸

在 Word 2016 文档中最常用的设置图片尺寸的方法有以下 3 种。

1)拖动图片控制手柄

在文档中选中图片时,图片的周围会出现 8 个方向的控制手柄。拖动 4 个角上的控制手柄可以按宽高比例调整图片尺寸;拖动 4 条边上的控制手柄可以横向或纵向调整图片大小,但是这样的调整方法会导致图片变形。

2)直接输入图片宽度和高度的尺寸

在文档窗口中选中需要调整尺寸的图片,在"图片工具"功能区"格式"选项卡"大小"分组中分别输入"宽度"和"高度"的数值,即可精确调整图片的尺寸。

3)在"大小"对话框中设置图片尺寸

用鼠标右键单击需要调整尺寸的图片,在打开的快捷菜单中选择"大小和位置"命令,在弹出的"布局"对话框"大小"选项卡中可对图片大小(宽度和高度值)进行设置。

3. 设置图片亮度

1)"图片工具"功能区中设置图片亮度

在文档窗口中选中需要进行亮度设置的图片,打开"图片工具"功能区"格式"选项卡"调整"组中的"更正"按钮下拉菜单,在"亮度/对比度"区域选择适合的亮度和对比度值。

2)在"设置图片格式"对话框中设置图片亮度

若要对图片亮度进行更精确的设置,则在文档窗口中首先选中需要进行亮度设置的图片,打开"格式"选项卡"调整"组中的"更正"按钮下拉菜单,单击"图片校正选项"按钮,窗口右侧弹出"设置图片格式"对话框,在"亮度和对比度"调整区域里进行精确设置。

4. 设置图片文字的环绕方式

默认情况下,插入 Word 2016 文档的图片是作为字符插入的,图片位置会随着其他字符的改变而改变,图片位置不能自由移动。若想要自由移动图片位置,则需要通过为图片设置文字环绕方式来实现,具体操作如下:

选中需要设置的图片,单击"图片工具"功能区"格式"选项卡"排列"分组中的"位置"按钮,在打开的"预设位置"列表中选择合适的文字环绕方式。其中包括"顶端居左,四周型文字环绕""顶端居中,四周型文字环绕""顶端居右,四周型文字环绕""中间居左,四周型文字环绕"等 9 种方式。

若想要进行更加丰富的文字环绕方式设置,如将图片设置为水印等特殊版式,可单击"图片工具"功能区"格式"选项卡"排列"分组中的"环绕文字"按钮,在打开的下拉菜单中选择需要的文字环绕方式,或选择"其他布局选项"打开"布局"对话框进行设置,如图 3-25 所示。

图 3-25 "布局"对话框

"环绕文字"下拉菜单中的每种文字环绕方式的含义如下:
(1)嵌入型:图片作为字符插入文档,不能设置环绕。
(2)四周型:文字以矩形方式环绕在图片四周。
(3)紧密型环绕:文字按照图片形状紧密围绕在图片四周。
(4)穿越型环绕:文字可以穿越不规则图片的空白区域环绕图片。
(5)上下型环绕:文字环绕在图片的上、下方。
(6)衬于文字下方:图片在下、文字在上,分为两层,文字覆盖图片。
(7)浮于文字上方:图片在上、文字在下,分为两层,图片覆盖文字。

利用"编辑环绕顶点"命令,用户可以编辑文字环绕区域的顶点,实现自定义的环绕效果。

3.5.3 插入文本框

文本框是一种可以在其中独立输入和编辑文字的图形框,在文档中使用部分文本框,可以实现一些特殊的图文混排效果。使用文本框可以在页面上进行定位,还可以为图形添加文字。在文档中插入文本框的具体操作如下:
(1)将光标定位在需要插入文本框的位置。
(2)选择"插入"功能区"文本"分组中的"文本框"按钮,在展开的下拉面板中选择要插入的文本框样式。

若要插入竖排文本框,则在下拉面板中选择"绘制竖排文本框"选项。
(3)文本框插入完毕后即可在其中输入文字。

3.5.4 插入艺术字

特殊效果的文字就是艺术字,包括特殊形状、旋转、延伸和倾斜等特殊文字效果。艺术字作为文本框插入,用户可以随意编辑文字。

插入艺术字的具体操作如下：

(1)将光标定位在需要插入艺术字的地方，选择"插入"功能区"文本"分组中的"艺术字"按钮，在展开的下拉面板中选择需要的艺术字样式。选择任意一个样式，文档的插入位置将出现系统默认的文字内容，在此文本框中输入需要插入的文字内容即可。

(2)可在"绘图工具"功能区"格式"选项卡的"艺术字样式"分组中对显示效果进行设置。

3.5.5 插入自选图形

利用 Word 2016"插入"功能区"插图"分组中的"形状"工具，可以快速绘制各种图形，并对图形进行调整和修改。具体操作如下：

(1)单击"插入"功能区"插图"分组中的"形状"按钮，弹出下拉面板，从中选择需要的图形，在文档中进行绘制。

(2)选中绘制的图形，可在"绘图工具"功能区"格式"选项卡"形状样式"分组中对图形形状、颜色、填充效果等进行设置。

3.5.6 SmartArt 图形功能

Word 2016 还提供了 SmartArt 图形功能，用来表达对象之间的从属和层次关系等。使用的具体操作如下：

在文档中单击"插入"功能区"插图"分组中的"SmartArt"按钮，弹出"选择 SmartArt 图形"对话框。根据需要选择一种层次结构，然后返回文档进行文字编辑。

3.5.7 插入图表

在文档中适当地使用图表，可以将复杂的数据分析内容简单、直观地表现出来。具体操作如下：

(1)单击"插入"功能区"插图"分组中的"图表"按钮，在弹出的"插入图表"对话框左侧列表中选择需要的图表样式，如图 3-26 所示，单击确定即可生成图表。

图 3-26 "插入图表"对话框中选择图表样式

(2)生成图表的同时，系统会自动产生一个 Excel 表格，单击要输入数据的单元格输入数据，对应生成图，如图 3-27 所示，输入完成后关闭表格。

(3)选中图表，单击"图表工具"功能区"设计"选项卡"数据"分组中的"选择数据"按钮，

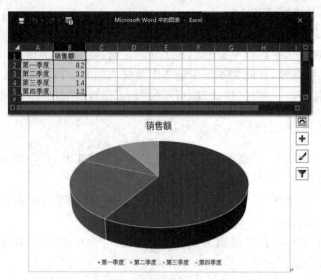

图 3-27 在 Excel 表格中输入数据后对应生成图

弹出"选择数据源"对话框,可对数据源进行相关操作。

(4)在"设计"选项卡"图表布局"分组中,可对图例、图表标题、数据标签等图表元素进行添加、删除及设置,也可对图表进行快速布局。

3.5.8 插入符号与公式

1. 插入特殊符号

对于某些不能通过键盘输入的特殊符号和字符,可通过 Word 2016 提供的特殊符号输入方式输入,具体操作如下:

(1)将光标定位到文档中要插入特殊符号的位置。

(2)选择"插入"功能区,在"符号"分组中单击"符号"按钮打开"符号"面板,单击需要的符号即可将该符号插入文档。

若当前面板中没有找到需要的符号,可单击"其他符号"按钮,打开"符号"对话框,如图 3-28 所示。在"符号"选项卡中单击"子集"右侧的按钮,在下拉菜单中选中需要的子集类型,然后在下方窗口中选择需要的符号,单击"插入"按钮即可。

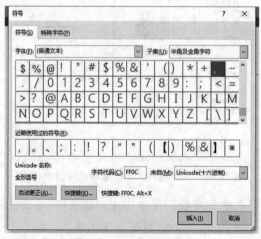

图 3-28 "符号"对话框

2. 插入数学公式

直接在文档中输入数学公式,其效果不美观,也不够规范,所以 Word 2016 提供了专门的数学公式输入模块,用户可直接输入复杂的数学公式。具体操作如下:

(1)将光标定位到要插入数学公式的位置。

(2)选择"插入"功能区,在"符号"分组中单击"公式"按钮打开公式面板,如图 3-29 所示,单击需要的公式模板,即可将该公式模板插入文档中的指定位置,然后在模板上改写即可。

若没有需要的公式模板,可以单击"插入新公式"按钮,在插入的公式编辑框内编写新公式。

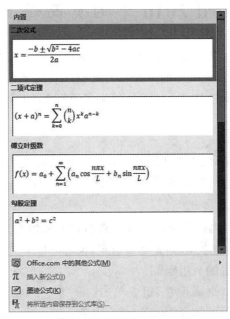

图 3-29 公式面板

3.5.9 插入分节符和分页符

1. 插入分节符

在 Word 2016 中可以对文档进行分节。"节"指的是文档的一部分,可以是几页一节,也可以是几段一节。通过分节,可以把文档变成几个部分,然后针对每个部分设置不同的格式,如不同的页边距、不同的纸张大小和纸张方向、不同的页眉和页脚、不同的分栏方式等。分节符则是在节的结尾处插入的一个标记,每插入一个分节符,文档就增加了一个不同的节。

1)插入分节符的步骤

将光标置于需要插入分节符的位置,然后选择"布局"功能区,在"页面设置"分组中单击"分隔符"按钮,弹出下拉菜单,选择一种分节符类型即可插入该类型分节符。

2)修改分节符的类型

对于已经插入的分节符,有时会发现它有错误,就需要对分节符的类型进行修改。首先把光标插入点置于要修改的分节符前面的节中,单击"布局"功能区"页面设置"分组右下角的对话框启动按钮,打开"页面设置"对话框,再单击"版式"标签,在"节的起始位置"下拉列表提供的五个选项中进行选择,从而修改分节符的类型。

2. 插入分页符

在编辑一个较长的文档时,Word 2016 会根据页边距的大小和打印纸张的大小在适当的位置分页;当用户增、删或更改文本时,Word 2016 将根据需要自动调节分页。但有时,用户需要在特定的位置插入一个分页符来强制分页,譬如,一本书的每一个章节要从新的一页开始,但又不想使用分节符的话,可在每一章的开头加一个分页符。

在文档中插入分页符的方法如下:将插入点定位到要分页的位置,在"插入"功能区"页面"分组中单击"页面"按钮,在下拉菜单中选择"分页"按钮即可。

3.6 Word 2016 中的页面设置与文档打印

Word 是文字编辑工具,通常情况下,用 Word 编辑好的文档最终需要通过打印机打印出来形成纸质文件。因此,用什么样的纸张输出文档以及文字在纸张上如何摆放也是非常重要的。本节将介绍如何设置 Word 2016 文档来实现想要的打印效果。

3.6.1 页面设置

在建立新的文档时,Word 2016 已经自动设置了默认的页边距、纸张等属性。但是,在打印之前,用户可根据需要对页面属性重新进行设置。

1. 设置页边距

页边距是页面周围的空白区域宽度。设置页边距能够控制文本的宽度和长度,还可以留出装订边。可以使用 Word 2016 内置的页边距,也可以自定义页边距。

1)使用 Word 2016 内置的页边距

选择"布局"功能区,在"页面设置"组中单击"页边距"按钮,在下拉列表中即可选择 Word 2016 内置的页边距。

2)自定义页边距

选择"布局"功能区,在"页面设置"组中单击"页边距"按钮,在下拉列表中选择"自定义边距"选项,弹出"页面设置"对话框,打开"页边距"选项卡,如图 3-30 所示。在该选项卡"页边距"选区的"上""下""左""右"数值框中分别输入页边距的数值;在"装订线"数值框中输入装订线的宽度值;在"装订线位置"下拉列表中选择装订线位置即可。

2. 设置纸张类型

单击"页面设置"组中的"纸张大小"按钮,在弹出的下拉列表中选择目标纸型;或选择"其他纸张大小"选项,在弹出的"页面设置"对话框中单击"纸张"选项卡,在"纸张大小"选区的"宽度"和"高度"数值框中设置具体的数值自定义纸张大小,在"应用于"下拉列表中选择当前设置的应用范围。单击"打印选项"按

图 3-30 "页面设置"对话框中的
"页边距"选项卡

钮,可在弹出的"Word 选项"对话框中的"打印选项"选区中进一步设置打印属性。

3. 设置版式

在"页面设置"对话框中,单击"布局"选项卡,在"节"选项区中的"节的起始位置"下拉列表中选择节的起始位置,用于对文档进行分节;在"页眉和页脚"选项区中可确定页眉和页脚的显示方式。如果需要奇数页和偶数页不同,可选中"奇偶页不同"复选框;如果需要首页不同,可选中"首页不同"复选框;在"页眉"和"页脚"数值框中可设置页眉和页脚距边界的距离;在"垂直对齐方式"下拉列表中可设置页面的对齐方式;在"预览"选区中单击"行号"按钮,弹出"行号"对话框,如图 3-31 所示,选中"添加行编号"复选框,可以为文档设置行编号。

图 3-31 "行号"对话框

4. 设置文档网格

在"页面设置"对话框中,单击"文档网格"按钮,在该选项卡中的"文字排列"选区中可设置文字排列的方向和栏数;在"网格"选区中可设置不同的网格类型;在"字符数"和"行数"选区中可分别设置每行的字符数和每页的行数;在"预览"选区中单击"绘图网格"按钮,弹出如图 3-32 所示的"网格线和参考线"对话框,在该对话框中可设置网格格式;在"预览"选区中单击"字体设置"按钮,弹出如图 3-33 所示的"字体"对话框,在该对话框中可设置页面中的字体格式。

图 3-32 "网格线和参考线"对话框

图 3-33 "字体"对话框

3.6.2 页眉页脚

在某些图书中,正文上方会有图书或章节的名称,而正文下方则会有页码或作者的名字等,这就是所谓的页眉和页脚。一般来说,页眉是位于上页边距与纸张边缘的文字或图形,而页脚则是位于下页边距与纸张边缘的文字或图形。用户可以在页眉和页脚中插入文本或图形,比如页码、日期、公司徽标等。

1. 创建页眉和页脚

Word 2016 内置了多种样式的页眉和页脚,用户添加页眉、页脚更加方便。选择"插入"功能区,单击"页眉和页脚"组中的"页眉"按钮,出现下拉菜单,选择目标格式,即可创建页眉;用相似的方法,可创建页脚。

2. 编辑页眉和页脚

在"页眉"或"页脚"下拉菜单中选择"编辑页眉"或"编辑页脚"选项,进入页眉或页脚的编辑,然后再在指定的位置输入文字即可。鼠标左键双击页眉或页脚位置,也可进入页眉或页脚编辑界面。

3. 设置页码

单击选择"插入"功能区,在"页眉和页脚"组中单击"页码"按钮,在弹出的对话框中选择一种样式,即可插入页码。也可对页码的格式进行设置,单击"设置页码格式"按钮,打开"页码格式"对话框,如图 3-34 所示。在"编号格式"中选择一种页码的格式,然后根据需要选中或取消"包含章节号";在"页码编号"中选择页码的起始数字,如果选择"续前节",表示页码与上一节相连续。设置完后单击"确定"即可。

图 3-34 "页码格式"对话框

3.6.3 打印文档

文档在常规视图模式下的外观与打印在纸上的文档存在某些差异。Word 2016 为我们提供的"打印预览"功能可以以打印的实际效果显示文档中所有的内容信息,包括图表、图形等,具体操作如下:

选择文件选项卡里的"打印"按钮,进入打印设置窗口,窗口右侧为文档预览,拖动下方滚动条,可以调整显示比例,滚动条右侧为"缩放到页面"按钮,选择该按钮将使打印文档以当前页面的显示比例来显示。

在打印设置窗口中可以选择已安装的打印机,以及设置打印范围。系统默认的范围是文档的所有页,用户可以在"自定义打印范围"选项中设置需要打印的页数,还可以设置打印方向、纸张大小等。

第 4 章　Excel 2016 电子表格

本章主要介绍 Excel 2016 的基本知识和基本操作方法，包括 Excel 2016 的启动与退出、工作簿、工作表以及单元格的基本概念、单元格编辑、工作表操作、工作表格式设置、公式和函数的使用、数据库功能、图表的创建与编辑等。

【知识要点】
- Excel 2016 文档的创建、启动与退出
- Excel 2016 工作簿、工作表以及单元格的基本操作
- Excel 2016 公式和函数
- Excel 2016 数据的排序、筛选和分类汇总
- Excel 2016 图表的创建与编辑

4.1　Excel 2016 简介

Excel 2016 是 Microsoft 公司推出的电子表格软件，是 Office 2016 办公系列软件的重要组成部分。它具有强大的数据计算和分析、文档处理和图形显示等功能，同时提供统计与工程分析的工具。

4.1.1　Excel 2016 的功能

利用 Excel 2016 不仅可以绘制表格，还可以进行各种数据管理、统计和分析，在 Excel 2016 中我们主要可以进行以下操作：
(1) 制作各种形式的表格。
(2) 使用公式与函数进行各种数据计算。
(3) 制作图表。
(4) 在表格中插入各种图形、图片等对象。
(5) 进行各种数据库操作。
(6) 分析数据。

4.1.2　界面介绍

启动 Excel 2016 的步骤如下：
单击"开始"按钮，在"E"分组找到"Excel"按钮并单击，在打开的右侧窗口中双击"空白工作簿"模板，程序会新建一个空白的工作簿，这个工作簿以"工作簿1.xlsx"命名，用户可以在保存时改变该工作簿名称。

启动 Excel 2016 后，屏幕上会弹出如图 4-1 所示的 Excel 2016 程序窗口。相对于我们学习过的 Word 2016 窗口，Excel 2016 窗口的标题栏、主菜单、工具条等组成部分与其基本

相同,但由于处理的对象不同,窗口内部完全不一样。

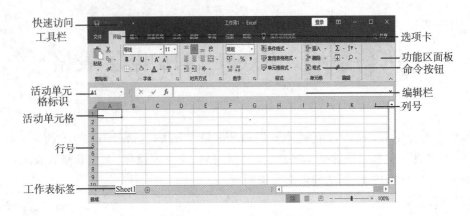

图 4-1　Excel 2016 程序窗口

4.1.3　基本概念

在学习如何创建、编辑工作表之前,我们有必要了解有关工作簿、工作表以及单元格的基本概念。

1. 工作簿和工作表

工作簿是在 Excel 2016 环境中用来存储和处理数据的文件,是 Excel 2016 的存储单位,工作簿文件的扩展名为 XLSX。每一个工作簿可以包含多个工作表。默认情况下,启动 Excel 2016 时,打开一个名为"工作簿 1"的工作簿,且每一个工作簿会打开一个名称为"Sheet1"的工作表。用户可以根据需要添加或删除工作表。

工作表也称电子表格,是 Excel 2016 用来存储和处理数据的重要部分。每一个工作表由 1 048 576 行和 16 384 列组成。工作表的行用数字编号,从 1 到 1 048 576;工作表的列用字母编号,从 A 到 XFD,其排列顺序为从 A~Z、AA~ZZ 一直到 AAA~XFD,共 16 384 列。在工作表的左部和上部显示了工作表的行号和列号,如图 4-1 所示。

工作表的名称显示于工作簿窗口底部的工作表标签上。单击工作表标签可以在各工作表之间切换。标签底色为白色的工作表为当前打开的工作表——活动工作表。

2. 单元格

工作表中的行线和列线将整个工作表划分为一个个单元格,单元格是工作表中存储数据的基本单位。

在所有单元格中,有一个单元格的四周被深绿色边框围绕,这表示该单元格是当前我们正在进行输入、编辑等操作的对象,我们称之为活动单元格。

对单元格可以根据它在工作表中的位置来标识,通常我们用"列号行号"的形式来标识单元格,例如位于工作表第 A 列第 2 行的单元格可以标识为 A2。除了可以标识单个的单元格之外,我们也可以标识一个单元格区域,通常我们用"第一个单元格:最后一个单元格"的形式来标识一个矩形的单元格区域,例如"A1:C5"表示以 A1 单元格和 C5 单元格为对角顶点的矩形区域中的所有单元格。

对单元格进行标识除了方便我们了解、定位单元格之外,也使单元格引用更易实现。

4.2 Excel 2016 单元格编辑

在 Excel 2016 中新建或打开一个工作簿文件后,我们就可以开始对工作表中的数据进行各种编辑操作。

4.2.1 输入数据

Excel 2016 能够接收的数据类型有字符型、数值型、日期和时间型以及公式型等。Excel 2016 接收到数据时,会自动判断数据类型并进行处理。输入数据时,必须先激活相应的单元格。

1. 输入字符型数据

字符型数据包括汉字、英文字母、数字、空格以及其他可以用键盘输入的符号。默认情况下,文字的对齐方式是在单元格内靠左对齐。

当输入的文本长度大于单元格宽度时,文本在显示上将溢出到右边单元格中,但实际上仍然在本单元格中。在其右边的单元格中输入数据时,本单元格中的文字就会以默认的宽度显示了,此时,本单元格中数据虽然没有完全显示出来,但还是被完整无缺地保存了。

对于全部由数字组成的字符串,输入时可按以下两种方法操作:

(1)输入=,并用引号将数字括起来,如在单元格 A4 中输入文本 2310 时,应输入 ="2310"。

(2)在输入数据之前添加撇号('),如输入 1920 时,在输入框中输入'1920。

2. 输入数值型数据

在 Excel 2016 中,新建工作表的所有单元格都采用默认的通用格式。通用格式一般为整数或小数格式。当数字长度超过单元格宽度时,Excel 自动使用科学记数法表示输入的数字。例如,输入 670000000000 时,系统会自动显示 6.7E+11。

在活动单元格中输入一个数字后,按 Enter 键表示确认输入的数据,此时单元格指针自动移到下一个单元格;按 Esc 键则取消数字输入。

如果要输入一个分数,应在分数前加 0 和空格,如"0 1/2",这样输入可以避免与日期格式相混淆。

如果输入的数字前面有货币符号或其后有百分号,系统会自动改变单元格格式,从通用格式分别改变为货币格式或百分比格式。

3. 输入日期和时间型数据

Excel 2016 中严格规定了日期和时间的输入格式,并将日期和时间视为特殊类型的数据。如果输入的数据能够自动被 Excel 2016 识别为日期或时间,则单元格的格式将由"常规"格式变换为内部的日期或时间格式,否则 Excel 2016 会将当前输入的数据作为文本处理。

输入日期时,用斜线或键盘上的减号分隔年、月、日,如可以输入 21/03/05 或 21-03-05。若想在活动单元格中输入当前日期,可以按"Ctrl+;"键。

输入时间时,用冒号分隔时和分,如 12:30。如果要输入系统的当前时间,则按"Ctrl+Shift+;"键。

单元格中可以同时输入日期和时间,但日期和时间之间要使用空格分隔。

4.2.2 选择单元格

Excel 2016 中的许多命令要求用户选定一个单元格或单元格区域。选定一个单元格就是把鼠标指针移动到需要操作的单元格并单击,使其成为活动单元格。此处主要介绍选取多个单元格的方法。

1. 选择相邻的单元格

要选择相邻单元格组成的一个区域,可用鼠标单击区域左上角的单元格,按住鼠标左键,向右下角方向拖动,到达恰当位置后松开鼠标,则选定了这个单元格区域。选定的单元格区域中第一个单元格(即活动单元格)按正常色显示,其余呈反色显示。

单击区域中的第一个单元格,按住 Shift 键,再单击区域中的最后一个单元格,可选择一个矩形区域。如单击单元格 A2,按住 Shift 键不放,再单击单元格 D6,即可选定"A2:D6"区域。

要选择整行,单击工作表的行号即可。

要选择整列,单击工作表的列号即可。

要选定整个工作表,单击工作表行号与列号交叉处即可。

要选定相邻行(或列),单击并拖动要选定的行号(或列号)即可。

2. 选择不相邻的单元格

要选定不相邻的多个矩形区域,单击要选区域的第一个单元格,按住 Ctrl 键,继续选定其他区域即可。

要选择不相邻的行(或列),单击行号(或列号),然后按住 Ctrl 键,再单击其他要选定的行号(或列号)。

4.2.3 编辑单元格数据

在单元格中输入数据之后,还可以对其中的数据进行编辑修改。在编辑单元格数据时,我们可以采取以下几种不同的方式:

(1)双击需编辑的单元格,将光标定位到其中,然后对其中的数据进行编辑修改。

(2)选中需编辑的单元格,并单击编辑栏将光标定位到编辑栏中,然后在编辑栏中对单元格数据进行编辑修改。

(3)选中需编辑的单元格,直接键入新的数据覆盖原有数据。

完成编辑后,可按 Enter 键确认修改,按 Esc 键取消修改。

4.2.4 清除单元格

清除单元格是指清除单元格中的内容;删除单元格则不但删除单元格中的内容,还删除单元格本身。

清除一个单元格或一个单元格区域中的所含内容,可以用如下方式:

(1)选取要清除内容的单元格或单元格区域。

(2)单击鼠标右键从弹出的快捷菜单中选取"清除内容"命令,则选定的单元格或单元格区域内容被清除。

也可以在选定单元格或单元格区域后按 Delete 键或 Backspace 键。

4.2.5 移动或复制单元格数据

移动数据是指把某个单元格(或区域)的内容从当前的位置删除而放到另外一个位置;复制是指当前内容不变,并把内容复制到另外一个位置。如果原来的单元格中含有公式,移动或复制单元格数据到新位置的时候,公式可能会因为单元格区域的引用变化生成新的计算结果。

1. 利用菜单命令移动或复制数据

单击"开始"选项卡,通过"剪贴板"选项组中的"剪切""复制""粘贴"按钮,可以方便地移动或复制单元格中的数据。复制数据的具体操作步骤如下:

① 选定要进行复制的单元格或单元格区域。
② 单击"开始"选项卡"剪贴板"选项组中的"复制"按钮,此时选定的单元格或单元格区域被一个深绿色虚线边框包围,它被称为活动选定框。
③ 选定要粘贴到的单元格或单元格区域左上角的单元格。
④ 单击"剪贴板"选项组中的"粘贴"按钮,即可将选定区域的数据复制到目标区域。

如果要移动数据,将步骤中的单击"剪贴板"选项组中的"复制"按钮换为单击"剪切"按钮即可。

2. 利用鼠标拖动移动或复制数据

如果移动或复制的源单元格和目标单元格相距较近,直接使用鼠标就可以更快地实现移动和复制数据。

移动数据的具体操作步骤如下:
① 选定要移动的单元格或单元格区域。
② 将鼠标移动到所选定的单元格或单元格区域的边缘,当光标变成十字箭头状时按住鼠标左键不放。
③ 拖动鼠标,此时一个与源单元格或单元格区域一样大小的虚线框会随着鼠标移动。
④ 到达目标位置后释放鼠标,数据被移动到新的位置。

例如,对图 4-2 所示的选定区域利用鼠标拖动,可将其移动到图 4-3 所示的位置。

	A	B	C	D	E	F	G	H
1				二班期末成绩表				
2	姓名	性别	语文	数学	物理	英语	体育	总分
3	吴小红	女	85	92	84	72	83	416
4	李华	男	79	74	69	66	88	376
5	刘璐	女	73	81	82	75	79	390
6	杨晓兰	女	68	74	69	87	75	373
7	周杰	男	67	92	86	77	78	400
8	江小燕	女	73	65	67	82	80	367
9	黄平	男	67	65	76	72	73	353
10	郑大鹏	男	85	76	68	67	89	385
11	胡志文	男	75	66	72	68	81	362
12	杨玉华	女	73	72	56	83	78	362
13	李文	男	67	57	66	72	90	352

图 4-2 选定工作表上要移动的单元格区域

如果要复制数据,可在移动数据前按住 Ctrl 键,其他操作不变。

	A	B	C	D	E	F	G	H
1	姓名	性别	语文	数学	物理	英语	体育	总分
2	吴小红	女	85	92	84	72	83	416
3								
4								
5								
6	李华	男	79	74	69	66	88	376
7	刘璐	女	73	81	82	75	79	390
8	杨晓兰	女	68	74	69	87	75	373
9	周杰	男	67	92	86	77	78	400
10	江小燕	女	73	65	67	82	80	367
11	黄平	男	67	65	76	72	73	353
12	郑大鹏	男	85	76	68	67	89	385
13	胡志文	男	75	66	72	68	81	362
14	杨玉华	女	73	72	56	83	78	362
15	李文	男	67	57	66	72	90	352
16								
17								
18								
19								

图 4-3　鼠标拖动后选定区域被移动到新位置

4.2.6　插入单元格

Excel 2016 允许用户在已经建立的工作表中插入行、列或单元格,这样,在表格的适当位置可填入新的内容。

1. 插入选中单元格

具体步骤如下:

(1)在要插入单元格的位置选中与要插入的单元格数目相同的单元格。

(2)单击"开始"选项卡"单元格"选项组中的"插入"按钮,从下拉菜单中选择"插入单元格"命令,打开"插入"对话框,如图 4-4 所示。对话框中各选项的功能如下:

活动单元格右移:在活动单元格位置插入单元格,活动单元格向右移动。

活动单元格下移:在活动单元格位置插入单元格,活动单元格向下移动。

图 4-4　"插入"对话框

整行:在活动单元格的位置插入与所选单元格区域行数相同的行,原区域所在行自动下移。

整列:在活动单元格的位置插入与所选单元格区域列数相同的列,原区域所在列自动右移。

(3)在对话框中选择一种插入方式,单击"确定"按钮。

2. 插入行或列

如果要插入整行或整列的单元格,可以直接采用插入行或列的方法。

在工作表中选中一行或多行后,单击右键,在快捷菜单上选择"插入"命令,或单击"开始"选项卡"单元格"选项组中的"插入"按钮,从下拉菜单中选择"插入工作表行"命令,即可在选中行的上方插入空行,插入的空行数与选中的行数相同。

在工作表中选中一列或多列后,单击右键,在快捷菜单上选择"插入"命令,或单击"开始"选项卡"单元格"选项组中的"插入"按钮,从下拉菜单中选择"插入工作表列"命令,即可在选中列的左侧插入空列,插入的空列数与选中的列数相同。

插入空行后,原有选中行及其下方的行自动向下移;插入空列后,原有选中列及其右侧的列自动向右移。

4.2.7 删除单元格

不再需要工作表中的某些数据及其位置时,可以将它们删除。删除单元格方式是将选中区域的内容和位置一并删除。

1. 删除选中单元格

具体步骤如下:

(1)选定要删除的单元格或单元格区域。

(2)单击"开始"选项卡"单元格"选项组中的"删除"按钮,从下拉菜单中选择"删除单元格"命令,系统将弹出"删除文档"对话框,如图4-5所示。对话框中的选项功能如下:

右侧单元格左移:活动单元格右侧的单元格向左移动填充被删除的单元格。

下方单元格上移:活动单元格下方的单元格向上移动填充被删除的单元格。

图 4-5 "删除文档"对话框

整行:活动单元格所在的行被删除。如果选中的是单元格区域,那么单元格区域所在的行将被全部删除。

整列:活动单元格所在的列被删除。如果选中的是单元格区域,那么单元格区域所在的列将被全部删除。

(3)在对话框中选择一种删除方式,单击"确定"按钮。

2. 删除行或列

如果要删除整行或整列的单元格,可以直接采用删除行或列的方法。

在工作表中选中需删除的行或列后,单击右键,在快捷菜单上选择"删除"命令或单击"开始"选项卡"单元格"选项组中的"删除"按钮,即可将选中的行或列删除。

删除行后,被删除行下方的行自动向上移以填补被删除行留下的空白位置;删除列后,被删除列右侧的列自动向左移以填补被删除列留下的空白位置。

4.2.8 自动填充

在实际应用中,工作表的某一行或列中的数据经常是一些有规律的序列,例如月份、学号等,对于这样的序列,我们可以通过 Excel 2016 的自动填充功能自动生成。

1. 常规自动填充

在工作表中选中单元格后,单元格右下角出现一个我们称为填充柄的小方块,通过拖动单元格填充柄,可以将选中单元格中的内容复制或按序列规则延伸到同行或同列中的其他单元格。操作步骤如下:

①选中包含填充序列起始数据的单元格;

②将鼠标指针指向选中单元格右下角的填充柄,并按下左键,横向或纵向拖动鼠标;

③拖动到目标位置后松开鼠标按键。

2. 按指定步长填充

步长是指序列在延伸的过程中,每一步延伸的幅度,也就是等差序列中相邻项之间的差,或是等比序列中相邻项之间的比。例如,数字等差序列"1,3,5,7,9"的步长为2。

按指定步长进行等差序列的填充有一个比较简单的方法,就是在填充之前输入序列的前两个数据,然后进行填充,这样系统就会根据用户输入的两个数据确定填充序列的步长。

例如,要建立一个从1月开始、步长为2的月份序列,可以执行以下操作步骤:

①在序列的第一个单元格和第二个单元格中分别输入"1月"和"3月";

②选中这两个单元格;

③横向或纵向拖动选中单元格区域右下角的填充柄,直至目标位置。

3. 右键拖动填充

虽然我们所做的绝大部分操作都是使用鼠标左键进行的,使用左键通常可以使我们快捷地操作,使用右键则往往可以给我们更多的灵活性、更大的选择余地。

在自动填充时同样不例外。使用左键拖动填充柄进行自动填充非常快捷,但对填充过程中的一切无法控制,而使用右键则不然。如果在填充时使用鼠标右键拖动填充柄,在拖动到目标位置并松开右键后,系统会弹出一个快捷菜单,单击该快捷菜单上的命令可以选择不同方式的填充。

右键填充快捷菜单上有如下命令:

(1)复制单元格:将选中单元格中的内容复制到其余单元格中。

(2)填充序列:将选中单元格中的内容按序列规则延伸到其余单元格中。

(3)仅填充格式:将选中单元格的格式复制到其余单元格中。

(4)不带格式填充:在填充单元格内容时不将格式复制到其他单元格。

(5)以天数填充:用一个逐日增加的日期序列填充其余单元格。

(6)填充工作日:用一个按工作日(根据一个工作周)增加的日期序列填充其余单元格。

(7)以月填充:用一个逐月增加的日期序列填充其余单元格。

(8)以年填充:用一个逐年增加的日期序列填充其余单元格。

(9)等差序列:用一个相邻项的差相等的序列填充其余单元格。

(10)等比序列:用一个相邻项的比相等的序列填充其余单元格。

在快捷菜单上选择某个命令即可按照指定的方式进行填充。

4.3 Excel 2016 工作表操作

4.3.1 切换工作表

一个工作簿中一般包含多张工作表,但在一个工作簿窗口中只能显示一张工作表。在工作簿窗口的底部有一排工作表标签,每一张工作表都对应着一个工作表标签,标签上是该工作表的名称。单击某个工作表标签即可切换到该标签所对应的工作表。

如果工作簿中包含的工作表数目较多,则可以单击位于标签区域左侧的滚动按钮,以显示需要的工作表标签。

4.3.2 工作表命名

在新建的工作簿中,Excel 2016 会自动创建一个名称为"Sheet1"的工作表,工作表的名称会显示在工作表标签上。如果需要,我们也可以将工作表重新命名,方法是双击需重新命名的工作表的标签,然后输入新的名称即可。

4.3.3 选中工作表

在对工作表进行移动、复制、删除等操作之前,需要选中工作表,在 Excel 2016 中可按以下方法选中工作表:

(1)单击某个工作表标签可选中单张工作表。
(2)先单击第一张工作表的标签,然后按住 Shift 键再单击最后一张工作表的标签,可选中两张及以上相邻的工作表。
(3)先单击第一张工作表的标签,然后按住 Ctrl 键再单击其他工作表的标签,可选中两张及以上不相邻的工作表。
(4)右键单击工作表标签,然后单击出现的快捷菜单中的"选定全部工作表"命令可选中工作簿中的所有工作表。
(5)选中多张工作表后,按住 Ctrl 键单击选中某个工作表标签可取消对该工作表的选择。

选中的工作表标签将呈白色。选中多张工作表后,对当前工作表的操作会同样作用到其他被选中的工作表中。

4.3.4 移动、复制工作表

移动、复制工作表的操作步骤如下:
①打开需移动或复制的工作表所在的源工作簿和目标工作簿。
②在源工作簿中选中需移动或复制的工作表。
③右键单击选中的工作表标签,并单击出现的快捷菜单上的"移动或复制"命令打开"移动或复制工作表"对话框。
④在对话框的"工作簿"列表中选择目标工作簿(该工作簿必须事先打开)。
⑤在对话框的工作表列表中选择将选中工作表插入目标工作簿的哪个工作表之前。
⑥选中对话框中的"建立副本"复选框可以将选中工作表复制到目标工作簿中;否则将选中工作表移动到目标工作簿中。
⑦ 单击"确定"按钮。

4.3.5 插入、删除工作表

通常每个新建的工作簿中有一张工作表,用户可以根据需要再插入新的工作表或删除已有的工作表。

插入工作表的操作步骤如下:
选择工作表的插入位置,单击"开始"选项卡"单元格"选项组中的"插入"按钮,在下拉菜单中选择"插入工作表"命令,就在刚才所选的工作表左侧插入了一张新的工作表。

选中需删除的工作表后,在其标签上单击右键,在出现的快捷菜单上选择"删除"命令即可将选中工作表删除。

4.4 Excel 2016 中设置工作表格式

4.4.1 单元格格式设置

1. 设置字符格式

在设置单元格字符格式时，我们可以选择以下两种方式：
① 选中整个单元格，对单元格中的所有文本进行相同设置。
② 双击单元格，将光标定位到其中，然后选中其中的部分字符进行设置。

采用第一种方法时，选中的单元格中的所有文本的字符格式设置相同；采用第二种方法时，可将一个单元格中的不同文本设置为不同的字符格式。

选中需设置字符格式的单元格或其中的部分字符后，可以采用以下方法设置字符格式：
① 使用"开始"选项卡"字体"选项组中的"字体""字号"等进行设置。
② 单击右键，在弹出的菜单中选择"设置单元格格式"命令，打开"设置单元格格式"对话框，然后在该对话框的"字体"选项卡（见图 4-6）中设置。

图 4-6 "字体"选项卡

2. 设置对齐方式

单元格对齐方式是指文本在单元格中的排列规则，包括水平对齐方式和垂直对齐方式。
单元格的水平对齐方式是指单元格文本在水平方向上的分布规则，除了左对齐、居中等常见的对齐方式之外，还有以下两种方式：
① 常规：根据单元格中数据的类型选择对齐方式，如文本是左对齐，数字、日期和时间是右对齐，逻辑值则居中。
② 填充：在全部选中的单元格中，复制单元格中左边的字符。

单元格的垂直对齐方式包括靠上、居中、靠下、两端对齐和分散对齐五种，其中两端对齐方式是指单元格内容均匀地排列在单元格的上、下边之间。

自动换行是指单元格中的文本根据单元格宽度自动换行,在"对齐"选项卡中选中"自动换行"复选框可选择采用自动换行方式。

在"设置单元格格式"对话框中选择"对齐"选项卡可以设置以上对齐方式,如图 4-7 所示。

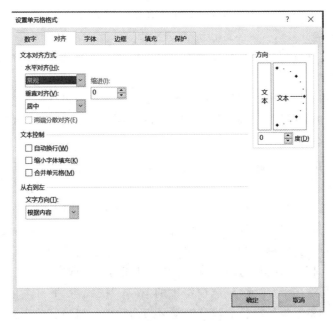

图 4-7 "对齐"选项卡

3. 设置数字格式

数字格式是指数字、日期、时间等各种数据在工作表中的显示方式。

Excel 2016 中主要有以下几类数字格式:

(1)常规:不包含任何特定的数字格式。

(2)数值:用于一般数字的表示,可选择小数位数、是否使用千位分隔符以及负数的显示方式。

(3)货币:用于表示货币数值,可自动在数值前添加各种货币符号。

(4)会计专用:在货币格式的基础上可对齐货币符号和小数点。

(5)日期:将日期和时间数值显示为各种格式的日期值。

(6)时间:将日期和时间数值显示为各种格式的时间值。

(7)百分比:将单元格数值显示为百分数形式。

(8)分数:将单元格数值显示为各种分数格式。

(9)科学记数:将单元格数值显示为科学记数格式。

(10)文本:将数字作为文本处理。

(11)特殊:包括邮政编码、中文小写数字和中文大写数字等特殊格式。

4.4.2 调整行高和列宽

在 Excel 2016 中可以通过鼠标拖动的方法或使用菜单命令来改变工作表的行高和列宽。

1. 使用鼠标调整行高和列宽

使用鼠标可以非常方便、直观地改变工作表的行高和列宽,操作方法有以下几种:

(1)将鼠标指针指向列号的右边界,然后按下左键拖动鼠标可以移动列线并改变列宽。将鼠标指针指向行号的下边界,然后按下左键拖动鼠标可以移动行线并改变行高。

(2)选中多列后,拖动其中某一列列号的右边界可以改变所有选中列的列宽,同时使所有选中列的列宽相等。

选中多行后,拖动其中某一行行号的下边界可以改变所有选中行的行高,同时使所有选中行的行高相等。

(3)双击列号的右边界可以将列宽调整至与本列中最宽的单元格内容相符合。

双击行号的下边界可以将行高调整至与本行中最高的单元格内容相符合。

2. 使用菜单命令

相对于鼠标方式,使用菜单命令可以更加准确地设置工作表的行高和列宽。具体的操作方法有以下几种:

(1)选中需设置行高的行,单击"开始"选项卡"单元格"选项组中的"格式"按钮,在下拉菜单中选择"行高"命令,打开"行高"对话框,在其中可以准确设置选中行的行高数值。

选中需设置列宽的列,单击"开始"选项卡"单元格"选项组中的"格式"按钮,在下拉菜单中选择"列宽"命令,打开"列宽"对话框,在其中可以准确设置选中列的列宽数值。

(2)单击"开始"选项卡"单元格"选项组中的"格式"按钮,在下拉菜单中选择"自动调整行高"命令可将活动单元格所在行的行高调整至与活动单元格内容的高度相符合。

单击"开始"选项卡"单元格"选项组中的"格式"按钮,在下拉菜单中选择"自动调整列宽"命令可将活动单元格所在列的列宽调整至与活动单元格内容的宽度相符合。

4.4.3 条件格式设置

进行条件格式设置可以突出显示某些单元格,强调异常数值,以及实现数据的可视化效果,操作方法如下:

选择要进行条件格式设置的单元格区域,单击"开始"选项卡"样式"选项组中的"条件格式"按钮,在下拉菜单中选择相应的条件格式设置方式,如将二班期末成绩表中总分在380分以上的单元格用深色填充以突出显示单元格,如图4-8所示。

二班期末成绩表							
姓名	性别	语文	数学	物理	英语	体育	总分
吴小红	女	85	92	84	72	83	416
李华	男	79	74	69	66	88	376
刘璐	女	73	81	82	75	79	390
杨晓兰	女	68	74	69	87	75	373
周杰	男	67	92	86	77	78	400
江小燕	女	73	65	67	82	80	367
黄平	男	67	65	76	72	73	353
郑大鹏	男	85	76	68	67	89	385
胡志文	男	75	66	72	68	81	362
杨玉华	女	73	72	56	83	78	362
李文	男	67	57	66	72	90	352

图 4-8 突出显示单元格

4.4.4 合并、分解单元格

在新建的空白工作簿中,所有单元格的分布是均匀的,也就是说,在表格的每一行上和每一列上的单元格个数是相同的。但在实际应用中,我们要制作的表格往往不是这么规则的,这种时候,我们就需要通过合并或分解单元格来调整表格的结构。

1. 合并单元格

合并单元格是指将多个单元格合并为一个单元格。合并单元格的操作步骤如下:

选中需合并的单元格,单击"开始"选项卡"对齐方式"选项组中的"合并后居中"按钮。

合并单元格时,Excel 2016 将把选中区域左上角单元格中的数据放入合并后的单元格。其余单元格中的数据将被合并单元格覆盖。

2. 分解单元格

合并后的单元格可以重新被分解为合并前的独立单元格。分解单元格的操作步骤如下:

选中需分解的单元格(此单元格必须为由多个单元格合并而成的单元格),单击"开始"选项卡"对齐方式"选项组中的"合并后居中"按钮,即可将选中的合并单元格分解。

分解单元格时,被分解单元格中的数据将保存在分解后位于左上角的那个单元格中。

4.5 Excel 2016 中公式和函数的使用

在 Excel 2016 中,可以在单元格中输入公式或使用 Excel 2016 中的函数来完成对工作表的计算。

4.5.1 输入公式

输入公式的操作类似于输入文字,不同的是,公式总是以等号"="开头,其后是公式表达式。在一个公式中,可以包含各种算术运算符、常量、变量、单元格地址等。

1. 常规方法

通常情况下,我们可以按以下操作步骤输入公式:

①选中需输入公式的单元格。

②键入公式的标志——等号"="。

③继续键入公式的具体内容。

④输入完毕按 Enter 键确认。

2. 自动计算

通过自动计算功能可以对选中的单元格区域进行自动计算,自动计算操作步骤如下:

选中要插入计算结果的单元格,切换到"公式"选项卡,单击"函数库"选项组中的"自动求和"下拉按钮,在下拉列表中选择一种计算方式自动计算,计算结果将显示在单元格区域下方或右边的单元格中。

4.5.2 公式中的运算符

Excel 2016 公式中使用的运算符主要有以下几种。

1. 算术运算符

算术运算符(见表 4-1)通常要求有两个数值型的运算分量,其运算结果为数值型。

表 4-1　算术运算符

运　算　符	含　义
＋	加
－	减
＊	乘
／	除
％	百分比
∧	乘方

2. 连接运算符

运算符"&"用于把两个字符串连接起来,可以连接一个或多个文本值,产生一个连续的新文本值。例如,"＝湖北省 & 咸宁市"的运算结果是"湖北省咸宁市"。

3. 比较运算符

比较运算符(见表 4-2)的运算结果是逻辑值"True"(真)或"False"(假)。

表 4-2　比较运算符

运　算　符	含　义
＝	等于
＜	小于
＜＝	小于等于
＞	大于
＞＝	大于等于
＜＞	不等于

如果公式中同时用到了多个运算符,Excel 2016 将按以下优先级顺序进行运算。负号的优先级最高,比较运算符的优先级最低。

①－(负号);
②％(百分号);
③∧(乘方);
④＊、／(乘、除);
⑤＋、－(加、减);
⑥&(连接文字);
⑦＝、＜、＜＝、＞、＞＝、＜＞(比较)。

此外,在公式中还可以使用圆括号,圆括号内的表达式先进行运算。

4.5.3　单元格引用

在公式中使用单元格地址,就形成了引用,引用的作用在于指明公式中使用数据的位置。通过引用,统计和分析将更方便和快捷。引用分为相对引用和绝对引用两种。

1. 按地址引用单元格

通常情况下,我们可以根据地址表示来引用单个单元格或单元格区域。

Excel 2016 工作表的行采用数字编号,列采用大写英文字母编号,我们可以使用单元格所在的行或列编号来表示单元格,规则如下:

(1)用"列号行号"的形式表示单个单元格,例如"A1"表示位于第 A 列第 1 行的单元格。

(2)用"左上角单元格地址:右下角单元格地址"表示一个矩形范围的单元格区域,例如"A1:C5"表示 A1 到 C5 矩形区域的 15 个单元格。

如果要表示一个不规则的单元格区域,就需要用到引用操作符",",例如我们可以使用"A1,C3,D2"来表示 A1、C3、D2 这 3 个单元格。

2. 引用操作

了解有关单元格地址的规则之后,我们就可以在公式中对单元格进行引用。在编辑公式时可以按以下两种操作方法引用单元格:

(1)直接在公式中键入引用的单元格或单元格区域的地址。

(2)使用鼠标在工作表中选中需引用的单元格或单元格区域,选中区域四周出现深绿色边框,同时选中区域的地址插入公式的光标位置。

如图 4-9 所示,假设我们要利用公式对 C3:G3 单元格区域中的所有单元格进行求和,并将结果存放在单元格 H3 中,可以按如下步骤进行操作:

①在工作表中选中 H3 单元格。

②依次键入字符"=SUM("(SUM 为求和函数)。

③在工作表中拖动鼠标选中需引用的单元格区域,选中区域的地址自动插入公式中光标所在位置。

④键入字符")",如图 4-10 所示,然后按 Enter 键。

	A	B	C	D	E	F	G	H
1	二班期末成绩表							
2	姓名	性别	语文	数学	物理	英语	体育	总分
3	吴小红	女	85	92	84	72	83	
4	李华	男	79	74	69	66	88	
5	刘璐	女	73	81	82	75	79	
6	杨晓兰	女	68	74	69	87	75	
7	周杰	男	67	92	86	77	78	
8	江小燕	女	73	65	67	82	80	
9	黄平	男	67	65	76	72	73	
10	郑大鹏	男	85	76	68	67	89	
11	胡志文	男	75	66	72	68	81	
12	杨玉华	女	73	72	56	83	78	
13	李文	男	67	57	66	72	90	

图 4-9 在公式中引用单元格示例

在使用鼠标选择需引用的单元格之前,需注意必须先将光标定位在公式中需插入单元格引用的位置。

3. 相对引用

在公式中引用单元格时,根据不同的需要,我们可以选择对单元格进行绝对引用或相对引用。

相对引用是我们使用得较多的引用方式,默认情况下,公式都使用相对引用,例如我们常见的形如"B1""C4:E6"的引用即是相对引用。在相对引用中,被引用单元格的位置与输入公式的单元格(公式单元格)的位置相关,当公式单元格的位置改变时,其引用的单元格的

	A	B	C	D	E	F	G	H
1	二班期末成绩表							
2	姓名	性别	语文	数学	物理	英语	体育	总分
3	吴小红	女	85	92	84	72	83	=SUM(C3:G3)
4	李华	男	79	74	69	66	88	
5	刘璐	女	73	81	82	75	79	
6	杨晓兰	女	68	74	69	87	75	
7	周杰	男	67	92	86	77	78	
8	江小燕	女	73	65	67	82	80	
9	黄平	男	67	65	76	72	73	
10	郑大鹏	男	85	76	68	67	89	
11	胡志文	男	75	66	72	68	81	
12	杨玉华	女	73	72	56	83	78	
13	李文	男	67	57	66	72	90	

图 4-10 在公式中引用单元格地址后完成公式

位置也会发生相应的变化。

例如，在单元格 B2 中键入公式"=C3"，通常会认为是在公式中引用了位于第 C 列第 3 行的单元格，但实际上准确的说法应该是，在公式中引用了位于公式单元格右边一列、下面一行的单元格，也就是说，公式中的单元格引用"C3"并不是表示"第 C 列第 3 行"这样一个绝对的位置，而是表示其相对于公式单元格 B2 的位置。

相对引用的好处是，当我们移动、复制或自动填充公式单元格时，可以保持公式单元格和引用单元格的相对位置不变。

如图 4-11 所示，我们在单元格 C1 中输入了公式"=A1"，计算结果为 1，现在将该公式单元格复制到下边的单元格 C2 和 C3 中，计算结果分别为 3 和 5，查看其中的公式内容，会发现 C2 中的公式为"=A2"，C3 中的公式为"=A3"，均对应其左边两列的单元格数据。可以看到，在相对引用中，当公式单元格向某个方向偏移时，它所引用的单元格同样会向该方向偏移。

4. 绝对引用

与相对引用不同，绝对引用的单元格位置不会随公式单元格位置的改变而改变。

绝对引用的形式是在单元格的行号和列号前加上符号"$"，如"$A$1"表示对单元格 A1 进行绝对引用，"$A$1:$C$3"表示对单元格区域 A1:C3 进行绝对引用。

如图 4-12 所示，我们在单元格 C1 中输入了公式"=$A$1"，计算结果为 1，现在将该公式单元格复制到下边的单元格 C2 和 C3 中，计算结果都是 1，查看其中的公式内容，会发现 C2 和 C3 中的公式都为"=$A$1"。可以看到，在绝对引用中，当公式单元格向某个方向偏移时，它所引用的单元格不会发生变化。

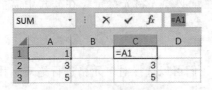

图 4-11 相对引用

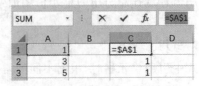

图 4-12 绝对引用

5. 自动填充公式

自动填充公式是对自动填充功能和相对引用的综合应用，将二者结合起来可以得到事半功倍的效果。下面我们结合一个实例来讲述自动填充公式的应用。

如图 4-9 所示，工作表中有学生的各门课程的成绩数据，假如我们要在"总分"栏中计算出每一位学生的总分，可按如下操作步骤进行：

①选中"总分"栏中的第一个单元格 H3。
②在该单元格中键入公式"=SUM(C3:G3)"并按 Enter 键确认。
③用鼠标拖动单元格 H3 右下角的填充柄至单元格 H13。

可以看到，通过简单的几步操作，我们就完成了对每一位学生总分的计算，如图 4-13 所示。

	A	B	C	D	E	F	G	H
1				二班期末成绩表				
2	姓名	性别	语文	数学	物理	英语	体育	总分
3	吴小红	女	85	92	84	72	83	416
4	李华	男	79	74	69	66	88	376
5	刘璐	女	73	81	82	75	79	390
6	杨晓兰	女	68	74	69	87	75	373
7	周杰	男	67	92	86	77	78	400
8	江小燕	女	73	65	67	82	80	367
9	黄平	男	67	65	76	72	73	353
10	郑大鹏	男	85	76	68	67	89	385
11	胡志文	男	75	66	72	68	81	362
12	杨玉华	女	73	72	56	83	78	362
13	李文	男	67	57	66	72	90	352

图 4-13　自动填充功能与相对引用的综合应用实例

相对引用同样在这里发挥了作用，公式单元格被填充到每一个单元格时，其引用的单元格都自动进行了相应的变化。

4.5.4　使用函数

Excel 2016 提供了大量预定义的函数，用来执行数字、日期和时间、财务和统计等方面的计算。利用函数能很好地提高计算效率。

函数由函数名和参数组成，各参数之间用逗号隔开，例如"SUM(A1,B3)"。输入包含函数的公式操作步骤如下：

①选中需输入公式的单元格。
②键入公式中的常量、运算符等内容，并将光标定位在需插入函数的位置。
③单击编辑栏左边的"插入函数"按钮，然后在"插入函数"对话框的"选择函数"列表中选择需要的函数，在出现的"函数参数"对话框中会给出该函数的参数输入框和函数简介。
④在参数输入框中输入函数的参数，单击"确定"按钮。
⑤重复步骤③和步骤④可以在公式中插入多个函数。
⑥在编辑栏中完成公式其余内容的输入后按 Enter 键完成公式创建。

4.5.5　常用函数介绍

1. SUM 函数

SUM 函数的功能是计算参数表中所有元素的和，其语法表达式为

$$=SUM(number1, number2, \cdots)$$

SUM 函数参数列表中的参数可以是单个值,也可以是单元格的引用或单元格区域的引用。若参数是单元格的引用或单元格区域的引用,即为计算该单元格或单元格区域中的所有数值的和。例如:

"=SUM(A1:B2)"是计算单元格区域 A1:B2 中所有数值的和。

"=SUM(A1:B2,C2:C10)"是计算单元格区域 A1:B2 以及单元格区域 C2:C10 中所有数值的和。

2. AVERAGE 函数

AVERAGE 函数的功能是计算参数表中所有元素的平均值,其语法表达式为

=AVERAGE(number1,number2,…)

AVERAGE 函数参数列表中的参数可以是单个值、单元格的引用或单元格区域的引用。

例如,"=AVERAGE(A1:C3)"是计算单元格区域 A1:C3 中所有数值的平均数。

3. MAX 函数

MAX 函数的功能是返回参数表中所有元素的最大值,其语法表达式为

=MAX(number1,number2,…)

如图 4-14 所示,在 C14 单元格中用 MAX 函数计算以上语文成绩中的最高分,计算区域为 C3:C13,返回结果为"85"。

	A	B	C	D	E	F	G	H
1				二班期末成绩表				
2	姓名	性别	语文	数学	物理	英语	体育	总分
3	李文	男	67	57	66	72	90	352
4	黄平	男	67	65	76	72	73	353
5	胡志文	男	75	66	72	68	81	362
6	杨玉华	女	73	72	56	83	78	362
7	江小燕	女	73	65	67	82	80	367
8	杨晓兰	女	68	74	69	87	75	373
9	李华	男	79	74	69	66	88	376
10	郑大鹏	男	85	76	68	67	89	385
11	刘璐	女	73	81	82	75	79	390
12	周杰	男	67	92	86	77	78	400
13	吴小红	女	85	92	84	72	83	416
14	最高分		85					

图 4-14 利用 MAX 函数计算最高分

4. COUNT 函数

COUNT 函数的功能是计算参数表中数字单元格的个数,其语法表达式为

=COUNT(number1,number2,…)

如图 4-15 所示,在 H15 单元格中用 COUNT 函数计算区域 H2:H14 中数字单元格的个数,计算结果为"11"。

5. IF 函数

IF 函数的功能是判断是否满足某个条件,若满足返回一个值,不满足则返回另一个值,其语法表达式为

=IF(logical_test,value_if_ture,value_if_false)

图 4-15 利用 COUNT 函数计数

以上表达式表示，如果满足 logical_test 条件，则返回结果为 value_if_ture，否则返回结果为 value_if_false。

如图 4-16 所示，在 D6 单元格中的公式为"=IF(C6>=60,"及格","不及格")"，由于 C6 单元格中的分数为 56，不满足条件"C6>=60"，因此 D6 单元格的公式计算结果为"不及格"。

图 4-16 IF 函数应用举例

6. SUMIF 函数

SUMIF 函数的功能是对满足条件的单元格求和，其语法表达式为

$$=SUMIF(range, criteria, sum\_range)$$

其中：range 为要求值的单元格区域；criteria 为条件；sum_range 为要求和计算的实际单元格，如果省略，则为区域中的单元格。

例如，"=SUMIF(A1:B2,">50")"是计算单元格区域 A1:B2 中大于 50 的数值的和。

如果需要，可将条件应用于一个区域并对其他区域中的对应值求和。例如，公式"=SUMIF(B3:B10,"男"，C3:C10)"只对区域 C3:C10 中在区域 B3:B10 中所对应的单元格值为"男"的单元格的值进行求和。

4.6 Excel 2016 的数据库功能

Excel 2016 提供了排序、筛选与分类汇总等数据库功能,方便我们对表格中大量的数据进行处理。

4.6.1 数据排序

Excel 2016 中提供了自动排序的功能,可以将数据按数字顺序、日期顺序、拼音顺序、笔画顺序进行排列。数据排序可分为简单排序和复杂排序。

1. 简单排序

简单排序是将数据表格按某一个关键字进行快速排序。

简单排序操作步骤如下:

①选中位于排序列的任意单元格。

②单击"数据"选项卡"排序和筛选"选项组中的"升序"按钮 可将该列数据进行升序排列,单击"降序"按钮 可将该列数据进行降序排列。

2. 复杂排序

如果对排序要求较高,可以按以下步骤对数据清单进行复杂排序。复杂排序操作步骤如下:

①将光标放在数据区域的任一单元格中。

②单击"数据"选项卡"排序和筛选"选项组中的"排序"按钮,弹出如图 4-17 所示的"排序"对话框。

图 4-17 "排序"对话框

③选择主要关键字,并选择排序依据和次序,然后单击"添加条件"按钮,再对"次要关键字"进行设置。

④在"排序"对话框中指定数据是否包含标题。

⑤单击"确定"按钮,即可按设定的排序方式进行排序。

例如,按图 4-17 所示的设置对图 4-18 中的数据进行排序后,结果如图 4-19 所示。

从图 4-19 中可以看到,系统先按"总分"列数据进行升序排序,对总分相同的学生,则按"数学"列数据进行升序排序。

二班期末成绩表

姓名	性别	语文	数学	物理	英语	体育	总分
吴小红	女	85	92	84	72	83	416
李华	男	79	74	69	66	88	376
刘璐	女	73	81	82	75	79	390
杨晓兰	女	68	74	69	87	75	373
周杰	男	67	92	86	77	78	400
江小燕	女	73	65	67	82	80	367
黄平	男	67	65	76	72	73	353
郑大鹏	男	85	76	68	67	89	385
胡志文	男	75	66	72	68	81	362
杨玉华	女	73	72	56	83	78	362
李文	男	67	57	66	72	90	352

图 4-18 排序前成绩表

二班期末成绩表

姓名	性别	语文	数学	物理	英语	体育	总分
李文	男	67	57	66	72	90	352
黄平	男	67	65	76	72	73	353
胡志文	男	75	66	72	68	81	362
杨玉华	女	73	72	56	83	78	362
江小燕	女	73	65	67	82	80	367
杨晓兰	女	68	74	69	87	75	373
李华	男	79	74	69	66	88	376
郑大鹏	男	85	76	68	67	89	385
刘璐	女	73	81	82	75	79	390
周杰	男	67	92	86	77	78	400
吴小红	女	85	92	84	72	83	416

图 4-19 排序结果

4.6.2 筛选数据

对于数据量较大的数据库,我们往往需要从大量的数据中按某些条件筛选出需要的数据记录。Excel 2016 中提供了自动筛选和高级筛选两种筛选数据的方法。

1. 自动筛选

1) 自动筛选定值

将光标放在表格区域中,单击"数据"选项卡"排序和筛选"选项组中的"筛选"按钮,自动筛选箭头会出现在筛选清单字段名的右边,如图 4-20 所示,此时可以对数据记录进行各种方式的自动筛选。

进入自动筛选状态后,单击某个字段名右边的自动筛选箭头将显示该列中所有单元格数值列表,在列表中选择某个数值,即可将该字段数值不等于选定值的记录进行隐藏。

如在图 4-20 中单击"性别"字段右边的下拉箭头,然后在列表中选择"女"项,工作表中只显示"性别"字段值为"女"的记录,而将其余记录全部隐藏,筛选结果如图 4-21 所示。

2) 自定义自动筛选

在自动筛选状态下还可以自定义一个或两个比较条件来筛选数据。自定义自动筛选操作步骤如下:

① 在数据表中单击筛选字段右边的自动筛选箭头,将鼠标指向弹出菜单中的"数字筛

二班期末成绩表							
姓名	性别	语文	数学	物理	英语	体育	总分
李文	男	67	57	66	72	90	352
黄平	男	67	65	76	72	73	353
胡志文	男	75	66	72	68	81	362
杨玉华	女	73	72	56	83	78	362
江小燕	女	73	65	67	82	80	367
杨晓兰	女	68	74	69	87	75	373
李华	男	79	74	69	66	88	376
郑大鹏	男	85	76	68	67	89	385
刘璐	女	73	81	82	75	79	390
周杰	男	67	92	86	77	78	400
吴小红	女	85	92	84	72	83	416

图 4-20　筛选清单字段名的右边出现自动筛选箭头

二班期末成绩表							
姓名	性别	语文	数学	物理	英语	体育	总分
杨玉华	女	73	72	56	83	78	362
江小燕	女	73	65	67	82	80	367
杨晓兰	女	68	74	69	87	75	373
刘璐	女	73	81	82	75	79	390
吴小红	女	85	92	84	72	83	416

图 4-21　自动筛选定值结果

选",在其级联菜单中单击"自定义筛选"命令打开"自定义自动筛选方式"对话框,如图 4-22 所示。

图 4-22　"自定义自动筛选方式"对话框

②在对话框中输入第一个条件(在左边的列表框中选择比较符号,在右边的列表框中输入比较数值)。

③单击"与"或"或"单选框选择两个条件之间的逻辑关系。

④输入第二个条件。

⑤单击"确定"按钮。

图 4-23 所示为从图 4-20 所示的所有学生记录中筛选出的总分大于等于 360 并且小于等于 400 的学生记录。

二班期末成绩表							
姓名	性别	语文	数学	物理	英语	体育	总分
胡志文	男	75	66	72	68	81	362
杨玉华	女	73	72	56	83	78	362
江小燕	女	73	65	67	82	80	367
杨晓兰	女	68	74	69	87	75	373
李华	男	79	74	69	66	88	376
郑大鹏	男	85	76	68	67	89	385
刘璐	女	73	81	82	75	79	390
周杰	男	67	92	86	77	78	400

图 4-23　自定义自动筛选结果

3）自动筛选最大/最小值

在自动筛选状态下还可以方便地筛选出某个字段数值最大或最小的前几个记录。自动筛选最大/最小值操作步骤如下：

①在数据表中单击筛选字段右边的自动筛选箭头，然后在弹出的菜单中指向"数字筛选"，在其级联菜单中单击"前 10 项"命令打开"自动筛选前 10 个"对话框。

②在"最大"或"最小"列表框中选择筛选出最大值还是最小值。

③在数值框中指定筛选记录个数。

④单击"确定"按钮。

2．高级筛选

如果要对数据表进行更为详细的筛选，则可以使用高级筛选方式。使用高级筛选方式既可以对单个列应用多个条件，也可以对多个列应用多个条件。

使用高级筛选时，首先要在工作表中输入筛选条件。输入筛选条件时应遵循以下规则：

（1）条件区域的第一行是条件标志行，其中为数据清单的各字段名。

（2）条件标志行下至少有一行用来定义筛选条件。

（3）如果某个字段具有两个以上筛选条件，可在条件区域中对应的条件标志下的单元格中依次键入各条件，各条件之间的逻辑关系为"或"。

（4）要筛选同时满足两个以上字段条件的记录，可在条件区域的同一行中对应的条件标志下输入各条件，各条件之间的逻辑关系为"与"。

（5）要筛选满足两个或多个字段条件之一的记录，可在条件区域的不同行中输入各条件，各条件之间的逻辑关系为"或"。

（6）筛选满足多组条件（每一组条件都包含针对多个字段的条件）之一的记录，可将各组条件在条件区域的不同行中输入。

基本上我们可以这样来理解：在条件区域中，同一行中各条件之间的逻辑关系为"与"，不同行中各条件之间的逻辑关系为"或"。

掌握筛选条件的规则之后，就可以在工作表中输入条件来筛选数据清单。高级筛选操作步骤如下：

①在工作表中输入筛选条件，如图 4-24 所示。

②单击"数据"选项卡"排序和筛选"选项组中的"高级筛选"按钮，打开"高级筛选"对话框，如图 4-25 所示。

二班期末成绩表							
姓名	性别	语文	数学	物理	英语	体育	总分
李文	男	67	57	66	72	90	352
黄平	男	67	65	76	72	73	353
胡志文	男	75	66	72	68	81	362
杨玉华	女	73	72	56	83	78	362
江小燕	女	73	65	67	82	80	367
杨晓兰	女	68	74	69	87	75	373
李华	男	79	74	69	66	88	376
郑大鹏	男	85	76	68	67	89	385
刘璐	女	73	81	82	75	79	390
周杰	男	67	92	86	77	78	400
吴小红	女	85	92	84	72	83	416
			数学	物理			
			>=70	>=70			

图 4-24 在工作表中输入筛选条件

图 4-25 "高级筛选"对话框

③选择"在原有区域显示筛选结果",或将筛选结果复制到其他位置。
④在"列表区域"框中指定被筛选的数据区域。
⑤在"条件区域"框中指定存放筛选条件的区域。
⑥如果步骤③中选择将筛选结果复制到其他位置,在"复制到"框中指定复制位置。
⑦单击"确定"按钮。

按图 4-24 中输入的筛选条件可从数据表中筛选出所有数学成绩大于等于 70 分且物理成绩大于等于 70 分的记录。高级筛选结果如图 4-26 所示。

二班期末成绩表							
姓名	性别	语文	数学	物理	英语	体育	总分
刘璐	女	73	81	82	75	79	390
周杰	男	67	92	86	77	78	400
吴小红	女	85	92	84	72	83	416
			数学	物理			
			>=70	>=70			

图 4-26 高级筛选结果

4.6.3 分类汇总

汇总是指对数据库中的某列数据进行求和、求平均值等计算。分类汇总是指根据数据表中的某一列数据将所有记录分类,然后对每一类记录进行分别汇总,例如在企业工资报表中将工资按部门进行汇总。

Excel 2016 可通过数据表中的分类汇总和总计值来自动汇总数据。使用自动分类汇总的数据表必须满足以下两个条件:

① 具有列标题(字段名)。
② 数据表必须在要进行分类汇总的分类列上排序。

1. 创建分类汇总

在 Excel 2016 中可以按以下操作步骤创建分类汇总:

① 将分类列排序。
② 单击"数据"选项卡"分级显示"选项组中的"分类汇总"按钮,打开"分类汇总"对话框。
③ 在"分类字段"列表中选择作为分类依据的字段。
④ 在"汇总方式"列表中选择汇总的计算方式。
⑤ 在"选定汇总项"列表中选中需汇总的字段对应的复选框。
⑥ 如果要从头开始分类汇总并替换掉原有的汇总,选中"替换当前分类汇总"复选框;如果要在原有汇总的基础上创建多级汇总,则取消勾选"替换当前分类汇总"复选框。
⑦ 单击"确定"按钮关闭对话框。

图 4-27 所示为将电器销售情况表按"销售部门"分类汇总的操作过程,其中的汇总项为"销售数量",汇总结果如图 4-28 所示。

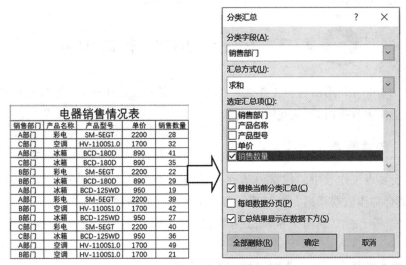

图 4-27 分类汇总操作过程

从这个例子中可以看到,在创建分类汇总的过程中,我们需在对话框中指定以下几个选项:

① 分类字段:选择根据数据表中的哪个字段进行分类,千万要记住事先必须对这个字段进行排序。

电器销售情况表				
销售部门	产品名称	产品型号	单价	销售数量
A部门	彩电	SM-5EGT	2200	28
A部门	冰箱	BCD-180D	890	41
A部门	冰箱	BCD-125WD	950	19
A部门	彩电	SM-5EGT	2200	39
A部门	空调	HV-1100S1.0	1700	49
A部门 汇总				176
B部门	彩电	SM-5EGT	2200	22
B部门	冰箱	BCD-180D	890	29
B部门	空调	HV-1100S1.0	1700	42
B部门	冰箱	BCD-125WD	950	27
B部门	空调	HV-1100S1.0	1700	21
B部门 汇总				141
C部门	空调	HV-1100S1.0	1700	32
C部门	冰箱	BCD-180D	890	35
C部门	彩电	SM-5EGT	2200	40
C部门	冰箱	BCD-125WD	950	36
C部门 汇总				143
总计				460

图 4-28　汇总结果

②汇总方式:选择对要汇总的数据项进行哪种汇总运算,根据不同的需要可选择求和、平均值、最大值、最小值等。

③选定汇总项:选择对数据清单中的哪些字段的数据进行汇总。

2. 删除分类汇总

删除分类汇总的方法是,先单击"数据"选项卡"分级显示"选项组中的"分类汇总"按钮,打开"分类汇总"对话框,然后单击其中的"全部删除"按钮。

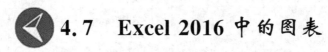

4.7　Excel 2016 中的图表

Excel 2016 中可利用图表将工作表中的数据用图形表示出来,与生成它们的工作表相对照。修改工作表数据时,图表也会被更新。

4.7.1　创建图表

创建图表要以工作表中的数据为基础,工作表中的数据转化为图表中的一连串数值的集合,这种集合称作数据系列。在创建图表时必须选定数据源。

以图 4-29 所示的二班期末成绩表为数据源,根据其中的数据来创建图表,操作步骤如下:

①在工作表中选中用于生成图表的源数据区域。

②单击"插入"选项卡。

③在"图表"选项组中单击相应的类型按钮,出现下拉菜单。

④在下拉菜单中单击选择子类型。

例如,在选择"插入柱形图"—"簇状柱形图"后,工作表中插入了一张图表,如图 4-30 所示。

二班期末成绩表						
姓名	性别	语文	数学	物理	英语	体育
李文	男	67	57	66	72	90
黄平	男	67	65	76	72	73
胡志文	男	75	66	72	68	81
杨玉华	女	73	72	56	83	78
江小燕	女	73	65	67	82	80
杨晓兰	女	68	74	69	87	75
李华	男	79	74	69	66	88
郑大鹏	男	85	76	68	67	89
刘璐	女	73	81	82	75	79
周杰	男	67	92	86	77	78
吴小红	女	85	92	84	72	83

图 4-29 工作表数据源

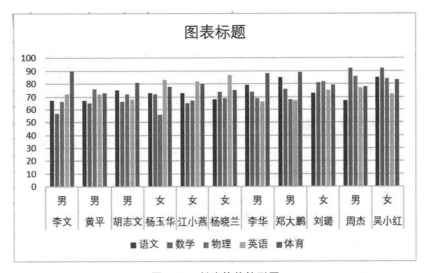

图 4-30 创建簇状柱形图

4.7.2 改变图表类型

在插入图表后，如果觉得类型或数据源不符合要求，可以对其进行更改。

改变图表类型的操作步骤如下：

①选中要改变类型的图表。

②单击"图表工具"功能区"设计"选项卡"类型"选项组中的"更改图表类型"按钮，或右击鼠标，从弹出的快捷菜单中选择"更改图表类型"命令，弹出"更改图表类型"对话框，如图4-31所示。

③选择新的图表类型和子图表类型。

④单击"确定"按钮，完成图表类型的更改。

4.7.3 更改数据源

更改图表数据源的操作方法如下：

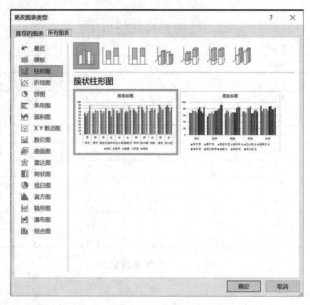

图 4-31 "更改图表类型"对话框

选中要改变类型的图表,单击"图表工具"功能区"设计"选项卡"数据"选项组中的"选择数据"按钮,弹出"选择数据源"对话框,如图 4-32 所示,单击"图表数据区域"文本框右边的 ⬆ 按钮,返回工作表,拖动鼠标选择表格中的相应数据,然后单击 ⬇ 按钮,返回"选择数据源"对话框,刚才选择的数据源就取代了原有的数据源。

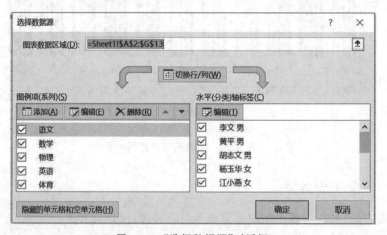

图 4-32 "选择数据源"对话框

4.7.4 在图表中添加标题

添加图表标题的操作步骤如下:

新插入的图表上方有一个文本框,其中显示"图表标题",双击文本框可在文本框中输入指定文字,即可用指定文字添加标题。

添加坐标轴标题的操作步骤如下:

选中要添加坐标轴标题的图表,单击"图表工具"功能区"设计"选项卡"图表布局"选项组中的"添加图表元素"按钮,在下拉菜单中选择"坐标轴标题"的"主要横坐标轴"命令,可以看到在图表下方添加了一个文本框,其中显示"坐标轴标题",双击文本框并在文本框中输入文字,即可按指定文字添加横坐标轴标题。

单击"图表布局"选项组中的"添加图表元素"按钮,在下拉菜单中选择"坐标轴标题"的"主要纵坐标轴"命令,可以看到在图表左侧添加了一个文本框,其中显示"坐标轴标题",在文本框中输入文字,即可按指定文字添加纵坐标轴标题。

4.8　Excel 2016 中的数据透视表和数据透视图

使用 Excel 2016 的数据透视表功能,用户可以对数量庞大的数据进行二次分析,通过建立行列交叉的交互式表格对工作表数据进行重新组合,方便从多个维度对数据进行排序、筛选、汇总和浏览。

4.8.1　创建与删除数据透视表

图 4-33 所示的是电器销售情况表,根据其中的数据来创建数据透视表的操作步骤如下:

①在工作表中选中用于生成数据透视表的源数据区域。

②单击"插入"选项卡。

③在"表格"选项组中单击"数据透视表"按钮,弹出"创建数据透视表"对话框,如图 4-34 所示,在对话框中设置数据所在区域和数据透视表放置区域。此例中保持默认值不变。

④单击"确定"按钮,可以看到在原工作表前面插入了一个新的工作表,在工作表的左侧自动创建了一个空的数据透视表,在右侧显示了数据透视表窗格和字段布局设置区域,如图 4-35 所示。

⑤在"数据透视表字段"窗格的字段列表中,勾选需要的字段,将其添加到字段布局设置区域中,也可以通过直接拖动鼠标的方式,直接将所需字段拖动到字段布局设置区域的合适项中;或者右击字段名称,在弹出的快捷菜单中选择"添加到行标签""添加到列标签""添加到值"其中一项,将其添加到字段布局设置区域。将字段添加到"值"区域时,默认为对其进行求和运算,可以通过单击字段名称右侧的下拉按钮,在展开的菜单中选择"值字段设置"命令,在打开的"值字段设置"对话框中对值字段的计算方式进行设置。

电器销售情况表

销售部门	产品名称	产品型号	单价	销售数量	销售金额
A部门	彩电	SM-5EGT	2200	28	61600
A部门	冰箱	BCD-180D	890	41	36490
A部门	冰箱	CD-125WI	950	19	18050
A部门	彩电	SM-5EGT	2200	39	85800
A部门	空调	IV-1100S1	1700	49	83300
B部门	彩电	SM-5EGT	2200	22	48400
B部门	冰箱	BCD-180D	890	29	25810
B部门	空调	IV-1100S1	1700	42	71400
B部门	冰箱	CD-125WI	950	27	25650
B部门	空调	IV-1100S1	1700	21	35700
C部门	空调	IV-1100S1	1700	32	54400
C部门	冰箱	BCD-180D	890	35	31150
C部门	彩电	SM-5EGT	2200	40	88000
C部门	冰箱	CD-125WI	950	36	34200

图 4-33　创建数据透视表的数据源

图 4-34 "创建数据透视表"对话框

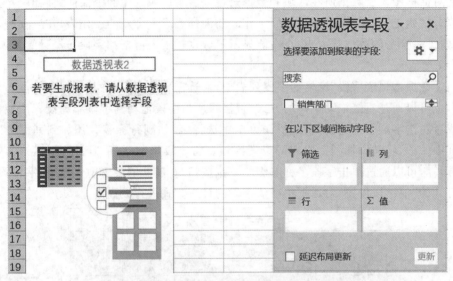

图 4-35 保持默认值创建数据透视表后的工作窗口

我们选择图 4-33 中的"产品名称"为行标签,"销售部门"为列标签,"销售数量"为数值,则在工作表左侧自动显示的数据透视表如图 4-36 所示。

如果想要删除数据透视表,只要选择整个数据透视表区域,然后按键盘上的 Delete 键即可。

4.8.2 创建与删除数据透视图

数据透视图是在数据透视表的基础上创建的,既具有数据透视表的报表数据交互式汇总的特点,又具有图表的可视性优点。如果在创建数据透视图之前没有创建数据透视表,则

图 4-36　设置完成后的数据透视表

在创建数据透视图时同时创建数据透视表。

在图 4-36 中创建的数据透视表的基础上创建相应的数据透视图的具体过程如下：

①单击数据透视表区域内的任意单元格。

②单击"数据透视表工具"功能区"分析"选项卡"工具"分组中的"数据透视图"按钮。

③在弹出的"插入图表"对话框中选择所需图表类型，单击"确定"按钮，完成创建。

例如，选择图表类型为"簇状柱形图"，则数据透视图如图 4-37 所示。

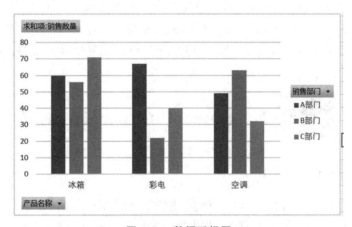

图 4-37　数据透视图

如果想要删除数据透视图，只要选中数据透视图，然后按键盘上的 Delete 键即可。

第 5 章 PowerPoint 2016 演示文稿

PowerPoint 2016 是 Microsoft Office 推出的一款演示文稿制作软件,提供幻灯片主题、版式、图文展示、放映及打印等各种功能。演示文稿正成为人们工作、生活的重要组成部分,在工作汇报、企业宣传、产品推介、婚礼庆典、项目竞标、管理咨询等领域应用广泛。本章将详细介绍 PowerPoint 2016 应用软件的使用方法,内容包括 PowerPoint 2016 的工作界面及演示文稿的创建与编辑,幻灯片背景、主题、版式及母版的相关操作,幻灯片动画效果的设置方法(包括幻灯片的切换、应用动画方案、制作和修改各种动画效果等),以及幻灯片的放映、打印及打包输出等。通过本章的学习,读者能够熟练地使用 PowerPoint 2016 应用软件,并能够制作出符合行业要求的演示文稿。

【知识要点】
- PowerPoint 2016 的工作界面及演示文稿的创建与编辑
- 幻灯片版式、主题及母版的修改、保护、删除和重命名等操作
- 幻灯片动画效果的设置方法,包括幻灯片的切换、应用动画方案、制作和修改各种动画效果等

5.1　PowerPoint 2016 概述

5.1.1　PowerPoint 2016 简介

PowerPoint 2016 是一款用于制作、维护、播放演示文稿的应用软件,可在演示文稿中插入和编辑文本、表格、图片、音频、视频、艺术字、公式、SmartArt 图形等对象,并设置幻灯片的切换和动画效果。演示文稿是由若干张连续的幻灯片所组成的文档,幻灯片是演示文稿的组成单位。图 5-1 所示为 PowerPoint 2016 的初始启动界面。

5.1.2　PowerPoint 2016 制作流程

演示文稿(常用 PowerPoint 指代,简称 PPT)的制作,不仅靠技术,而且靠创意和理念。掌握基本操作之后,依照制作流程进一步融合独特的想法和创意,可以让我们制作出令人惊叹的 PPT。制作流程如下:

(1) 列出提纲。不使用模板,每页列一个提纲,查阅资料并添加内容到 PPT 中,将重点内容标注出来。

(2) 设计内容。能做成图的内容尽量以图的形式展示,无法做成图的文字可提炼出中心内容,并用大号字体和醒目的文字展示。

(3) 选择合适的母版。根据 PPT 表现的内涵选用不同的色彩搭配,如果觉得 Office 自带的母版不合适,可在母版视图中对元素进行调整,如背景图、标志、装饰图等。选择母版后

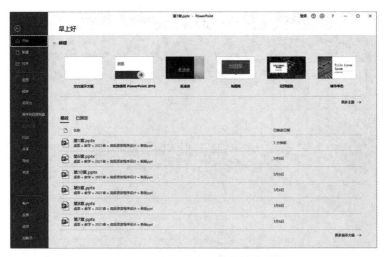

图 5-1　PowerPoint 2016 的初始启动界面

根据需要调整标题、文本的位置。

(4)美化幻灯片。据母版色调,对图片进行美化,如调整颜色、阴影、立体感、线条,美化表格,突出文字等。

(5)添加动画和切换效果。为幻灯片添加动画和切换效果。

(6)放映,检查,修改。

5.1.3　PowerPoint 2016 的启动与退出

1. 启动 PowerPoint 2016

启动 PowerPoint 2016 的方法有很多,这里主要介绍常用的 3 种方法。

1)"开始"菜单启动

单击"开始"按钮,在所有程序中选择"Microsoft Office 2016"—"PowerPoint 2016"启动程序。

2)桌面快捷方式启动

如在桌面上已创建 PowerPoint 2016 应用程序的快捷方式,直接双击快捷方式便可启动 PowerPoint 2016。

3)利用已有的演示文稿文件打开程序

如有已保存的演示文稿(扩展名为 PPTX),双击文件后计算机在启动 PowerPoint 2016 程序的同时打开文件。

2. 退出 PowerPoint 2016

退出 PowerPoint 2016 的方法通常有以下 3 种。

(1)直接单击 PowerPoint 2016 控制按钮中的"关闭"按钮。

(2)单击"文件"选项卡,再单击"关闭"按钮。

(3)双击 PowerPoint 2016 窗口左上角。

5.1.4　PowerPoint 2016 的窗口布局

PowerPoint 2016 程序窗口如图 5-2 所示。

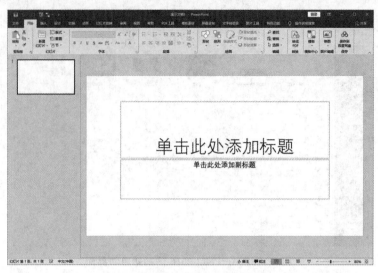

图 5-2　PowerPoint 2016 程序窗口

1. 标题栏

程序窗口顶端是标题栏。在标题栏上显示的是当前执行的应用软件名（"PowerPoint"）和演示文稿名（默认文件名为"演示文稿 1"）。

2. 快速访问工具栏

该工具栏中显示常用的工具图标，单击图标可执行相应的命令。添加或删除快速访问工具栏中的图标，可通过单击 ▼ 按钮，在弹出的"自定义快速访问工具栏"菜单中重新勾选。

3. 功能区选项卡

PowerPoint 提供的功能区选项卡，是用户控制 PowerPoint 的主要工具，通过单击选项卡可以显示功能区中的按钮和命令。默认情况下，PowerPoint 2016 主要包含"文件""开始""插入""设计""切换""动画""幻灯片放映""审阅""视图""帮助""PDF 工具""模板素材""屏幕录制""图片工具"等功能区选项卡，除此之外还包含一些不常用的及嵌入的组件，如公式编辑器、雨课堂、百度网盘等。

4. 功能区组

功能区选项卡以组的形式管理命令，每个组由相关的命令组成。例如，"插入"选项卡包括"表格""插图""链接"等组。

5. 幻灯片窗格

幻灯片窗格显示当前幻灯片。它是编辑幻灯片的主要区域，在此可以对文本、图片、表格、电影、声音、超链接、SmartArt 图形和动画等对象进行添加、修改和删除操作。

6. 状态栏

在 PowerPoint 窗口最底端是状态栏，这里主要显示一些与当前编辑的演示文稿有关的信息，如幻灯片的张数，当前处理的是第几张幻灯片，视图方式，显示比例等。备注区可以输入备注信息，在放映状态时备注信息不会显示。

5.1.5　PowerPoint 2016 的主要视图类型

视图是文档在计算机屏幕上的显示方式。PowerPoint 2016 共提供了多种视图，以下着重介绍5种视图,分别是普通视图、大纲视图、幻灯片浏览视图、备注页视图和阅读视图。

1. 普通视图

启动 PowerPoint 2016 后首先看到的是普通视图。普通视图是主要的编辑视图,用于撰写或设计演示文稿。该视图中有3个工作窗格,即选项卡窗格、幻灯片窗格和备注窗格。单击 PowerPoint 2016 窗口状态栏中的普通视图按钮或选择"视图"选项卡中的"普通"命令均可切换到普通视图。

2. 大纲视图

在大纲视图中,可以对在其窗体中显示的幻灯片文本进行撰写和修改。

3. 幻灯片浏览视图

单击"视图"选项卡中的"幻灯片浏览"按钮即可切换到幻灯片浏览视图,如图5-3所示。在该视图中,幻灯片呈行列排列,用户可以对其进行添加、编辑、移动、复制、删除等操作,但是不能对单张幻灯片内容进行编辑。如果要对单张幻灯片内容进行编辑,可双击该幻灯片,切换到普通视图进行编辑。

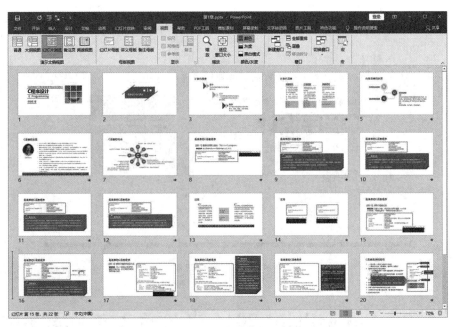

图 5-3 幻灯片浏览视图示例

4. 备注页视图

单击"视图"选项卡下的"备注页"按钮,切换到备注页视图,该视图分为上、下两部分,上面是幻灯片,下面为备注页,有一个文本框,文本框用以输入备注内容,如图5-4所示。

备注页是演示者对幻灯片的注释或提示,备注页视图与备注窗格略有不同的是,在备注窗格中用户只能添加文本,若想在备注中加入图形,则必须使用备注页视图。

5. 阅读视图

幻灯片在阅读视图中只显示标题栏、状态栏和幻灯片放映效果,如图5-5所示,该视图一般用于幻灯片的简单预览。

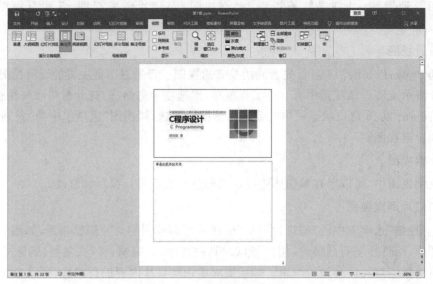

图 5-4　备注页视图示例

图 5-5　阅读视图示例

5.2　PowerPoint 2016 中演示文稿的基本操作

演示文稿在演讲、教学、产品展示等方面有广泛应用，因此，PowerPoint 是一款非常实用的办公软件。演示文稿由一系列幻灯片组成，每张幻灯片可包含标题、文字、数字、图片、音频、视频等对象，还可设置各种切换效果及动画效果，从而能够更生动地向观众表达观点。

5.2.1　演示文稿的创建、打开和保存

1. 演示文稿的创建

1) 创建空白演示文稿

启动 PowerPoint 2016，选择新建一个空白演示文稿，默认文件名为"演示文稿 1"，默认情况下，该文件只包含一张标题幻灯片，窗口如图 5-2 所示。

2）模板或主题下创建演示文稿

设计模板能帮助用户快速制作出具有专业水平的演示文稿，其中包含演示文稿的样式、项目符号、字体的类型及大小、背景样式、配色方案以及幻灯片母版等。选择"新建"区的样本模板，可利用本地计算机存储的模板文件创建演示文稿，如图 5-6 所示。

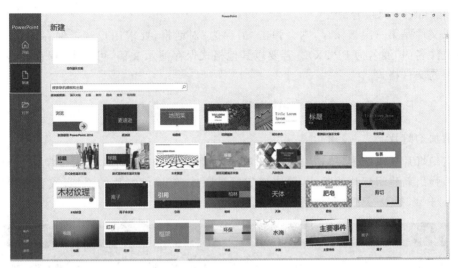

图 5-6 "新建"区演示文稿样本模板

如果要从网络上获取模板，可以在"搜索联机模板和主题"处输入模板类型进行搜索，此处输入"旅行"，结果如图 5-7 所示，选择所需的模板，然后单击"创建"按钮，将模板文件下载到本地计算机，再创建演示文稿。

图 5-7 输入"旅行"搜索联机模板

2. 演示文稿的打开

双击演示文稿文件，可自动运行 PowerPoint 2016 并打开文件，也可以单击"文件"选项卡上的"打开"命令，在"打开"对话框中选择需要打开的文件，单击"打开"按钮。

3. 演示文稿的保存

演示文稿创建完成后,要将其保存,可采用以下 3 种操作方法。
(1)单击"文件"选项卡上的"保存"按钮。
(2)在快速访问工具栏中单击"保存"按钮。
(3)按"Ctrl+S"组合键。

如果文件是第一次被保存,则会弹击"另存为"对话框,要求用户选择保存的路径,输入保存的文件名(扩展名为 PPTX)。若要以其他格式保存演示文稿,可单击"保存类型"列表,选择需要的文件格式。

5.2.2 PowerPoint 2016 的基本操作

1. 添加幻灯片

选定幻灯片插入位置,单击"开始"选项卡(见图 5-8)—"幻灯片"组,再单击"新建幻灯片"按钮,弹出新建幻灯片的版式,单击选定所需版式,完成幻灯片的添加,或者直接使用快捷键"Ctrl+M"插入一张新幻灯片。

图 5-8 "开始"选项卡

2. 复制幻灯片

幻灯片可以在同一个演示文稿或不同的演示文稿间进行复制:选中幻灯片,单击"开始"选项卡"剪贴板"组中的"复制"按钮,再将光标定位在目标位置,单击"粘贴"按钮;或选中幻灯片,按住"Ctrl"键直接拖动到目标位置。

3. 移动幻灯片

选中要移动的幻灯片,单击"开始"选项卡,选择"剪贴板"组中的"剪切"命令,再将光标定位在目标位置,选择"粘贴"命令;或直接用鼠标将选中的幻灯片拖曳到目标位置,可以实现幻灯片的移动。

4. 选择幻灯片

1)选择单张幻灯片

幻灯片较多时,可在普通视图中拖动"幻灯片"窗格右侧滚动条选择幻灯片。在普通视图的"幻灯片"或"大纲"窗格,或在幻灯片浏览视图中,可以直接单击选择单张幻灯片。

2)选择连续幻灯片

单击要选择的第一张幻灯片,按住 Shift 键,再单击最后一张幻灯片,即可实现连续幻灯片的选择。

3)选择不连续幻灯片

单击要选择的幻灯片,按住 Ctrl 键,再单击其他幻灯片,重复操作即可选择不连续的幻灯片。再次单击选中的幻灯片,可取消选中。

5. 删除幻灯片

选择要删除的幻灯片,按 Delete 键或单击鼠标右键选择"删除幻灯片"命令即可删除幻灯片。

5.3　PowerPoint 2016 中美化演示文稿内容

5.3.1　文本设置和段落格式

文本是幻灯片最基本的组成元素，在 PowerPoint 2016 中对文本的操作与在 Word、Excel 中的操作相似。

1. 文本编辑

利用"开始"选项卡"剪贴板"组中的命令，可以实现对文本进行基本编辑的操作。

1）插入文本

在占位符处或文本框中单击，定位插入点后可输入文本。

2）复制、移动文本

选择要复制的文本，单击"开始"选项卡"剪贴板"组中的"复制"命令，将插入点定位到新位置，单击"粘贴"按钮；或按住 Ctrl 键将文本拖曳到新位置，实现文本的复制。

选择要移动的文本，单击"开始"选项卡"剪贴板"组中的"剪切"命令，将插入点定位到新位置，单击"粘贴"按钮；或直接用鼠标将文本拖曳到新位置，实现文本的移动。

3）删除文本

选择要删除的文本，按 Delete 键。

2. 文本设置

演示文稿创建完成后，对文字及段落进行格式设置可使幻灯片更美观、更易于阅读。

单击"开始"选项卡，在"字体"和"段落"两个组中可以对文本的字体、字形、大小、颜色、段落格式等进行设置，如图 5-9 所示。

图 5-9　"开始"选项卡"字体"组和"段落"组

1）更改字体、字形和大小等

选择要修改的文本，单击"开始"选项卡"字体"组中的字体、字形、大小等命令按钮进行设置，或单击"字体"组右下角的按钮，在弹出的"字体"对话框中进行设置，如图 5-10 所示。

2）更改段落格式

选取要修改格式的段落，在"开始"选项卡的"段落"组中可单击对齐方式、缩进、行距、文字对齐方式等按钮设置段落，也可以单击"段落"组右下角的按钮，在弹出的"段落"对话框中进行设置，如图 5-11 所示。

3. 项目符号和编号

项目符号和编号可以使幻灯片的内容更加整齐、美观。其操作方式如下：

（1）选定要添加或修改项目符号或编号的文本，单击"开始"选项卡的"段落"组，单击项目符号下拉菜单，再单击"项目符号和编号"，打开"项目符号和编号"对话框，如图 5-12 所示。

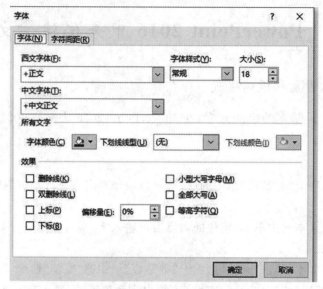

图 5-10 "字体"对话框

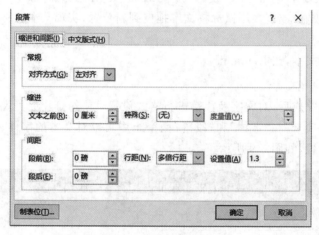

图 5-11 "段落"对话框

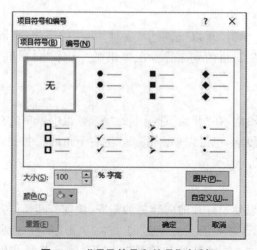

图 5-12 "项目符号和编号"对话框

(2)在对话框中选择所需项目符号或编号样式。

(3)单击"确定"按钮完成项目符号或编号设置。

单击"开始"选项卡的"段落"组,单击"项目符号"命令按钮,可直接为选中的文本设置默认的项目符号,再次单击"项目符号"按钮可以取消当前文本的项目符号。

PowerPoint 2016 支持多级项目符号和编号,各级文字间具有不同的字体、字号、字形以及项目符号等,在幻灯片母版上保存了各级文字格式的默认值。单击"开始"选项卡"段落"组中的"提高列表级别"按钮 ,可使当前段落降到下一级别,文字向右侧移动;"降低列表级别"按钮 作用则与之相反。

5.3.2 插入对象

幻灯片中可以通过插入剪贴画、图片、自选图形、艺术字、多媒体、表格等多种对象,使演示文稿显得美观、生动,更具吸引力。PowerPoint 2016 增强了图片处理、音视频编辑、SmartArt 图形等功能,使演示文稿更具表现力。

PowerPoint 2016 的"插入"选项卡如图 5-13 所示,包括 11 个组,借助它们可以将多种对象插入幻灯片并进行设置。

图 5-13 "插入"选项卡

1. 插入剪贴画和图片

1)插入剪贴画和图片

单击"插入"选项卡"图像"组中的"图片"选项,下拉菜单中可选择剪贴画和图片来源,通常选择本机上的剪贴画和图片,弹出"插入图片"对话框,如图 5-14 所示,选择所需的剪贴画和图片,单击"打开"按钮,完成剪贴画和图片的插入操作。

图 5-14 "插入图片"对话框

2)插入联机图片

Office 2016 拥有一个庞大的图片库,包含大量种类齐全的联机图片,单击"插入"选项卡"图像"组中的"图片"按钮,在下拉菜单中选择"联机图片"选项,显示插入图片窗格,在搜索文字处输入图片关键字,如"计算机""运动"等,单击"搜索"按钮,将搜索出与关键字相关的图片(搜索"计算机"结果如图 5-15 所示),单击所需图片并单击"插入"即可完成插入操作。

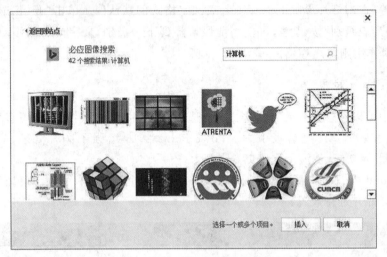

图 5-15　搜索"计算机"联机图片结果

3)格式设置

剪贴画和图片插入幻灯片后,会显示"格式"选项卡,如图 5-16 所示,可在该选项卡中设定剪贴画和图片的格式。

图 5-16　"格式"选项卡

2. 插入相册和屏幕截图

1)插入相册

相册是包含图片的若干幻灯片构成的演示文稿,通过插入相册避免了在每一张幻灯片中逐一插入图片的麻烦。

单击"插入"选项卡"图像"组中的"相册"下拉菜单选项上的"新建相册"按钮,弹出"相册"对话框,单击"文件/磁盘"按钮,选择要添加到相册中的图片,如图 5-17 所示,设置相册版式、调整图片顺序、更改图片格式等操作完成后,单击"创建"按钮,将自动生成相册文件,如图 5-18 所示。

2)插入屏幕截图

制作演示文稿有时需要截取程序窗口、电影画面等,PowerPoint 2016 新增了插入屏幕截图功能,使得截取和导入此类图片更容易。

单击"插入"选项卡"图像"组中"屏幕截图"下拉菜单选项中的"屏幕剪辑"命令,PowerPoint 2016 文档窗口自动最小化,此时鼠标变成"+",在屏幕上拖动鼠标选取即可进行屏幕截图,截图完成后图片自动插入当前幻灯片。

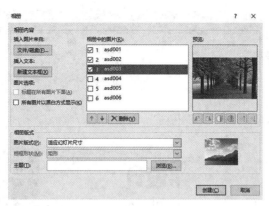

图 5-17 "相册"对话框

图 5-18 自动生成相册文件

3. 插入自选图形和 SmartArt 图形

1）插入自选图形

在 PowerPoint 2016 中可插入线条、箭头、标注框等自选图形。单击"插入"选项卡"插图"组中的"形状"按钮，下拉菜单如图 5-19 所示，选择所需的形状，当鼠标变成"＋"时，即可在幻灯片中绘制形状。绘制完成后，可在"格式"选项卡中设置相关的样式。

2）插入 SmartArt 图形

组织结构图以图形方式表示组织的层次关系，如公司内部上下级关系。PowerPoint 2016 的 SmartArt 图形工具是制作组织结构图的工具之一。

单击"插入"选项卡"插图"组中的"SmartArt"按钮，弹出"选择 SmartArt 图形"对话框，如图 5-20 所示，选择所需的组织结构，单击"确定"按钮，显示文本窗格，如图 5-21 所示。在文本窗格中输入文本。

SmartArt 图形添加到幻灯片后，将显示"设计"选项卡，如图 5-22 所示，可在该选项卡中修改 SmartArt 图形的层次关系、图形布局和样式等。

图 5-19 "形状"下拉菜单

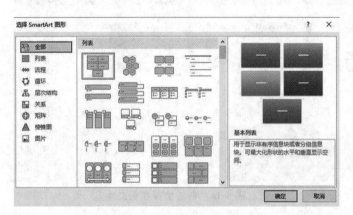

图 5-20 "选择 SmartArt 图形"对话框

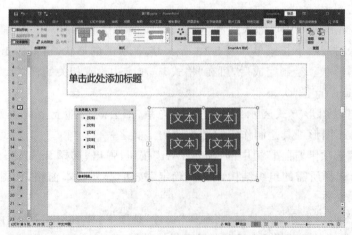

图 5-21 插入 SmartArt 图形时显示文本窗格

图 5-22 "设计"选项卡

4. 插入表格、图表

1) 插入表格

在演示文稿中,有些内容用表格显示比较简洁明了,PowerPoint 2016 提供了在幻灯片中插入表格的多种方法,和 Word 中插入表格的方法基本相同。可以使用"插入"选项卡"表格"组中的"表格"按钮,在下拉菜单中可进行如下操作:

(1) 插入表格:单击此选项可打开"插入表格"对话框,输入所需的列数和行数,单击"确定"按钮,即可在当前幻灯片中插入表格。

(2) 绘制表格:单击该选项可以在当前幻灯片中手动绘制表格。

表格绘制完成后,PowerPoint 2016 功能区选项卡位置会显示"设计"选项卡和"布局"选项卡。"设计"选项卡用于设置表格样式、绘图边框等;"布局"选项卡用于设置表格分格线、行与列的插入与删除、单元格大小、合并与拆分、对齐方式、尺寸、排列方式等。

2) 插入图表

单击"插入"选项卡"插图"组中的"图表"选项,弹出"插入图表"对话框,如图 5-23 所示,选择需要的图表类型,单击"确定"按钮,启动 Excel,修改数据并关闭 Excel 程序,完成图表插入操作。

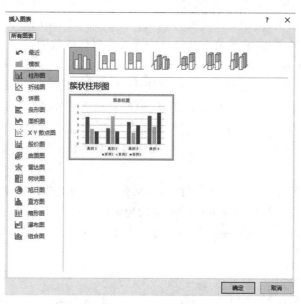

图 5-23 "插入图表"对话框

5. 插入艺术字和文本框

1) 插入艺术字

单击"插入"选项卡"文本"组中的"艺术字"按钮,下拉菜单如图 5-24 所示,选择所需的艺术字效果,在幻灯片中自动插入艺术字输入框,输入文字即可。艺术字的样式可通过"格式"选项卡进行修改。

2)插入文本框

单击"插入"选项卡"文本"组中的"文本框"按钮,下拉菜单如图 5-25 所示,选择一种排版方式,然后在幻灯片中绘制文本框,绘制完后文本框自动处于文本输入状态。

文本框的样式,如边框、填充色、阴影、对齐方式等,都可通过"格式"选项卡设置。

图 5-24 "艺术字"下拉菜单

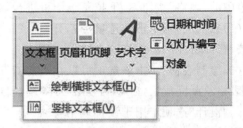

图 5-25 "文本框"下拉菜单

6. 插入声音和影片

幻灯片放映时可播放视频、音频,与以往版本相比,PowerPoint 2016 添加了对音频、视频的简单编辑功能,这使得该版本对多媒体的支持能力更为强大。

幻灯片中可插入音频文件,音频文件类型为 MP3、WAV、MID、WMA 等;插入的视频可来自文件、网站或剪贴画,视频文件类型为 AVI、WMV、SWF、MPEG、ASF 等。要在幻灯片放映时播放视频、音频文件,需提前在计算机中安装多媒体播放器。

1)插入视频和音频

选择要添加视频或音频的幻灯片,单击"插入"选项卡"媒体"组中的"视频"或"音频"按钮,出现如图 5-26 和图 5-27 所示的下拉菜单,根据要插入的视频、音频的类型进行选择,例如,要插入在计算机中存储的视频,则选择"此设备",弹出"插入视频文件"对话框,如图 5-28 所示。选择文件,单击"插入"下拉按钮,可选择将视频"插入"或"链接到幻灯片",其含义如下。

插入:可以将视频文件本身插入幻灯片,不必担心幻灯片放映时视频文件的丢失。

链接到幻灯片:在幻灯片中插入指向视频的地址而不是文件本身,这种插入方式可以减小演示文稿的文件大小,但是要使视频在幻灯片中正常播放,必须保证视频文件的存储位置不发生改变。

图 5-26 "视频"下拉菜单

图 5-27 "音频"下拉菜单

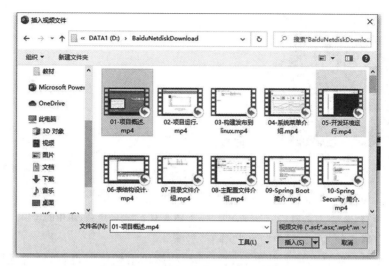

图 5-28 "插入视频文件"对话框

音频插入幻灯片后,显示为 ;视频插入后则显示第一帧画面。单击图标即显示播放控制条 。

2)编辑视频和音频

PowerPoint 2016 支持对视频、音频对象的简单编辑,如文件的剪辑操作等。两类文件的剪辑方法非常相似,以下主要介绍视频剪辑的方法。

选中要剪辑的视频,PowerPoint 2016 将在功能区中显示"播放"选项卡,如图 5-29 所示,剪辑操作主要在此进行。

图 5-29 "播放"选项卡

(1)添加和删除书签。

PowerPoint 2016 在剪辑视频、音频文件时借助书签来标识某个时刻,可在视频、音频中设置多个书签,以便剪辑中能快速、准确地跳转到指定时刻。

在视频中添加书签可先播放视频并暂停到希望添加书签的位置,单击"播放"选项卡"书签"组中的"添加书签"按钮,即可为当前时刻添加一个书签。

删除书签时可选中播放控制条中的书签,单击"播放"选项卡"书签"组上的"删除书签"按钮。

(2)视频编辑。

PowerPoint 2016 新增了视频、音频的编辑功能,在幻灯片中选中要编辑的视频,在"播放"选项卡"编辑"组中可进行简单的视频截取、切换效果设置的操作,包括:

①剪裁视频:单击"剪裁视频"按钮弹出"剪裁视频"对话框,通过设置"开始时间"和"结束时间"来截取视频,如图 5-30 所示。

②淡化持续时间:以秒为单位,输入"淡入""淡出"时间,控制画面效果。

(3)视频选项。

在"播放"选项卡上的"视频选项"组中,PowerPoint 2016 提供了多个视频选项设置视频的播放效果,如图 5-31 所示。其中:

图 5-30 "剪裁视频"对话框

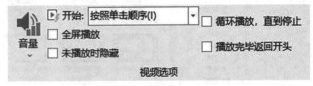
图 5-31 "视频选项"组中的选项

①音量:控制音频的"低""中""高""静音"效果。

②开始:设置视频开始播放的方式,默认为"按照单击顺序",可选择"自动"或"单击时"两种方式。"自动"是指切换到视频所在幻灯片时视频自动播放;"单击时"是指切换到视频所在的幻灯片时,单击鼠标才开始播放视频。

除此之外,还可根据所需情况,设置视频"全屏播放""未播放时隐藏""循环播放,直到停止""播放完毕返回开头"播放效果。

7. 插入超链接和动作按钮

在演示文稿中可通过加入超链接和动作按钮加强与用户的互动,例如单击超链接实现幻灯片跳转,单击动作按钮运行程序等。以下将介绍在 PowerPoint 2016 中如何添加超链接和动作按钮,操作主要在"插入"选项卡的"链接"组中进行。

1) 插入超链接按钮

在 PowerPoint 2016 中为了演示方便,通常把文字、图片、图形等对象设置为超链接,单击超链接按钮可实现幻灯片的跳转、打开电子邮件、转到网页或现有文件等操作。

(1) 添加、编辑和取消超链接。

选中要添加超链接的对象,可以是文字、图片、图形等,单击"插入"选项卡"链接"组中的"链接"按钮;或选中要添加超链接的对象直接单击鼠标右键,在弹出的菜单中选择"超链接"。在弹出的"插入超链接"对话框中选择要跳转的目标位置,如图 5-32 所示。其中选项说明如下:

①现有文件或网页:选择现有文件的存放位置或直接输入网址,单击超链接对象时,可打开文档或网页。

②本文档中的位置:选择目标幻灯片的位置,可实现幻灯片的跳转。

③新建文档:设置新文档的名称和存储位置,单击超链接对象时可在存储位置新建文档。

单击"确定"按钮,完成超链接设置。切换到幻灯片放映视图,单击添加过超链接的对象,可实现跳转。

如需再次编辑超链接,可指向超链接对象单击鼠标右键并选择"编辑超链接"选项,在弹出的对话框中进行编辑。如取消超链接,可选中超链接对象,单击鼠标右键并选择"取消超链接"选项。

(2) 设置超链接颜色。

用户可自定义超链接对象的颜色:单击"设计"选项卡"变体"组下拉按钮,在"颜色"选项

图 5-32 "插入超链接"对话框

下拉菜单中选择"自定义颜色"按钮，弹出"新建主题颜色"对话框，如图 5-33 所示，重新定义"超链接"和"已访问的超链接"的颜色即可。

2）插入动作按钮

PowerPoint 2016 能为文本、图片、图形、绘制的动作按钮等对象添加动作，动作功能可以实现幻灯片的跳转、程序和宏的运行、播放声音、突出显示等演示效果，以下将以动作按钮为例介绍动作设置的方法。

（1）添加动作按钮。

动作按钮是 PowerPoint 2016 预先定义好的一组按钮，可实现"开始""结束""上一张""下一张"等操作。单击"插入"选项卡"插图"组中的"形状"选项，在下拉菜单的"动作按钮"类中，单击所需的按钮类型，在幻灯片上直接绘制即可。

（2）设置动作。

绘制完动作按钮将自动打开"操作设置"对话框，如图 5-34 所示，在此可设置"单击鼠标"和"鼠标悬停"的动作。

图 5-33 "新建主题颜色"对话框

图 5-34 "操作设置"对话框

除了动作按钮，文本、图片、图形等对象也可添加动作。选中对象，单击"插入"选项卡"链接"组中的"动作"按钮，在弹出的"操作设置"对话框中设置动作，其常用选项说明如下：

①无动作：鼠标单击或经过对象时无动作。

②超链接到：鼠标单击或经过对象时可跳转到其他幻灯片。

③运行宏：鼠标单击或经过对象时运行宏。

④对象动作：当插入对象是 Word、PowerPoint、Excel 等类型的文档时，可对其设置"对象动作"为"编辑"或"打开"。

⑤单击时突出显示：勾选此项，鼠标单击或经过对象时，对象动态显示边框。

5.4　PowerPoint 2016 中演示文稿外观设置

5.4.1　设置幻灯片背景

幻灯片背景的颜色、填充效果和背景图片都可以修改，以下将介绍几种修改的操作方法。

1. 选择背景样式

默认情况下，PowerPoint 2016 提供了 12 种背景样式，单击"设计"选项卡"变体"组中的下拉按钮，再选择"背景样式"按钮，出现下拉菜单，如图 5-35 所示，单击所需背景样式即可应用。

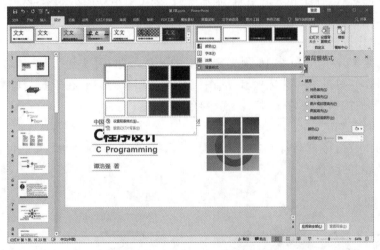

图 5-35　"背景样式"下拉菜单

2. 设置背景格式

背景格式可通过单击"设计"选项卡"自定义"组中的"设置背景格式"按钮以调出任务窗格进行设置；在幻灯片非占位符区域单击鼠标右键，在弹出的菜单中选择"设置背景格式"也可弹出该任务窗格。

1）填充

幻灯片可以采用纯色、渐变色或图案作为背景，也可以选择图片或剪贴画作为背景。在"设置背景格式"任务窗格中，单击左侧的"填充"选项卡，可知其有"纯色填充""渐变填充""图片或纹理填充""图案填充"四种填充模式供选择，如图 5-36 所示。

①纯色填充：用单一颜色填充背景。

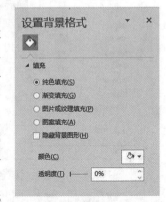

图 5-36　"设置背景格式"
任务窗格

②渐变填充:使背景从一种颜色渐变到另一种颜色。
③图片或纹理填充:将指定的图片或纹理效果设为背景。
④图案填充:将一些简单的线条、点、方框等组成的图案设为背景。

以"图片或纹理填充"为例介绍填充背景的操作方法。单击"文件"按钮,弹出"插入图片"对话框,如图 5-37 所示,可在三种插入图片方式中任选一种,通常选择"从文件"(代表本机图片),选择背景图片,单击"插入"按钮右侧的下拉按钮,从"插入""链接到文件""插入和链接"中选择插入方式,返回"设置背景格式"任务窗格。

图 5-37 "插入图片"对话框

2)图片更正

"图片更正"选项可用来设置图片的锐化和柔化程度、亮度和对比度。

3)图片颜色

"图片颜色"选项可用来设置图片的颜色、饱和度、色调和重新着色。

4)艺术效果

利用"艺术效果"选项可为图片设置特殊效果,例如线条图、水彩海绵、发光边缘等多种特殊图片效果。

以上操作完毕后,在"设置背景格式"任务窗格下方单击"重置背景"按钮,将取消本次设置;单击"关闭"按钮将只在当前幻灯片中应用背景;单击"应用到全部"按钮可在当前演示文稿的所有幻灯片中应用背景。

5.4.2 主题应用

为使幻灯片具有统一、美观的显示效果,PowerPoint 2016 提供了丰富的主题供用户选择,主题包括对幻灯片颜色、字体、背景、风格等方面的设计。

用户可以直接使用 PowerPoint 2016 提供的主题库,也可以自定义主题。主题的应用与修改操作可在"设计"选项卡中完成,如图 5-38 所示。

图 5-38 "设计"选项卡

1. 应用内置主题

"设计"选项卡的"主题"组显示了 PowerPoint 2016 提供的内置主题效果,如图 5-39 所示,单击某一个主题,该主题会被应用到整个演示文稿中。

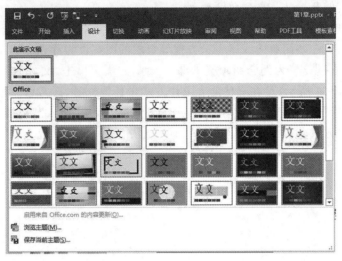

图 5-39　PowerPoint 2016 内置主题列表

2. 自定义主题

如果对内置的主题效果不满意,可以通过"变体"组下拉菜单中的"颜色""字体""效果"3 个按钮进行修改。以修改颜色方案为例。单击"颜色"按钮,从下拉菜单(见图 5-40)中选择新的颜色方案,演示文稿将应用新的颜色。

用户也可自定义主题效果。例如,自定义颜色方案,可单击"颜色"选项下拉菜单中的"自定义颜色"按钮,弹出"新建主题颜色"对话框,如图 5-41 所示,重新定义文字或背景颜色、强调文字颜色、超链接颜色等,单击"保存"按钮后,该配色方案将会出现在"颜色"下拉菜单中。

图 5-40　"颜色"下拉菜单

图 5-41　"新建主题颜色"对话框

字体和效果的修改操作与此相似。

3. 保存主题

展开"主题"效果列表选择"保存当前主题",在弹出的"保存当前主题"对话框(见图 5-42)中输入新主题名称,单击"保存"按钮即可保存主题,主题文件扩展名为 THMX。该主题文件还可以应用于 Word 和 Excel 文件。

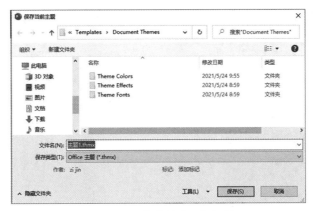

图 5-42 "保存当前主题"对话框

5.4.3 母版的应用

母版是一种特殊的幻灯片,它由标题、文本、页脚、日期和时间等对象的占位符组成,并设置了幻灯片的字体、字号、颜色、项目符号等样式。如修改母版样式,将改变所有基于该母版建立的演示文稿的样式。

PowerPoint 2016 提供了 3 种母版,分别是幻灯片母版、讲义母版和备注母版。

1. 幻灯片母版

幻灯片母版通常用来设置整个演示文稿的格式,幻灯片母版控制了所有幻灯片组成对象的属性,包括文本字体、字号、颜色、项目符号样式等。

单击"视图"选项卡"母版视图"组中的"幻灯片母版"选项,即可切换到幻灯片母版视图,如图 5-43 所示。

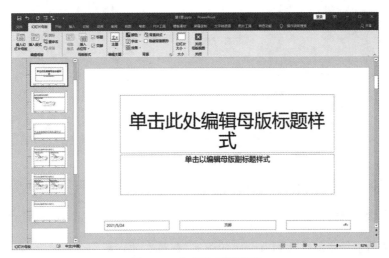

图 5-43 幻灯片母版视图

单击"关闭母版视图"按钮,即可结束对幻灯片母版的编辑。

2. 讲义母版

演示文稿可以以讲义的形式打印输出,讲义母版主要用于设置讲义的格式,单击"视图"选项卡"母版视图"组中的"讲义母版"选项,即可切换到讲义母版视图,如图 5-44 所示。

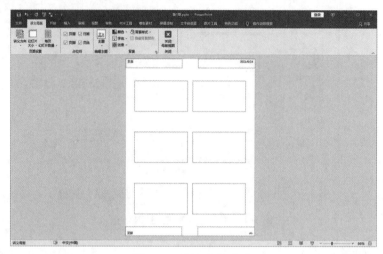

图 5-44 讲义母版视图

3. 备注母版

放映幻灯片时,备注信息不显示在幻灯片中,但是用户可以将备注信息打印出来。单击"视图"选项卡"母版视图"组中的"备注母版"选项,即可切换到备注母版视图,如图 5-45 所示。备注母版主要用于设置备注页的格式。

图 5-45 备注母版视图

如要打印备注信息,单击"文件"选项卡—"打印",设置"备注页"后进行打印即可。

5.4.4 版式设计

在演示文稿中每张幻灯片都有一定的版式,在每次插入新幻灯片时 PowerPoint 2016 默认将当前幻灯片设为"标题+内容"版式。不同的版式拥有不同的占位符,构成幻灯片的不同布局。所谓占位符是指幻灯片上的一些虚线方框,与文本框、图文框和对象框相似,这些方框为某些对象(如文本、剪贴画、图表等)在幻灯片上占据一定位置,单击占位符即可添加指定的对象。移动或删除占位符的方法与移动或删除文本框的操作相同。

用户可以在新建幻灯片时选择版式,也可以创建文稿后重新设置幻灯片的版式,操作方法如下:

(1) 选中需改变版式的幻灯片。

(2) 在幻灯片上单击鼠标右键,在弹出的快捷菜单中选择"版式"命令,或者单击"开始"选项卡"幻灯片"组中的"版式"下拉菜单,出现 Office 主题设置菜单,如图 5-46 所示。

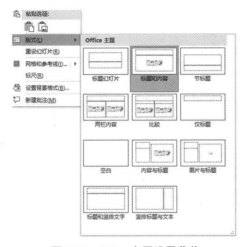

图 5-46　Office 主题设置菜单

(3) 在 Office 主题设置菜单中单击选中一种版式即可。

5.4.5　页眉和页脚

幻灯片中经常使用页眉和页脚、日期和时间、幻灯片编号等对象,母版为这些对象预留了占位符,但默认情况下在幻灯片中并不显示它们。

如要显示页眉和页脚、日期和时间和幻灯片编号等信息,可单击"插入"选项卡"文本"组中的"页眉和页脚""日期和时间""幻灯片编号"选项,在弹出的对应对话框中勾选相应选项即可。"页眉和页脚"对话框如图 5-47 所示。

图 5-47　"页眉和页脚"对话框

5.5 PowerPoint 2016 中幻灯片的动画效果

演示文稿制作完成后,为了让演示文稿更具表现力,可以为它设置动画效果,具体包括幻灯片切换和幻灯片动画设置。

5.5.1 幻灯片切换

幻灯片切换方式是指放映时幻灯片进入和离开屏幕的方式,用户既可以为一组幻灯片设置同一种切换方式,也可以为每张幻灯片设置不同的切换方式。PowerPoint 2016 提供了丰富的幻灯片切换效果,设置步骤也很简单,使演示文稿的画面表现力十分强大。

幻灯片切换效果主要在"切换"选项卡中进行设置,如图 5-48 所示。

图 5-48 "切换"选项卡

1. 设置切换效果

选择要设置切换方式的幻灯片,单击"切换"选项卡,在"切换到此幻灯片"组中单击切换效果下拉箭头,从所有切换效果中选择所需切换效果,该效果将应用到当前幻灯片。如要为每张幻灯片设置不同的切换方式,只需在其他幻灯片上重复上述步骤。单击"效果选项"按钮,在下拉菜单中可选择切换的方向、形状等。

如要所有幻灯片应用统一的切换效果,可在选中所需切换效果后,单击"计时"组中的"应用到全部"按钮。

2. 设置切换计时

在"切换"选项卡"计时"组中可为幻灯片切换设置声音、持续时间、换片方式等,如图 5-49 所示,其选项说明如下:

①声音:可设置幻灯片切换时的声音播放方式,在此可选择 PowerPoint 2016 默认提供的 10 余种音效,还可设定声音为"播放下一段声音之前一直循环""停止前一声音""无声音"等。

②持续时间:以秒为单位设置幻灯片切换的时间长度。

③换片方式:设置幻灯片手工切换还是自动切换。如果选中"单击鼠标时",则在播放幻灯片时,每单击一次鼠标,就切换一张幻灯片;如果选择"设置自动换片时间",则需要在右侧增量框中输入一个间隔时间,经过该时间后幻灯片自动切换到下一张幻灯片。

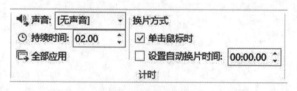

图 5-49 "计时"组

5.5.2 幻灯片动画设置

PowerPoint 2016 提供了非常丰富的动画效果,增强了幻灯片放映的趣味性。以下介绍几种设置动画效果的操作方法。PowerPoint 2016 的动画效果设置主要在"动画"选项卡中进行,如图 5-50 所示。

图 5-50 "动画"选项卡

1. 添加动画效果

用户几乎可以为幻灯片上的所有对象添加动画效果。首先选中要添加动画效果的对象,单击"动画"选项卡上的"动画"组,展开动画效果列表,如图 5-51 所示。动画效果可分为"进入""强调""退出"3 组,选择所需的动画效果,即可完成动画添加。如取消动画效果,可再次选中对象,选择动画效果为"无"。

如需要更加丰富的动画效果,可参考如下操作。以进入效果为例。单击动画效果列表下方的"更多进入效果"菜单,弹出"更改进入效果"对话框,如图 5-52 所示,选择更多的进入效果;此操作还可通过单击"高级动画"组中的"添加动画"按钮完成。

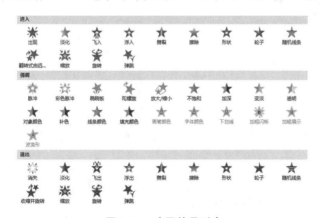

图 5-51 动画效果列表　　　　图 5-52 "更改进入效果"对话框

2. 设置动画效果属性

动画效果的属性可以修改,例如,可修改"彩色脉冲"效果颜色,可修改"轮子"效果轮辐图案和序列等。如要修改动画效果,可在添加动画效果后,单击"效果选项"按钮,选择所需的其他动画效果。

3. 高级动画设置

1)动画刷

PowerPoint 2016 新增了"动画刷"功能,该工具类似 Word、Excel 中的格式刷,可直接将某个对象的动画效果照搬到目标对象上面,而不需要重复设置,这使得 PowerPoint 2016 的动画制作更加方便、高效。

"动画刷"操作非常方便,选中某个已设置动画效果的对象,单击"动画"选项卡"高级动画"组中的"动画刷"选项,再将鼠标移动到目标对象上面单击一下,动画效果就被运用到目标对象上了。

2）触发

使用 PowerPoint 2016 制作演示文稿时，可以通过触发来灵活地控制演示文稿中的动画效果，从而真正地实现人机交互。

例如，利用触发可以实现单击某一图片时出现该图片的文字介绍这样的动画效果。首先设置文字介绍的动画效果，然后选中文字介绍，单击"动画"选项卡"高级动画"组中的"触发"按钮，在下拉菜单（见图 5-53）中选择需要发出触发动作的图片名字即可。

4. 动画计时

PowerPoint 2016 的动画计时设置，包括持续时间、动画效果顺序以及动画效果是否重复等方面。

1）显示"动画窗格"

"动画窗格"能够以列表的形式显示当前幻灯片中所有对象的动画效果，包括动画类型、对象名称、先后顺序等，默认情况下，"动画窗格"处于隐藏状态。单击"动画"选项卡上"高级动画"组中的"动画窗格"按钮，可以显示或隐藏该窗格。

选择"动画窗格"中的任意一项，单击鼠标右键，在下拉菜单中可重新设置动画的开始方式、效果选项、计时、删除等，如图 5-54 所示。

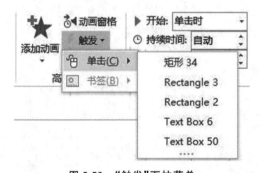

图 5-53　"触发"下拉菜单

图 5-54　右击"动画窗格"项出现下拉菜单

2）计时设置

设置动画效果之后，可进行计时设置。PowerPoint 2016 中动画效果的计时设置包括开始方式、持续和延迟时间、动画排序等，其选项说明如下：

①开始：用于设置动画效果的开始方式。"单击时"指单击幻灯片时开始播放动画；"与上一动画同时"表示"动画窗格"列表中的上一个动画开始时也开始本动画；"上一动画之后"表示"动画窗格"列表中的上一个动画播放完成后才开始本动画。

②持续时间：设置动画的时间长度。

③延迟：用于设置上一个动画结束和下一个动画开始之间的时间值。

④对动画重新排序：默认在已设置动画效果的对象左上角显示一个数字，用来表示该对象在整张幻灯片中的动画播放顺序，如幻灯片中有多个动画效果，可选中对象后通过单击"向前移动"或"向后移动"重新调整动画播放顺序。

如要设置更加复杂的动画效果，可在"动画窗格"中选中对象，单击鼠标右键，在弹出的菜单中选择"效果选项"或"计时"进行设置，弹出的"飞入"对话框如图 5-55 和图 5-56 所示。

图 5-55 "飞入"对话框"效果"选项卡

图 5-56 "飞入"对话框"计时"选项卡

5.6 PowerPoint 2016 中幻灯片的放映

演示文稿制作完成后,通过放映幻灯片可以将精心创建的演示文稿展示给观众。以下将介绍幻灯片放映的操作与设置方法,主要在"幻灯片放映"选项卡中进行,如图 5-57 所示。

图 5-57 "幻灯片放映"选项卡

5.6.1 幻灯片放映方式

在"幻灯片放映"选项卡"开始放映幻灯片"组中可以设置幻灯片的放映方式,幻灯片放映有"从头开始""从当前幻灯片开始""联机演示""自定义幻灯片放映"4 种方式。

1. "从头开始"方式和"从当前幻灯片开始"方式

采用这两种方式,将从第 1 张幻灯片或从当前幻灯片开始放映。

2. "联机演示"方式

"联机演示"放映方式是 PowerPoint 2016 的新增功能。联机演示是 Microsoft Office 附带提供的一项免费的公共服务,用户可以使用此项服务向可以在 Web 浏览器中观看并下载内容的人员演示,但是需要使用 Microsoft 账户才能启动联机演示文稿。

3. "自定义幻灯片放映"方式

采用"自定义幻灯片放映"方式可重新选择需要播放的幻灯片并定义放映方案。

5.6.2 幻灯片放映设置

在"幻灯片放映"选项卡的"设置"组中可进行"设置幻灯片放映""隐藏幻灯片""排练计时""录制幻灯片演示"等多种操作。其中:

隐藏幻灯片:如有的幻灯片在放映时不需要播放,可将它隐藏。

排练计时:幻灯片放映时,PowerPoint 2016 会弹出计时器,记录每一张幻灯片的播放时间。幻灯片自动放映时,该时间可用于控制幻灯片的播放和动画效果的显示。

录制幻灯片演示:该项是 PowerPoint 2016 的新增功能,是"排练计时"功能的扩展。单击"录制幻灯片演示"按钮,从菜单中选择"从头开始录制"或"从当前幻灯片开始录制",弹出"录制幻灯片演示"对话框,如图 5-58 所示,选择录制内容,单击"开始录制"。录制结束后,切换到幻灯片浏览视图,可显示每张幻灯片的演示时间。

1. 放映的快捷菜单

在放映幻灯片的过程中,PowerPoint 2016 提供了一个快捷菜单用于控制放映,如图 5-59 所示。在该快捷菜单中,用户可以根据需要选择不同的命令,从而对幻灯片放映执行相应的控制。

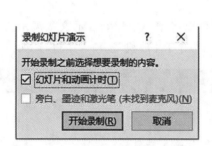

图 5-58 "录制幻灯片演示"对话框

图 5-59 幻灯片放映快捷菜单

2. 定位幻灯片

使用切换幻灯片功能只能在前、后幻灯片之间切换,如果想在放映某张幻灯片时直接定位到与其不相连的某张幻灯片,就要使用"定位至幻灯片"命令,其具体操作如下:

(1)在放映幻灯片时,用鼠标右键单击该幻灯片,再在弹出的快捷菜单中选择"自定义放映"—"定位至幻灯片"命令,将显示其子菜单。

(2)在该子菜单中,可单击选择要定位到的幻灯片。

(3)在从一张幻灯片定位到另一张幻灯片之后,如果想返回到先前的那张幻灯片,可在快捷菜单中单击"上次查看过的"命令。

3. 绘制与操作墨迹

在放映幻灯片过程中,可能需要对幻灯片中的某些内容向观众进行重点强调,此时,就可以向其中添加墨迹作为注释,还可根据需要调整墨迹的大小和位置,并更改墨迹的颜色,如果感觉添加的墨迹不合适,还可将其删除。在幻灯片中添加墨迹的具体步骤如下:

(1)在放映幻灯片时,用鼠标右键单击该幻灯片,并在弹出的快捷菜单中选择"指针选项"命令,此时将会显示其子菜单。

(2)在该子菜单中,可以选择一种用于绘制墨迹的笔型,包括笔和荧光笔。此处以单击选择"笔"选项为例。

(3)此时鼠标指针呈现为一个小点状,在合适位置按住鼠标左键拖动,即可绘制墨迹。图 5-60 所示即为在幻灯片中添加墨迹注释。

图 5-60　在幻灯片中添加墨迹注释

5.7　PowerPoint 2016 演示文稿的输出

演示文稿不仅可以直接放映,还可以像 Word、Excel 文件一样打印输出,以下将介绍有关 PowerPoint 2016 演示文稿打印输出的相关设置。

5.7.1　页面设置

单击"设计"选项卡"自定义"组中的"幻灯片大小"选项,打开"幻灯片大小"对话框,如图 5-61 所示。其中:

幻灯片大小:可设为"标准""宽屏"等项。

宽度/高度:当"幻灯片大小"选择"自定义幻灯片大小"时,幻灯片的宽度和高度可以任意设置。

幻灯片编号起始值:用于设置幻灯片编号的起始值,默认从"1"开始。

方向:可将幻灯片、备注、讲义或大纲的方向设置为"纵向"或"横向"。

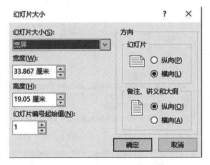

图 5-61　"幻灯片大小"对话框

5.7.2　打印演示文稿

利用 PowerPoint 2016 可打印幻灯片、备注页和大纲。单击"文件"选项卡中的"打印"按钮,即可打开打印设置窗口,如图 5-62 所示。其中:

份数:用于设置打印数量。
打印:用于启动打印操作。
打印机:选择已连接的本地打印机或网络打印机。
设置:用于设置幻灯片打印范围、打印方式、是否彩色打印等。单击"整页幻灯片",下拉菜单如图 5-63 所示,在菜单中可设置幻灯片打印版式、每页的幻灯片数、幻灯片边框、打印质量等。

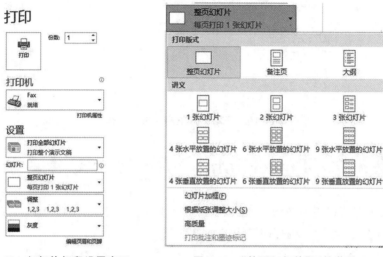

图 5-62　幻灯片打印设置窗口　　　图 5-63　"整页幻灯片"下拉菜单

5.7.3　演示文稿的打包

演示文稿制作完成后,默认保存为扩展名是 PPTX 的文档,也可以另存为.ppt、.pdf、.xml 等多种格式文件,以下将介绍 PowerPoint 2016 中将演示文稿保存为视频和演示文稿打包的操作方法。

1. 保存为视频

单击"文件"选项卡—"导出"—"创建视频",在设置界面显示创建视频说明,如图 5-64 所示,根据播放要求设置"放映每张幻灯片的秒数",然后单击"创建视频"按钮,演示文稿将导出为视频,默认格式为.wmv。

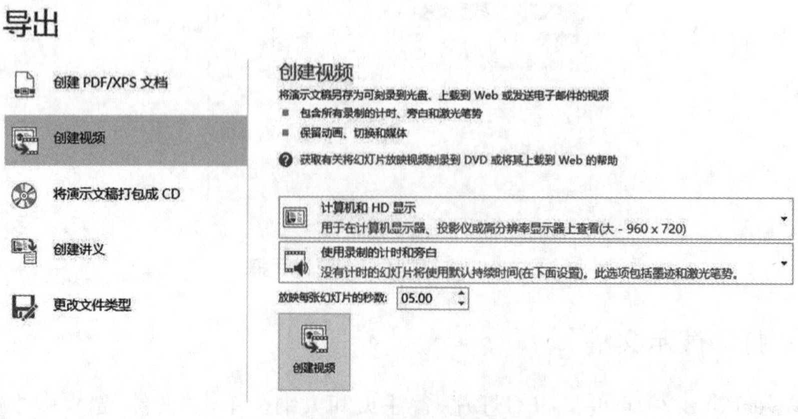

图 5-64　创建视频设置界面

2. 打包

演示文稿打包可以使演示文稿在没有安装 PowerPoint 2016 的计算机上放映幻灯片。PowerPoint 2016 的打包操作与之前的版本有所不同。

打包是指将演示文稿以及所需的链接文档、多媒体文件、字体等整合为一个独立的文件包的过程,用户可将文件包复制到存储设备上以便携带。其操作步骤如下:

(1)单击"文件"选项卡—"导出"—"将演示文稿打包成 CD"按钮,界面如图 5-65 所示。

图 5-65 单击"将演示文稿打包成 CD"后的界面

(2)单击"打包成 CD"按钮,在弹出的"打包成 CD"对话框中,添加要打包的演示文稿文件,如图 5-66 所示,并单击"选项"进行设置,例如,设置将链接的文件、嵌入的 TrueType 字体打包到 CD 当中,或者为演示文稿设置打开和修改密码,并检查是否含有不适宜的信息或者个人信息。"选项"对话框如图 5-67 所示。

图 5-66 "打包成 CD"对话框

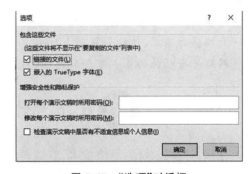

图 5-67 "选项"对话框

(3)选项设置完成后,选择"复制到 CD"或者"复制到文件夹"选项。复制完成之后,打开相应的文件夹,文件已经被打包。

第 6 章　计算机网络

计算机网络是计算机技术与通信技术相互渗透且密切结合而形成的一门交叉科学。在今天的信息时代,计算机网络在当今社会和经济发展中起着非常重要的作用,已经渗透到人们生活的各个环节,以满足人们对计算、通信、存储等的需求。基于网络技术的信息检索、在线购物、远程医疗、物联网及云计算等技术正在以前所未有的速度发展。网络技术的发展与应用业已成为影响一个国家与地区政治、经济、科学与文化发展的重要因素,而且已经成为衡量国力及现代化程度的重要标志。

计算机网络是指,将地理位置不同的具有独立功能的多台计算机及其外部设备,通过通信线路连接起来,在网络操作系统、网络管理软件及网络通信协议的管理和协调下,实现资源共享和信息传递的计算机系统。随着经济的快速发展,计算机网络已经成为我们生活当中不可或缺的一部分,起到越来越重要的作用。本章着重介绍关于计算机网络的一些基础知识,包括计算机网络的发展简史、计算机网络的功能、计算机网络的拓扑结构、Internet的基础知识以及计算机网络安全相关知识。通过对本章进行学习,读者能对计算机网络有一个初步的认识。

【知识要点】
- 计算机网络定义与发展过程、计算机网络的组成与分类及网络体系结构
- 数据通信基础、传输介质及 Internet 相关知识
- 网络安全相关的基本概念和特征、网络的脆弱性及网络安全措施

6.1　计算机网络概述

近年来,计算机技术、通信技术、数据科学技术等迅猛发展、相互渗透而又密切结合,计算机网络也出现了全新的技术理论体系和应用场景,如云计算、区块链、人工智能、数字营销、全栈开发等新兴行业,借助高性能计算机网络为用户间信息的快速传递、资源共享和协调合作提供了强有力的支持,引领着社会的变革,不断推步社会科技进步。在某种程度上,计算机网络的发展水平不仅反映了一个国家的计算机科学和通信技术的水平,而且已经成为衡量其国力及现代化程度的重要标志之一。

6.1.1　什么是计算机网络

计算机网络是将分布在不同地理位置上的、具有独立工作能力的计算机、终端及其附属设备用通信设备和通信线路彼此互联,配以功能完善的网络软件,以实现相互通信和资源共享为目标的计算机系统。

从资源构成的角度讲,计算机网络是由硬件和软件组成的。硬件包括各种主机、终端等用户端设备,以及交换机、路由器等通信控制处理设备;软件则由各种系统程序和应用程序

以及大量的数据资源组成。但是,基于计算机网络的设计与实现,我们更多的是从功能角度去看待计算机网络的组成,并从功能上将计算机网络逻辑划分为资源子网和通信子网,如图6-1所示。

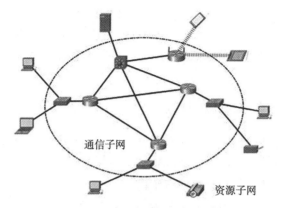

图 6-1　计算机网络的组成(功能角度)

1. 资源子网

资源子网是指用户端系统,包括用户的应用资源,如服务器、外设、系统软件、应用软件及相关数据等。资源子网由计算机系统、终端、终端控制器、联网外设、各种软件资源与信息资源组成,负责全网数据处理和向网络用户提供网络服务及资源,包括网络的数据处理资源和数据存储资源。

2. 通信子网

通信子网是指网络中实现网络通信功能的设备及其软件的集合,通信设备、网络通信协议、通信控制软件等属于通信子网,是网络的内层,负责信息的传输。通信子网主要为用户提供数据的传输、转接、加工、变换等。通信子网的任务是在端节点之间传送报文,主要由转节点和通信链路组成。在 ARPA 网中,把转节点通称为接口信息处理机(interface message processor,IMP)。通信子网主要包括中继器、集线器、网桥、路由器、网关等硬件设备。

6.1.2　计算机网络的功能

计算机网络的功能主要体现在数据通信、资源共享及负载均衡和分布式处理三个方面。

1. 数据通信

利用网络,计算机与终端或计算机与计算机之间能快速、可靠地进行数据传输和信息交换,以满足用户的对话需求。数据通信是计算机网络的基本功能之一,传输数据不仅可以是文字符号,还可以是声音、图像、视频等多媒体信息。利用网络的通信功能,可以实现发送电子邮件、网络电话、视频会议、在线课程等业务。

2. 资源共享

资源共享是指网络用户可以借助网络访问网络中的各种硬件、软件及数据资源。

硬件资源主要包括高性能计算机、大容量存储器、打印机、图形设备、通信线路、通信设备等。共享硬件资源的好处是提高硬件资源的使用效率,节约开支。

软件资源主要包括计算机中的各种系统软件和应用软件等。

狭义的数据资源即网络用户运作业务时积累下来的各种各样的数据记录,如生产销售记录、财务数据和库存数据等;广义的数据资源包括数据本身、数据的管理工具和数据管理专业人员等。

3. 负载均衡和分布式处理

负荷均衡是指借助计算机网络,将网络中的工作负荷分摊到多个操作单元上进行处理,尽量避免计算过程中的瓶颈问题,从而提高整个事务的执行效率,节约业务处理的时间及计算成本。分布式处理则是将不同地点的,或具有不同功能的,或拥有不同数据的多台计算机通过计算机网络连接起来,在控制系统的统一管理与控制下,协调完成大规模信息处理任务。

6.1.3 计算机网络的形成及发展

随着计算机技术和通信技术的不断发展,计算机网络也经历了从简单到复杂、从单机到多机的发展过程,其发展过程大致可分为以下四个阶段。

1. 第一代——面对终端的计算机网络阶段

20世纪60年代初,计算机非常庞大和昂贵。为了共享资源,实现信息采集和处理,相对便宜的远程终端利用调制解调器(modem)、终端控制器(terminal controller,TC)以及前端处理机(front-end processor,FEP)与中央计算机连接起来,形成了面向终端的以单计算机为中心的联机系统,严格来说,此系统算不上真正意义上的计算机网络,其本质上是以单机为中心的远程联机系统,如图6-2所示。

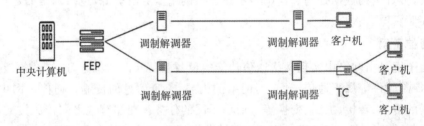

图6-2 远程联机系统

2. 第二代——计算机网络及分组交换网阶段

随着计算机技术和通信技术的不断发展,将多台主计算机通过IMP互联起来的网络出现了,即计算机-计算机网络,如图6-3所示。在这一阶段,由美国国防部高级研究计划署(ARPA)建成了分组交换网——ARPA网,该网络横跨美国东西部地区,主要连接政府机构、科研教育及金融财政部门,并通过卫星与其他国家实现网际互联。ARPA网的主要技术创新体现在分组交换技术的应用,连接节点都是独立的计算机系统,而且信道采用宽带传输,网络作用范围大,拓扑结构灵活。

3. 第三代——计算机网络体系结构标准化网络阶段

20世纪70年代,各计算机制造商制定了自己的网络技术标准,网络之间出现互不兼容的问题,无法实现全面的互联互通。国际标准化组织(ISO)为了适应网络标准化的发展,推动网络技术的进步,在研究分析计算机制造商的网络体系结构标准化经验的基础上,开始着手制定开放系统互联的一系列国际标准,并在1984年正式颁布了开放系统互联参考模型(OSI/RM),并被业界广泛认可,它对推动计算机网络理论与技术的发展、统一网络体系结构和协议起到了十分积极的作用,从此以后,计算机网络进入了具有标准化概念的网络阶段。

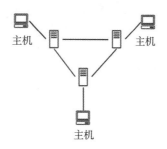

图 6-3 计算机-计算机网络

4. 第四代——以 Internet 为核心的计算机网络阶段

Internet(因特网)始于 20 世纪 60 年代,前身是 ARPA 网。1986 年,美国国家科学基金会(NSF)建立了国家基金网(NSFNET),覆盖了全美主要的大学和研究机构。随着 NSFNET 主干网速率的不断提高,它成为 Internet 的主要组成部分。1991 年以来,Internet 不断扩大,各国的大学、研究部门、政府机构、商业组织纷纷接入,尤其是英国科学家 Tim Berners-Lee 开发的 WWW(World Wide Web)技术的成熟应用,有力地促进了 Internet 的推广应用。现在 Internet 包括几十万个全球范围的局域网,这些局域网通过主干广域网互联起来。在互联网上,每天增加上百万的新网页,Internet 成为现实社会最大的信息公告板。与此同时,电子商务、电子政务的发展,进一步促进了信息技术的应用,通信技术的长足发展与网络技术的紧密结合,使得电信网络、电视网络与计算机网络向着融合、统一的趋势发展。

6.1.4 计算机网络的分类

计算机网络可以从不同的角度进行分类,常见的分类依据有覆盖范围、网络拓扑、通信传输介质、使用网络的对象等。

1. 按覆盖范围划分

计算机网络最常用的划分方式是按覆盖范围划分,可分为局域网(local area network, LAN)、城域网(metropolitan area network,MAN)和广域网(wide area network,WAN)。

局域网通常用于实现室内或楼栋内部计算机组网,覆盖范围从几十米到几千米,进行高速率数据传输。局域网的特点是组建方便、使用灵活。随着计算机技术、通信技术和电子集成技术的发展,现在的局域网可以覆盖几万米的范围,传输速率可达千兆级,例如 Ethernet。局域网按照采用的技术、应用范围和协议标准的不同,可以分为共享局域网和交换局域网。局域网发展迅速,应用日益广泛,是目前计算机网络中最活跃的分支。

城域网是一种大型的 LAN,它的覆盖范围介于局域网和广域网之间,一般为几千米至几万米。城域网覆盖在一个城市内,可以采用不同的系统硬件、软件和通信传输介质构成,它将位于一个城市之内不同地点的多个计算机局域网连接起来实现资源共享。城域网通常采用光纤或微波作为网络的主干通道。

广域网指的是实现计算机远距离连接的计算机网络,可以把众多的城域网、局域网连接起来,也可以把全球的城域网、局域网连接起来。广域网涉辖范围较大,一般从几百千米到几万千米,用于通信的传输装置和介质一般由电信部门提供,能实现大范围内的资源共享。因特网就是覆盖全球的计算机广域网。

2. 按网络拓扑划分

计算机网络拓扑(computer network topology)是指由计算机组成的网络中设备的分布

情况以及连接状态,是计算机网络节点和通信链路所组成的几何形状。按网络拓扑结构可以将计算机网络划分为总线型拓扑结构、星形拓扑结构、环形拓扑结构和树形拓扑结构。在实际构造网络时,大量的网络是这些基本拓扑结构的结合。

总线型拓扑结构采用一条单根的通信线路(总线)作为公共的传输通道,所有的节点都通过相应的接口直接连接到总线上,并通过总线进行数据传输,如在一根电缆上连接了组成网络的计算机或其他共享设备(如打印机等),如图6-4所示。由于单根电缆仅支持一种信道,连接在电缆上的计算机和其他共享设备共享电缆的所有容量,连接在总线上的设备越多,网络发送和接收数据就越慢。

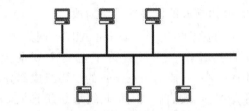

图6-4 总线型拓扑结构

总线型拓扑结构的优点:结构简单,布线容易,连线总长度小于星形拓扑结构,只要在总线上简单地加接T形头,就可以对站点进行扩充,传输媒介为无源元件,从硬件角度来看,十分可靠。

星形拓扑结构如图6-5所示。星形拓扑结构中,每一节点都通过点到点的链路与中心节点相连。中心节点可以是中心交换设备、主机等。数据的传输通过中心节点存储、转发实现各节点的信息通信。该结构通信协议简单,任何一个连接只涉及中心节点和一个站点,易于扩充,便于维护和管理;但网络的任务与可靠性都集中在中心节点上,属于集中控制,一旦中心节点出现故障,整个网络将会瘫痪,另外,中心节点也容易成为数据交换的瓶颈。

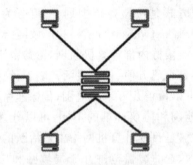

图6-5 星形拓扑结构

环形拓扑结构如图6-6所示。环形拓扑结构中,网络节点连在一条首尾相接的闭合环形通信线路中,这种结构使公共传输电缆组成环形连接。环形拓扑结构有单环结构(如令牌环)与双环结构(如光纤分布式数据接口)两种。环中的数据都是沿一个方向逐站传输的。这种结构中各站无主从关系,结构简单,传输速率高,传输距离远,数据传输延迟固定,从而便于实时控制;但任何线路或节点的故障,都会引起全网故障,而且扩充性差。由于环形拓扑结构具有独特的优势,它被广泛应用于分布式处理中。

树形拓扑结构如图6-7所示。树形拓扑结构中,网络节点形成了层次化的结构,形状如一棵倒置的树。通常,高层的节点具有管理和协调的功能,低层的节点实现具体的网络应用和数据处理。这种结构简单,传输延迟固定,但是网络节点的添加、退出以及线路的维护和管理都比较复杂,需要从高到低逐层完成,而且分层不能过多,以免增加高层节点的负担,导致数据传输延迟,并且这种结构资源共享能力差,可靠性低,任何一个工作站或链路的故障都会影响整个网络的运行。

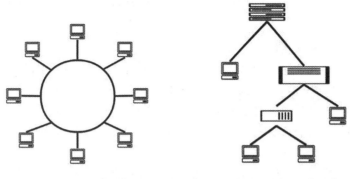

图 6-6　环形拓扑结构　　　　图 6-7　树形拓扑结构

Internet 是当今世界上规模最大、用户最多、影响最广泛的计算机互联网络。Internet 上组合有大大小小、成千上万个不同拓扑结构的局域网和广域网,因此,Internet 本身只是一个虚拟拓扑结构,无固定形式,也可以说是一个混合拓扑结构,它是包含其他各类网络的网络。因特网抽象拓扑结构如图 6-8 所示。

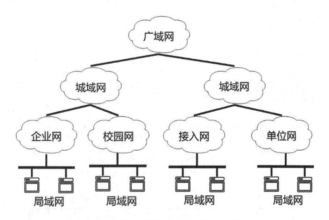

图 6-8　因特网抽象拓扑结构

3. 按通信传输介质划分

计算机网络按通信传输介质可分为有线网络和无线网络。所谓有线网络,是指采用有形的传输介质(如双绞线、同轴电缆、光纤等)组建的网络。使用微波、红外线等无形的传输介质作为通信线路的网络就属于无线网络(或卫星网等)。

4. 按使用网络的对象划分

计算机网络按使用网络的对象可分为专用网和公用网。专用网一般由某个单位或部门组建,使用权限属于单位或部门内部,不允许外单位或外部门使用,如银行系统的网络。公用网由电信部门组建,网络内的传输和交换设备可提供给任何部门和单位使用,如因特网。

6.1.5　计算机网络体系结构

计算机网络体系结构是对复杂网络系统的逻辑抽象,便于实现网络系统的交流、升级、标准化与互联。计算机网络结构可以从网络体系(network architecture)结构、网络组织和网络配置三个方面来描述。网络体系结构是从功能上进行描述,指计算机网络层次结构模型和各层协议的集合;网络组织是从网络的物理结构和网络的实现两方面进行描述;网络配置是从网络应用方面来描述计算机网络的布局、硬件、软件和通信线路。目前主要有两种模型,一种是理论标准模型——开放系统互联参考模型;另一种是实际应用模型——TCP/IP模型。

1. 开放系统互联参考模型

为了更好地促进互联网络的研究和发展,国际标准化组织制定了网络互联的七层框架的一个参考模型,称为开放系统互联参考模型(open system internetwork reference model,OSI/RM),也可称为OSI参考模型。OSI参考模型是一个具有七层协议结构的开放系统互联模型,是由国际标准化组织在20世纪80年代制定的一套普遍适用的规范的集合,使全球范围的计算机可进行开放式通信。

OSI参考模型采用了分层结构技术,把一个网络系统分成若干层,每一层都去实现不同的功能,每一层的功能都以协议形式正规描述,协议定义了某层同远方一个对等层通信所使用的一套规则和约定。每一层向相邻上层提供一套确定的服务,并且使用与之相邻的下层所提供的服务。从概念上来讲,每一层都与一个远方对等层通信,但实际上该层所产生的协议信息单元是借助相邻下层所提供的服务传送的。因此,与对等层之间的通信称为虚拟通信。OSI参考模型共分七层,自底向上分别为物理层、数据链路层、网络层、传输层、会话层、表示层和应用层,如图6-9所示。

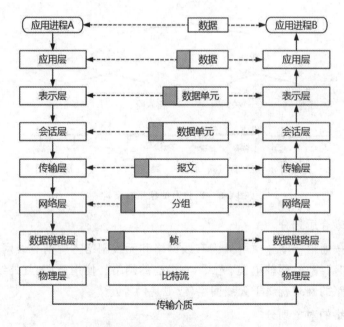

图6-9 OSI参考模型的七层框架

数据在OSI参考模型的几个层次中逐层进行传输。如某台主机上的进程P1向另外一台主机的进程P2传送数据,P1先将数据交给应用层,应用层在数据上加上必要的控制信息变成下一层的数据。表示层收到应用层提交的数据后,加上本层的控制信息,再交给会话层,依次类推。需要注意的是,数据到达物理层后由于是比特流的传送,不再加上控制信息。这一串比特流经过网络的物理媒体传送到目的站点后,就从物理层开始向上依次传送。

2. TCP/IP 模型

TCP/IP 模型是当前世界上最大的开放的互联网——因特网的体系结构。因特网是由众多网络相互连接而成的特定的计算机网络,通过 TCP/IP 协议使得世界各地的计算机用户共享信息资源。TCP/IP 是因特网的核心协议。在 TCP/IP 模型中,网络被划分为四层体系结构,自底向上分别为网络接口层、网际层、传输层和应用层。TCP/IP 模型与 OSI 参考模型对比如图 6-10 所示。

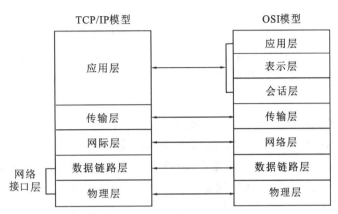

图 6-10　TCP/IP 模型与 OSI 参考模型对比

网络接口层提供了各种网络的接口,负责与物理网络连接。它包含所有现行网络访问标准,如 LAN 等。网际层负责不同网络或同一个网络中不同计算机之间的通信,主要处理数据报和路由。网际层的核心是 IP 协议。IP 协议是无连接的协议,不保证数据报传输的可靠性。传输层提供端到端的通信,主要功能是信息格式化、数据确认和丢失重传等。传输层提供 TCP 协议和 UDP 协议。应用层包含常用的应用程序,例如远程登录、文件传输协议(FTP)、超文本传输协议(HTTP)等。

6.2　数据通信基础

数据通信是通信技术和计算机技术相结合而产生的一种新的通信方式。要在两地间传输信息必须有传输信道。根据传输媒体的不同,数据通信可划分为有线数据通信与无线数据通信,它们通过传输信道将数据终端与计算机连接起来,而使不同地点的数据终端实现软、硬件和信息资源的共享。数据通信系统一般由数据传输设备、传输控制设备和传输控制规程及通信软件组成。以下简单介绍有关数据通信的基本知识,以便读者更好地理解计算机网络。

6.2.1　基本概念

1. 数据通信系统

数据通信系统是通过传输媒体将信息从一个地方传送到另一个地方的电子系统。在通信过程中,数据以信号形式出现。信号有模拟信号和数字信号两种形式。

对一个通信系统来说,它必须具备信源、传输媒体、信宿三个基本要素。其中,信源是信息的发源地,传输媒体是信息传输过程中承载信息的媒体,信宿是接收信息的目的地。

2. 信道

信道(signaling channel)是指传输信息的通路。在计算机网络中有物理信道和逻辑信道之分。物理信道是指用来传送信号或数据的物理通路,网络中两个节点之间的物理通路称为通信链路。

信道按照传输介质可分为有线信道、无线信道和卫星信道。

信道按照使用权限可分为专用信道和公用信道。

信道按照传输信号的种类可分为模拟信道和数字信道。

不同类型的信道具有不同的特征和使用方式。模拟信道传输的是连续变化的、具有周期性的正弦波信号;数字信道传输的是离散的二进制脉冲信号。现代计算机通信所使用的通信信道在主干线路上基本都是数字信道。

3. 带宽

带宽是指信道能传送信号的频率宽度,也就是可传送的信号的最高频率与最低频率之差。信道的带宽由传输介质、接口部件、传输协议以及传输信息的特性等因素所决定,它在一定程度上体现了信道的传输性能,是衡量传输系统的一个重要指标。信道的容量、传输速率和抗干扰性等均与带宽有密切的联系。通常,信道的带宽大,信道的容量也大,其传输速率相应也高。

通常用带宽来描述传输介质的传输容量,传输介质的容量越大,带宽就越大,通信能力就越强,传输速率就越高。

4. 码元

码元是对网络中传送的二进制数中的每一位的通称。例如,二进制数1010011是由7个码元组成的序列,码元通常称为位或比特(bit)。

6.2.2 通信传输介质

通信传输介质就是通信中实际传送信息的载体,在网络中是连接收发双方的物理通路。数据信号的传输质量不但与传送的数据信号和收发特性有关,而且与传输介质有关。传输介质的特性直接影响通信的质量指标,如信道容量、传输速率、误码率及线路费用等,所以必须了解所用通信线路的性质以及噪声干扰问题,以便设计一个良好的数据通信系统或计算机网络系统。通信传输介质可分为有线介质和无线介质。

1. 有线介质

目前常用的有线介质有双绞线、同轴电缆和光纤。

1) 双绞线

双绞线(twisted pair,TP)是最常用的一种传输介质,它由两条具有绝缘保护层的铜导线相互绞合而成,如图6-11所示。把两条铜导线按一定的密度绞合在一起,可增强抗电磁干扰能力。一对双绞线形成一条通信链路。在双绞线中可传输模拟信号和数字信号。双绞线通常有非屏蔽式和屏蔽式两种。

2) 同轴电缆

同轴电缆(coaxial cable)是由一根空心的圆柱形外导体围绕单根内导体构成的,如图6-12所示。内导体为实心或多芯硬质铜线电缆,外导体为硬金属或金属网。内导体和外导体之间由绝缘材料隔离,外导体外还有外皮套或屏蔽物。由于外导体具有屏蔽层的作用,同轴电缆具有较强的抗干扰功能。计算机网络中使用的同轴电缆有两种:一种称为细缆,阻

图 6-11 双绞线

抗为 50 Ω,传输速率可达 10 Mb/s,在不加中继器的情况下,有效传输距离为 185 m;另一种称为粗缆,阻抗也为 50 Ω,传输速率可达 10 Mb/s,在不加中继器的情况下,有效传输距离为 500 m。

图 6-12 同轴电缆

3) 光纤

光纤即光导纤维(optical fiber),是发展最为迅速的传输介质,利用光纤可传递光脉冲来进行通信。光纤通常为由非常透明的石英玻璃拉成的细丝,主要由纤芯和外包的一层玻璃同心层构成,为双层通信圆柱体,如图 6-13 所示。纤芯用来传导光波,光线入射角足够大就会出现全反射,即光线碰到包层就会折射回纤芯,这个过程不断重复,光也就沿着光纤传输下去了。现代的生产工艺可以制造出超低损耗的光纤,即做到光线在纤芯中传输数公里而基本上没有什么衰耗,可在 6~8 km 距离内不需要中继器放大。这一点正是光纤通信得到飞速发展的重要原因。

图 6-13 光纤

光纤的很多优点使得它在远距离通信中起着重要作用。光纤有如下优点:

(1) 光纤传输带宽非常大,因而通信容量大;

(2) 光纤的传输速率高,能超过 1 000 Mb/s,在实验室中已经获得 T 级(1 000 Gb/s)传输速率;

(3) 光纤的误码率极低,传输衰减小,无中继距离长,用于远距离传输特别经济;

(4) 光纤不受雷电和外界电磁波的干扰,适宜在电气干扰严重的环境中应用;

(5) 光纤无串音干扰和辐射,数据不易被窃听或截取,因而安全保密性好;

(6) 光纤的体积小,重量轻,成缆后弯曲性能较好。

但光纤也有一些缺点:①连接两根光纤需要专用设备,且须保证对接的光纤端面平整,以便光能透过,要求精确度高,技术难度大,需要专业技术人员操作;②由于光的传输是单向的,双向传输需要两根光纤或一根光纤上的两个频段;③目前的光电接口器件还比较昂贵(但价格在逐年下降)。

2. 无线介质

目前采用无线信道的通信方式有微波通信、红外线通信和光通信。采用无线信道即采用无线介质,可省去线路的架设,也允许数字终端设备在一定范围内随意移动,适用于军事、野外等特殊场合。但无线通信对环境较为敏感,例如易受雨水、雾和雷电影响,而且无线通信过程中数据易被窃听、易受干扰。

6.3 Internet 的基础知识

Internet 即通常所说的因特网,它是一个由不同类型和规模并独立运行和管理的计算机网络组成的全球范围的计算机网络,组成 Internet 的计算机网络包括局域网、城域网以及大规模的广域网。用户可以使用 Internet 提供的各种软件、硬件,以及由它们组成的各种基于互联网的应用系统。这些应用系统把各种 Internet 信息资源有机结合在一起,从而构成了 Internet 所拥有的一切,同时 Internet 也构成了当今信息社会的基础结构。

6.3.1 IP 地址与域名

1. IP 地址

Internet 所发送的信息之所以能够准确无误地从源端发送到目的端,正是因为采用了 IP 地址及域名技术。IP 地址能够唯一确定 Internet 上每台计算机及设备的位置。IP 地址是网际协议地址(internet protocol address)的简称,是 Internet 上主机的唯一标识。通信时要利用 IP 地址来指定目的主机。

1) IP 地址的组成

通常所说的 IP 使用 32 位的地址,也可称为 IPv4,即由 4 字节(总共 32 位)构成,如 11000000 10101000 00000001 01100100,将每个字节转换成对应的十进制整数,采用"."分隔,则所对应的 IP 地址以十进制格式输出为 192.168.1.100。IP 地址由网络地址和主机地址 2 个部分组成,其结构如图 6-14 所示。网络地址用于区分不同的网络,主机地址用于在一个网络中区分不同主机。

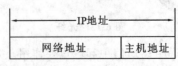

图 6-14 IP 地址的结构

2) IP 地址的分类

根据不同的取值范围,IP 地址可以分为 5 类,格式区别如图 6-15 所示。IP 地址中的前

1~5 位用于标识 IP 地址的类别。A 类地址的第 1 位为"0",B 类地址的前 2 位为"10",C 类地址的前 3 位为"110",D 类地址的前 4 位为"1110",E 类地址的前 5 位为"11110"。其中,A 类、B 类与 C 类地址为基本的 IP 地址。由于 IP 地址的长度限定于 32 位,类标识符越长,可用的地址空间越小。

图 6-15 IP 地址分类及格式区别

(1)基本网络地址。

A 类地址用"0"作为标志,其网络地址空间长度为 7 位,主机地址空间长度为 24 位。A 类地址范围是 1.0.0.0 至 127.255.255.255。由于其网络地址空间长度为 7 位,允许有 126 个不同的 A 类网络(网络地址的 0 和 127 保留,用于特殊目的)。同时,由于主机地址空间长度为 24 位,每个 A 类网络的主机地址数多达 2^{24}(逾 16 000 000)个。A 类 IP 地址结构适用于有大量主机的大型网络。

B 类地址用"10"作为标志,其网络地址空间长度为 14 位,主机地址空间长度为 16 位。B 类地址范围是 128.0.0.0 至 191.255.255.255。由于其网络地址空间长度为 14 位,允许有 16 384 个不同的 B 类网络。同时,由于主机地址空间长度为 16 位,每个 B 类网络的主机地址数多达 65 536 个。B 类 IP 地址适用于一些国际大公司与政府机构等。

C 类地址用"110"作为标志,其网络地址空间长度为 21 位,主机地址空间长度为 8 位。C 类地址范围是 192.0.0.0 至 223.255.255.255。由于其网络地址空间长度为 21 位,允许有超过 2 000 000 个不同的 C 类网络。同时,由于主机地址空间长度为 8 位,每个 C 类网络的主机地址数多达 256 个。C 类 IP 地址特别适用于一些小公司与普通的研究机构。

D 类地址的标志是"1110",它的范围是 224.0.0.0~239.225.225.225。D 类 IP 地址常用于特殊的用途,如多目的地址广播(multicasting)。

E 类地址暂时保留,它的范围是 240.0.0.0 至 255.225.225.225。E 类 IP 地址用于某些实验和将来使用。

(2)特殊的 IP 地址。

网络地址:主机地址全为"0"的 IP 地址,不分配给任何主机,而是作为网络本身的标识。例如,主机 202.198.151.136 所在网络的网络地址为 202.198.151.0。

直接广播地址:主机地址全为"1"的 IP 地址,不分配给任何主机,用作广播地址,对应分组传递给该网络中的所有节点(能否执行广播则依赖于支撑的物理网络是否具有广播的功能)。

例如,主机 202.198.151.136 所在网络的广播地址为 202.198.151.255。

有限广播地址:32 位全为"1"的 IP 地址(255.255.255.255),通常由无盘工作站启动使用,用于从网络 IP 地址服务器处获得一个 IP 地址。

主机本身地址:32 位全为"0"的 IP 地址(0.0.0.0)。

回送地址:IP 地址为 127.0.0.1,常用于本机上软件测试和本机上网络应用程序之间的通信地址。

2. 域名和域名系统

1)域名和域名系统的概念

IP 地址是用数字来代表主机的地址,通常人们对数字的记忆远不如有固定含义及书写规则的单词的效率高。域名的意义就是以一组英文简写来代替难记的数字。为了便于网络地址的分层管理和分配,互联网采用了域名管理系统(domain name system,DNS)。

域名系统也与 IP 地址的结构一样,采用的是典型的层次结构。域名系统将整个 Internet 划分为多个顶级域,并为每个顶级域规定了通用的顶级域名,如表 6-1 所示。美国是 Internet 的发源地,因此美国的顶级域名是以组织模式划分的。对于其他国家,顶级域名是以地理模式划分的,每个申请接入 Internet 的国家都可以作为一个顶级域名出现,如表 6-2 所示。

表 6-1 通用顶级域名

顶级域名	域名类型	顶级域名	域名类型
com	商业组织	mil	军事部门
edu	教育机构	net	网络支持中心
gov	政府部门	org	各种非营利性组织
int	国际组织	net	网络组织

表 6-2 国家顶级域名

顶级域名	国家	顶级域名	国家
cn	中国	jp	日本
us	美国	uk	英国
ru	俄罗斯	fr	法国
de	德国	kr	韩国

2)域名的结构

域名的写法类似于点分十进制的 IP 地址的写法,用点号将各级子域名分隔开来,域的层次次序为,从右到左分别为顶级域名、二级域名、三级域名。典型的域名结构为"主机名.单位名.机构名.国家名"。主机域名示例如图 6-16 所示。

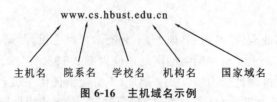

图 6-16 主机域名示例

在域名系统中,每个域是由不同的组织来管理的,而这些组织又可以将其子域分给其他的组织来管理。这种层次结构的优点是,各个组织在它们的内部可以自由选择域名,只要保证组织内的唯一性即可,而不用担心与其他组织内的域名冲突。

6.3.2 Internet 的基本服务

Internet 的基本服务有 4 种，即 WWW 服务、电子邮件、文件传输和远程登录。

1. WWW 服务

WWW 服务是 Internet 使用最广泛的一种服务，它以超文本标记语言与超文本传输协议为基础，能够以十分友好的接口提供 Internet 信息查询服务，信息以 Web 网页的形式传输到客户端的浏览器。Web 网页采用超文本的格式，它除了包括文本、图像、声音、视频等信息外，还含有指向其他 Web 页面或页面本身某特定位置的超链接。

Web 服务器除了提供它自身的独特信息服务外，还利用超链接技术指向其他含有相关信息的 Web 服务器，而那些服务器又指向更多的服务器，从而使 WWW 服务覆盖全球。Web 服务器采用的是客户机/服务器工作模式。客户端运行 WWW 客户程序，该程序提供良好的用户界面，并将用户的查询要求送给服务器。Web 服务器一端运行服务器程序，接到网络上某一客户程序的请求后，就完成规定的查询并将结果送回客户程序。

客户通过浏览器请求 URL 资源。URL 书写格式是在 DNS 的基础之上指名所使用的协议及请求指定的文件对象，例如，图 6-16 所示主机请求 WWW 服务器中 info 子目录下 index.htm 文件的 URL 书写格式为"http://www.cs.hbust.edu.cn/info/index.htm"，具体字段说明如图 6-17 所示。

图 6-17 具体字段说明

2. 电子邮件

电子邮件服务器是邮件服务系统的核心。电子邮箱是在邮件服务器中为每个合法用户开辟一个存储用户邮件的空间。使用简单邮件传输协议(simple mail transfer protocol)发送邮件，使用 POP3 协议(post office protocol version 3)或者 IMAP 协议读取邮件。电子邮箱地址格式为"用户名@主机域名"，例如 zhangsan@hbust.edu.cn。

3. 文件传输

使用文件传输协议能够让用户共享网上资源，甚至包括那些最新的软件和资料文件。用户通过 FTP 程序与远程计算机连接(两者都使用 TCP 进行通信)。FTP 下载工作过程如下：用户首先向对方提出文件传输申请，对方服务器找到用户申请的文件后，利用 TCP 将该文件的副本传输到用户处。用户的 FTP 程序再将接收到的文件写入硬盘。文件传输完毕后，用户与远程计算机的连接自动断开。FTP 上传工作过程与下载工作过程基本一致。

4. 远程登录

远程登录是指一个本地用户在远地主机有一个账号(或是没有账号进入 Internet 计算机提供的一些公共服务，如 BBS)，并通过 TCP/IP 进入该远地账号，以访问远地服务器系统资源。远程登录的目的在于访问远地系统资源，就像多用户系统中的终端用户访问主机的系统资源一样。一个本地用户通过远程登录进入远地系统后，远地系统内核并不将它与本地用户登录进行区别。也就是说，远程登录和远地系统的本地登录可以同样访问权限允许的远地系统资源。

6.4 网络安全

6.4.1 网络安全的基本概念和特征

网络安全从其本质上讲就是网络上的信息安全，指网络系统的硬件、软件及数据受到保护，不遭受破坏、更改、泄露，系统可靠正常地运行，网络服务不中断。从用户的角度上讲，用户希望涉及个人和商业的信息在网络上传输时受到机密性、完整性和真实性的保护，避免其他人或对手利用窃听、冒充、篡改、抵赖等手段对自己的利益和隐私造成损害和侵犯。从网络运营商和管理者的角度来说，他们希望对本地网络信息的访问、读写等操作受到保护和控制，避免受到病毒、非法存取、拒绝服务以及网络资源的非法占用和非法控制等威胁，制止和防御网络黑客的攻击。

研究网络安全技术，首先要研究对网络安全构成威胁的主要因素。我们可以将对网络安全构成威胁的因素大致归纳为以下五个方面的问题。

1. 网络攻击问题

确保网络环境中系统的安全首要任务是保证网络自身不被恶意攻击或能有效防范攻击。在 Internet 中，对网络的攻击可以分为两种基本类型，即服务攻击与非服务攻击。服务攻击是指对网络中提供某种服务的服务器发起攻击，造成该网络的"拒绝服务"，使网络工作不正常。非服务攻击不针对具体应用，而是针对网络层等低层协议进行的。攻击者可能使用各种方法对网络通信设备（如路由器、交换机）发起攻击，使得网络通信设备工作严重阻塞或瘫痪，小则一个局域网，大到一个或几个子网不能正常工作或完全不能工作。

2. 网络安全漏洞

网络信息系统的运行一定会涉及计算机硬件与操作系统、网络硬件与网络软件、数据库管理系统、应用软件及各种网络通信协议，各种计算机硬件与操作系统、应用软件都会存在一定的安全问题，它们不可能是百分之百无缺陷或无漏洞的。

网络攻击者一直在研究这些安全漏洞，并且把这些漏洞作为攻击网络的首选目标。这就要求网络安全研究人员与网络管理人员也必须主动地了解本地系统的计算机硬件与操作系统、网络硬件与网络软件、数据库管理系统、应用软件及网络通信协议中可能存在的安全问题，利用各种软件与测试工具主动检测网络中可能存在的各种安全漏洞，并及时地提出对策与补救措施。

3. 网络中的信息安全问题

信息安全问题主要是指黑客进行的信息截获、窃取和破译等活动。网络中的信息安全主要包括两个方面，即信息存储安全与信息传输安全。信息存储安全是指保证静态存储在联网计算机中的信息不会被未授权的网络用户非法使用。信息传输安全是指保证信息在网络传输的过程中不被泄露与不被攻击。

4. 网络防病毒问题

病毒按基本类型主要分为引导型病毒、可执行文件病毒、宏病毒、混合病毒、特洛伊木马型病毒等，破坏方式包括损坏软、硬件资源，盗取、篡改信息，非法侵占存储及计算机资源等。

其中70%的病毒发生在网络上,并且在网络中传播快,具有极强的隐蔽性,很难及时发现并清除。

5. 网络数据备份与恢复、灾难恢复问题

在信息爆炸的时代,企业最为宝贵的财富就是数据,要保证企业业务持续运作,就要保护基于计算机的信息。人为的错误、硬盘的损毁、电脑病毒、自然灾难等都有可能造成数据的丢失,给企业造成无可估量的损失。这时,最关键的问题在于如何尽快恢复计算机系统,使其能正常运行,数据备份与恢复、灾难恢复等工作就显得尤为重要。

6.4.2 网络的脆弱性

计算机网络的脆弱性涉及一切信息系统或信息网络中可被非预期利用的方面。从整体上看,计算机网络系统在设计、实施、应用和控制过程中存在的一切可能被攻击者利用从而造成安全危害的缺陷都是由于网络具有脆弱性。网络信息系统遭受损失,最根本的原因即在于其本身存在的脆弱性。网络系统的脆弱性主要来源于以下几个方面。

1. 信息系统的软、硬件安全漏洞

计算机系统在硬件、软件、协议设计与实现等过程中以及系统安全策略上都不可避免存在缺陷和瑕疵,从而造成了攻击者很容易利用它们实施攻击的事实。比如,编程过程中由于疏忽而导致逻辑错误是很普遍的现象;数据处理也比数值计算更容易发生逻辑错误;软件模块的复杂调用关系也给软件维护带来了困境;不同种类的软、硬件设备中,同种设备的不同版本,甚至不同设备构成的不同系统之间的相互协调等都会存在不同的安全问题。攻击者通过这些系统安全漏洞获得计算机系统的额外权限,获取系统的机密信息,破坏系统的保密性、完整性和可用性。

2. 网络结构的复杂性

计算机网络的根本职能,一是提供网络通信,二是实现网络信息共享。由于互联网最初被设计为一个开放的接入模型,民主自由的设计观在带来网络繁荣的同时也使得网络的复杂性极速增长。时至今日,互联网已经成为全球最大的复杂系统,数以亿计的网络节点和网络链路导致其结构根本无法探明,网络连接结构也是随时动态变化的。各种脆弱性因素因为网络关联在一起,使得网络脆弱性分析变得更为困难。病毒、木马及网络蠕虫在互联网中的传播具有明显的分岔、混沌等非线性复杂动力学行为特征。这些安全危害在网络中泛滥,导致有限资源下的网络免疫变得十分困难。

3. 用户网络行为的复杂性

一般来说,互联网包含经济代理机构的基本概念,这有别于传统分布式计算;互联网的不同部分有不同的所有者、不同的经济动机,但他们合作,提供端到端的全面服务。互联网跨越了截然不同的法律、公约和习惯。能够构建网络的技术在人类的梦想和发明中不断变化着,是多元化的、充满潜在冲突的和私人的行为。网络在设计之初是无法周全考虑到人们日后的复杂行为的。当前掌握网络知识的人数迅速增长,这也使得大量人员拥有攻击网络的技能。网络系统广泛采用标准协议,攻击者更容易获得系统或网络漏洞,攻击代价降低,更加容易实施,因此,一些网络的既定构件在新的用户行为下导致了新的脆弱性的产生。因此,网络安全防范总是陷入"道高一尺,魔高一丈"的循环对抗。

4. 增加的安全措施本身带来的脆弱性

脆弱性问题与时间紧密相关。随着时间的推移,旧的脆弱性会不断得到修补或纠正,新的脆弱性会不断出现,因而脆弱性问题长期存在。网络中的一些软件、硬件可能在尚未完善时就被应用,未克服系统中原始的脆弱性而采用的各种控制措施往往会带来新的脆弱性。一些新增加的安全措施本身也不安全,或者顾此失彼带来了新的安全问题。

6.4.3 网络安全措施

1. 安全技术手段

安全技术手段主要表现在以下几个方面:

(1)物理措施。例如,保护网络关键设备(如交换机、大型计算机等),制定严格的网络安全规章制度,采取防辐射、防火以及安装不间断电源(uninterruptible power supply,UPS)等措施。

(2)访问控制。对用户访问网络资源的权限进行严格的认证和控制。例如,进行用户身份认证,对口令进行加密、更新和鉴别,设置用户访问目录和文件的权限,控制网络设备配置的权限,等等。

(3)数据加密。加密是保护数据安全的重要手段。加密的作用是使信息被人截获后其含义不能被读懂。

(4)网络隔离。网络隔离有两种方式,一种是采用隔离卡来实现的,一种是采用网络安全隔离网闸实现的。隔离卡主要用于对单台机器进行隔离,网闸主要用于对整个网络进行隔离。

(5)其他措施。其他措施包括信息过滤、容错、数据镜像、数据备份和审计等。近年来,围绕网络安全问题提出了许多解决办法,例如采用防火墙技术等。防火墙技术是通过对网络进行隔离和限制访问等方法来控制网络的访问权限。

2. 安全防范意识

拥有网络安全防范意识是保证网络安全的重要前提。许多网络安全事件的发生都和缺乏安全防范意识有关。

第 7 章　常用工具软件的安装和使用

计算机常用工具软件有很多,本章将重点介绍几款使用较多的工具软件。通过学习,读者可掌握这几款常用工具软件的安装和使用方法,并且能够通过这几款工具软件对计算机进行日常的维护和管理。

【知识要点】
- 利用 360 安全卫士对计算机进行维护的方法
- 利用 U 深度制作 U 盘启动盘的方法
- WinRAR 压缩软件的使用方法
- 利用百度网盘对文件进行存储和管理的方法
- 利用 EasyRecovery 数据恢复工具对丢失的数据进行恢复的方法

7.1　360 安全卫士

7.1.1　简介

360 安全卫士是奇虎 360 科技有限公司的产品(公司主页为 https://www.360.cn),该公司是目前中国领先的互联网和手机安全产品及服务供应商。公司由周鸿祎创立于 2005 年 9 月,主营以 360 杀毒为代表的免费网络安全平台,同时拥有 360 问答等独立业务。公司主要依靠在线广告、游戏及互联网增值业务创收。

360 安全卫士致力于通过提供高品质的免费安全服务,为中国互联网用户解决上网时遇到的各种安全问题。面对互联网时代木马、病毒、流氓软件、钓鱼欺诈网页等多元化的安全威胁,360 安全卫士以互联网的思路解决网络安全问题。

作为目前中国最大的互联网安全公司之一,奇虎 360 科技有限公司拥有国内规模领先的高水平安全技术团队,旗下 360 安全卫士、360 杀毒、360 安全浏览器、360 安全桌面、360 手机卫士等系列产品深受用户好评。

7.1.2　软件的安装、卸载及使用

1. 软件的安装

(1)到 360 安全卫士官方网站(https://weishi.360.cn)下载安装程序文件。

(2)安装程序文件下载完成后,双击文件图标,系统会启动安装程序,根据提示单击"立即安装"—"下一步"—"完成"按钮即可完成安装。

2. 软件的卸载

在 Windows 操作系统中执行"开始"—"所有程序"—"360 安全中心"—"360 安全卫士"—"卸载 360 安全卫士"命令(程序所在位置如图 7-1 所示),再根据提示操作即可完成卸载。

图 7-1 "卸载 360 安全卫士"程序所在位置

3. 软件的使用

(1)打开 360 安全卫士,显示主界面,如图 7-2 所示(当前版本为领航版 12.0.0.2001)。

图 7-2 360 安全卫士主界面

(2)系统体检:利用体检功能可以全面检查计算机的各项状况。体检完成后 360 安全卫士会提交一份优化计算机的意见,用户可以根据需求对计算机进行优化,也可以选择"一键优化"。点击"立即体检"按钮开始对计算机进行系统体检,过程界面如图 7-3 所示。

(3)木马查杀:木马对电脑的危害非常大,可能导致用户支付宝、网络银行在内的重要账户密码丢失。木马的存在还可能导致用户隐私文件被拷贝或删除,所以及时查杀木马对安全上网来说十分重要。可以点击主界面上的"木马查杀"打开扫描界面,如图 7-4 所示,然后点击"快速查杀"来检查电脑里面是否存在木马程序。

(4)电脑清理:主要是完成常用软件垃圾、系统垃圾、微信、注册表、电脑中的插件、痕迹信息、"Cookies 信息"等项目的清理。点击主界面上的"电脑清理"可以打开清理界面,扫描完成后可以进行清理内容的选择或选择"一键清理",如图 7-5 所示。360 安全卫士的电脑清理功能可清除计算机中长期积累下来而且会影响计算机运行速度和存储空间的不需要的文件。

图 7-3　系统体检过程界面

图 7-4　"木马查杀"界面

图 7-5　"电脑清理"界面

(5)系统修复:对电脑中存在的漏洞及电脑故障进行修复。点击主界面上的"系统修复"打开修复界面,如图 7-6 所示,点击"全面修复"进行系统修复。

(6)优化加速:可以对开机加速项、暂时不使用的软件、系统加速项、网络加速项、硬盘加速项等进行优化加速。点击主界面上的"优化加速"可以打开优化扫描界面,如图 7-7 所示,扫描完成后可点击"立即优化"或选择需要优化的项目。

(7)软件管家:聚合了众多安全、优质的软件,用户可以方便、安全地下载安装。点击主界面上的"软件管家"按钮,可以打开"360 软件管家"主界面,用户可以对已安装的软件进行升级或者卸载(无残留)操作,还可以搜索安装新的软件等。"360 软件管家"主界面如图 7-8 所示。

图 7-6 "系统修复"界面

图 7-7 "优化加速"界面

图 7-8 "360 软件管家"主界面

(8)功能大全:点击"360 安全卫士"主界面上的"功能大全"按钮,可以打开功能界面,如图 7-9 所示,其中包含"全部工具"和"我的工具",这里将为用户提供"人工服务""手机助手""宽带测速器""系统急救箱"等功能。

第 7 章 常用工具软件的安装和使用

图 7-9 "功能大全"界面

 ## 7.2 U 盘启动盘制作工具

7.2.1 简介

我们在使用计算机时不可避免地会遇到系统损坏或崩溃的情况,这时就需要重新安装操作系统。传统的操作系统安装方式(光盘引导)已经随着光驱的淘汰而退出了历史舞台,目前计算机系统的重新安装基本都选用 U 盘引导的方式。它在系统和硬件的兼容性上已经远远超过了光盘引导安装方式,下面将介绍 U 盘启动盘制作工具的安装及使用。U 盘启动盘制作工具目前有很多,这里选取 U 深度 U 盘启动盘制作工具来进行介绍。

7.2.2 软件的安装、卸载及使用

1. 软件的安装

(1)进入 U 深度官方网站(http://ushendu.juxiang88.cn/)下载"新一代 U 盘启动盘制作工具 v5.0"安装程序文件,这里我们选择增强版。

(2)下载完成后,双击安装程序文件,系统会启动安装程序,单击"立即安装"即可完成安装过程。

2. 软件的卸载

在 Windows 操作系统中执行"开始"—"所有程序"—"U 深度增强版"—"卸载 U 深度"命令,再根据提示操作即可完成卸载。

3. 软件的使用

1)准备工作

在制作 U 盘启动盘之前,先准备一个空的 U 盘或者其中数据已不需要的 U 盘(制作工具会把 U 盘格式化),U 盘大小建议在 4 GB 以上。准备好 U 盘后我们进行启动盘的制作。

2) U 盘启动盘的制作

打开 U 深度 U 盘启动盘制作工具程序,将准备好的 U 盘插入电脑 USB 接口,等待软件自动识别所插入的 U 盘。随后无须修改界面中任何选项,与图 7-10 所示的参数选项一致之后点击"开始制作"即可。

图 7-10　U 深度 U 盘启动盘制作工具参数选项

这时会出现一个弹窗,出现警告信息"本操作将会删除 F:盘上的所有数据,且不可恢复",如图 7-11 所示,若 U 盘中存有重要资料,可将资料备份至本地磁盘中,确认备份完成或者没有重要资料后点击"确定"执行制作。

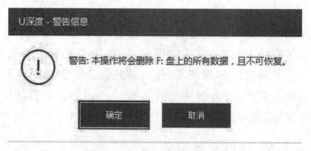

图 7-11　警告信息弹窗

制作 U 盘启动盘过程需要 2~3 分钟,在此期间请耐心等待且不要进行其他操作,以保证制作过程顺利完成。U 盘启动盘制作过程界面如图 7-12 所示。

图 7-12　U 盘启动盘制作过程界面

U 盘启动盘制作完成后,会弹出新的提示窗口,如图 7-13 所示,对此我们点击"是"对制作完成的 U 盘启动盘进行模拟启动测试,测试 U 盘启动盘是否可用。

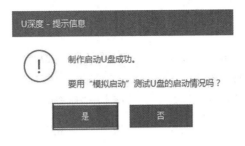

图 7-13　制作成功提示窗口

点击"是"后开始模拟启动,如看到图 7-14 所示的界面说明 U 盘启动盘已制作成功(注意:模拟启动界面仅供测试使用,请勿进一步操作),按组合键"Ctrl+Alt"释放出鼠标,点击右上角的关闭按钮退出模拟启动界面。

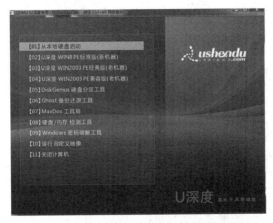

图 7-14　U 盘启动盘制作成功的模拟启动界面

将准备好的.gho 系统文件复制到 U 盘中便完成了 U 盘启动盘的制作。

7.3　实用压缩软件 WinRAR

7.3.1　简介

WinRAR 是强大的压缩文件管理器,它具有可强力压缩、可分卷、可加密、有自解压模块、备份简易等特点。用户可用它备份数据,减小 E-mail 附件的大小,解压缩从 Internet 下载的 RAR、ZIP 和其他格式的压缩文件,并能创建 RAR、ZIP 格式的压缩文件。

7.3.2　软件的安装及使用

1. 软件的安装

(1)到 WinRAR 官方网站(http://www.winrar.com.cn/index.htm)下载安装程序文件。

(2)下载完成后,双击安装程序文件,系统会启动安装程序,选择目标文件夹点击"安装"按钮,再点击"确定"按钮即可完成安装。

2. 软件的使用

(1) 制作自解压文件。

方法一：直接生成法。

以将 C:\Users\Administrator\Desktop（桌面文件夹）中的"材料.docx"文件压缩成.exe 文件为例。右键单击"材料.docx"文件，在快捷菜单中选择"添加到压缩文件"命令，然后在打开的"压缩文件名和参数"设置窗口中选中"压缩选项"下"创建自解压格式压缩文件"前的复选框（见图 7-15），改变"压缩文件名"至所需后单击"确定"按钮即可将选定文件压缩成自解压文件。

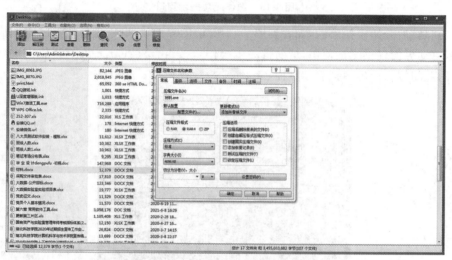

图 7-15 "压缩文件名和参数"设置窗口

方法二：转换法。

以将已有的 RAR 压缩包转换成.exe 文件为例。启动 WinRAR，定位到压缩包所在文件夹，选中 RAR 压缩包，再选择"工具"—"压缩文件转换为自解压格式"（见图 7-16），在弹出的对话框中进行设置后单击"确定"按钮即可生成自解压文件。

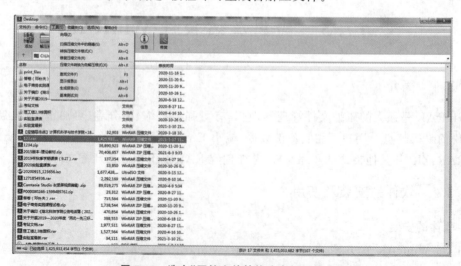

图 7-16 选中"压缩文件转换为自解压格式"

(2) 修复受损的压缩文件。

如果打开压缩文件时提示该文件已损坏，可以通过 WinRAR 对压缩文件进行修复。启动 WinRAR,定位到压缩包所在文件夹,选中 RAR 压缩包,再选择"工具"—"修复压缩文件"(见图 7-17),在弹出的对话框中设置修复文件路径后点击"确定"即可修复损坏的压缩文件。

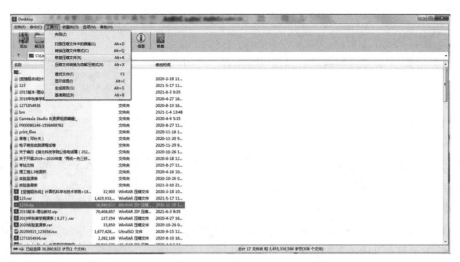

图 7-17　选择"修复压缩文件"

(3)加密、压缩重要文件。

对一些重要的文件,可以通过 WinRAR 软件进行加密及压缩。启动 WinRAR,选择"文件"—"设置默认密码"(见图 7-18,注意适当增加密码复杂性),再对重要文件进行压缩就可以加密、压缩一气呵成了。

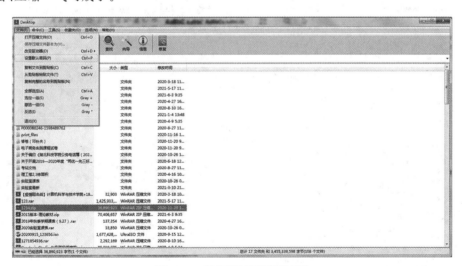

图 7-18　选择"设置默认密码"

7.4　网　　盘

7.4.1　简介

网盘,又称网络 U 盘、网络硬盘,是由互联网公司推出的在线存储服务。服务器机房为用户划分一定的磁盘空间,为用户免费或收费提供文件的存储、访问、备份、共享等文件管理功能,并且拥有高级的世界各地的容灾备份。用户可以把网盘看成一个放在网络上的硬盘或 U 盘,不管在家中、单位或其他任何地方,用户只要连接到互联网,就可以管理、编辑网盘里的文件,不需要随身携带硬盘或 U 盘,更不怕丢失。网盘的种类很多,下面选取常用的百度网盘进行介绍。

7.4.2 百度网盘的安装、卸载及使用

1. 安装

(1)到百度网盘官方网站(https://pan.baidu.com/download)下载安装程序文件,可选"Windows"下的"下载 PC 版"。

(2)下载完成后,双击安装程序文件,系统会启动安装程序,选择安装目录(不要放在 C 盘),然后选择"极速安装",等待安装完成即可。

2. 卸载

在 Windows 操作系统中执行"开始"—"所有程序"—"百度网盘"—"卸载百度网盘"命令,再根据提示操作即可完成卸载。

3. 使用

(1)上传文件。启动百度网盘,登录百度账号(没有就注册一个,也可以用微信、QQ 等账号登录),新建一个文件夹(这里新建"示范文件夹"),如图 7-19 所示,打开文件夹,将要上传的文件直接拖曳进文件夹即可,或者点击"上传"按钮进行文件的上传。

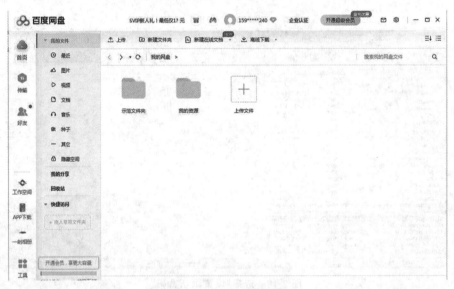

图 7-19 新建"示范文件夹"

(2)分享文件。右键单击要分享的文件(以"示范文件夹"为例),在下拉菜单中点击"分享",在弹出的设置窗口(见图 7-20)中进行相应设置,点击"创建链接",再在弹出的新窗口中点击"复制链接及提取码"即可将文件分享给好友了。

(3)下载文件。右键单击需要下载的文件,在下拉菜单中点击"下载",弹出"设置下载存储路径"窗口(见图 7-21),设置完成后点击"下载",即可将文件下载到本地磁盘中。

图 7-20　分享设置窗口

图 7-21　"设置下载存储路径"窗口

7.5　EasyRecovery 数据恢复工具

7.5.1　简介

EasyRecovery 是一款数据恢复工具软件,操作安全,价格便宜,用户可自主操作,为非破坏性的只读应用程序,它不会往丢失数据的存储器上写任何东西,也不会对丢失数据的存储器做任何改变。利用 EasyRecovery,用户能恢复包括文档、表格、图片、音频、视频等各种数据文件,EasyRecovery 有适用于 Windows 及 Mac 平台的软件版本。

7.5.2　软件的安装、卸载及使用

1. 软件的安装

(1)到 EasyRecovery 官方网站(http://www.easyrecovery.net/download.html)下载安装程序文件。

(2)下载完成后,双击安装程序文件,系统会启动安装程序,单击"立即安装"按钮即可完成安装。安装完成后点击"立即体验",在弹出的窗口(见图7-22)中可以对手机数据、电脑数据进行恢复。若需要对电脑数据进行恢复,点击对应的"运行"按钮,即可打开软件。

图 7-22 "数据恢复启动器"窗口

2. 软件的卸载

在 Windows 操作系统中执行"开始"—"所有程序"—"互盾数据恢复"—"卸载互盾数据恢复"命令,再根据提示操作即可完成卸载。

3. 软件的使用

(1)打开 EasyRecovery 程序,弹出如图 7-23 所示的主界面。

图 7-23 EasyRecovery 主界面

(2)可以根据需求选择"快速扫描""深度扫描""分区扫描""专家服务"中的一项。这里选择"快速扫描",出现如图 7-24 所示的分区选择界面。

(3)选择需要恢复的数据所在的位置(这里选择 C 盘),点击"开始扫描",扫描完成后出现如图 7-25 所示的扫描结果。

(4)选中需要恢复的文件或者文件夹,点击"下一步",出现如图 7-26 所示的数据恢复路径选择窗口,选择路径后单击"恢复"按钮,就可以完成数据的恢复了。

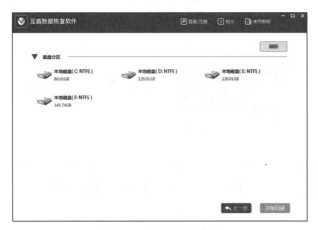

图 7-24 分区选择界面

图 7-25 扫描结果

图 7-26 数据恢复路径选择窗口

第8章 计算思维

本章主要介绍计算思维的定义,并且描述计算思维的特征与本质,然后通过举例说明计算思维求解问题的步骤和方法,最后介绍计算思维对其他学科的影响。

【知识要点】
- 计算思维的定义
- 计算思维的特征
- 计算思维方法
- 计算思维对其他学科的影响

8.1 计算思维概述

计算思维不仅是计算机专业人员应该具备的,也是所有人应该具备的。计算思维,不能简单地类比于数学思维、艺术思维等人们可能追求的素质,它蕴含着一整套解决一般问题的方法与技术。

8.1.1 计算思维的定义

计算思维又叫构造思维,以设计和构造为特征,主要在计算机学科中体现。计算思维是运用计算机科学的基础概念进行问题求解、系统设计以及人类行为理解的涵盖了计算机科学之广度的一系列思维活动。

周以真(Jeannette M. Wing)教授在给出计算思维总定义的基础上,又对计算思维做了更详细的表述:

(1)计算思维是通过约简、嵌入、转化和仿真等方法,把一个看来困难的问题重新阐释成一个我们知道怎样解决的问题的思维方法。

(2)计算思维是一种递归思维,是一种并行处理,是一种能把代码译成数据又能把数据译成代码的多维分析推广的类型检查方法。

(3)计算思维是一种采用抽象和分解来控制庞杂的任务或进行巨大复杂系统设计的方法,是基于关注点分离(separation of concerns,SOC)的方法。

(4)计算思维是一种选择合适的方式去陈述一个问题,或对一个问题的相关方面建模使其易于处理的思维方法。

(5)计算思维是通过预防、保护、容错、纠错的方式,从最坏情况进行系统恢复的一种思维方法。

(6)计算思维是利用启发式推理寻求解答,也即在不确定情况下进行规划、学习和调度的思维方法。

(7)计算思维是利用海量数据来加快计算,在时间和空间之间,在处理能力和存储容量之间进行折中的思维方法。

计算思维吸取了问题解决所采用的一般数学思维方法,现实世界中巨大复杂系统的设计与评估的一般工程思维方法,以及复杂性、智能、心理、人类行为的理解等的一般科学思维方法。

8.1.2 计算思维的特征

周以真教授提出了计算思维的如下特征:

(1)计算思维是概念化的思维,不是程序化的思维。

计算机科学不是计算机编程。可以更进一步说,计算机科学不只是关于计算机,就像音乐产业不只是关于麦克风一样。

(2)计算思维是基础的技能,不是机械的技能。

基础的技能是指每一个人为了在现代社会中发挥职能必须掌握计算思维。机械的技能意味着机械的重复。计算思维不是使用某个软件,不是简单的机械技能。

(3)计算思维是人的思维,不是计算机的思维。

计算思维是人类求解问题的一条途径,但绝非要使人类像计算机那样思考。计算机赋予人类强大的计算能力,人类应该好好利用这种能力去解决各种需要大量计算的问题。

(4)计算思维是思想,不是人造品。

计算思维不只是指简单的软、硬件组合,更重要的是计算的概念,这种概念被人们用于问题求解、日常生活的管理及与他人进行交流和互动。

(5)计算思维是数学和工程互补与融合的思维。

计算机科学在本质上源自数学,它的形式化基础建筑于数学之上。计算思维又在本质上源自工程思维,因为我们建造的是能够与实际世界互动的系统,基本计算设备的限制迫使计算机科学家必须计算性地思考,而不能只是数学性地思考。

(6)计算思维是面向所有人、所有领域的思维。

计算思维作为一个解决问题的有效工具,应当在所有地方、所有学校的课堂教学中都得到应用。

8.2　问题求解与计算思维方法

问题求解是计算思维的根本目的,计算机科学也是在问题求解的实践中发展起来的。计算机科学家提出了很多关于计算的思想和方法,从而建立了利用计算机解决问题的一整套思维工具。程序是为了让计算机解决某个(或某些)问题,依照计算机能识别的语言编写的语句序列。算法是一个程序的灵魂,是在有限步骤内求解某一问题所使用的一组定义明确的规则。

8.2.1 问题求解过程

计算机问题求解是以计算机为工具,利用计算思维解决问题的实践活动,具体求解过程如下:

(1)理解问题,建立模型。

理解问题并建立问题的计算机表示,即进行抽象,其目的是让计算机能理解问题。只有合理抽象,才能找到问题的解决方法。例如,斐波那契兔子问题,即假定每对大兔每月能生产一对小兔,而每对小兔生长两个月就成为大兔,由一对兔子开始,一年后可以繁殖成多少对兔子,对这个问题进行抽象,将其理解为求数列 1,1,2,3,5,8,13,21,…。

(2)算法设计。

算法是实现某一问题求解的方法和步骤,是解决问题的框架流程,通俗地讲,一个算法就是一种解题方法。计算机解题的过程实际上是在实施某种算法,这种算法称为计算机算法。常用的算法设计方法有列举法、归纳法、递推法、递归法、减半递推法、回溯法等。

(3)程序设计。

为了解决某一特定问题而用某种程序设计语言编写的指令序列称为计算机程序或程序。在执行程序前必须先排好程序,排定以时间为进程必须完成的各种操作叫作程序设计或编程。

8.2.2　程序的三种基本控制结构

理论上已经证明,任何可计算问题的求解程序都可以用顺序、选择和循环这三种控制结构来描述。这也是结构化程序设计的理论基础。下面详细介绍这三种基本的控制结构。

1. 顺序结构

顺序结构是一种线性的、有序的结构,它让计算机按先后顺序依次执行各语句,直到所有的语句执行完为止。

通常,一个复杂的计算任务不可能只用一个语句就表达清楚,这就需要对计算任务进行分解,也就是把大的计算任务分解成若干个小的计算任务,直至每一个小的计算任务可以用一个语句来表达。顺序结构如图 8-1 所示。

2. 选择结构

选择结构是指根据条件成立与否有选择地执行某个计算任务。这样的控制结构生活中、学习中到处都是。例如,求 $y=|x|$,当 $x>0$ 时,y 的值为 x;否则,y 的值为 $-x$。选择结构如图 8-2 所示,其中模式 A 为双分支选择结构,模式 B 为单分支选择结构。

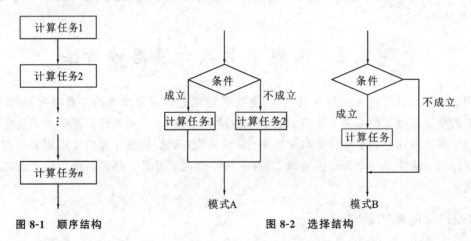

图 8-1　顺序结构　　　　图 8-2　选择结构

3. 循环结构

利用循环结构能控制一个计算任务,使之被重复执行多次,直到满足某一个条件为止。循环结构如图 8-3 所示,执行过程为:首先判断条件,条件成立就执行一次循环体(计算任务),然后再判断条件,如果条件还成立,则再执行一次循环体,如此循环下去,直到条件不成立为止。

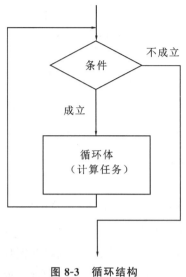

图 8-3 循环结构

现代程序设计思想要求任何一个程序由三种基本结构(即顺序结构、选择结构、循环结构)嵌套和组合而成。

8.2.3 算法的描述方法

一般来讲,要设计程序,应先设计算法,只有给出了详尽、有效、正确的算法,才能将其转化为正确的程序,规范的算法描述也是程序员之间交流的基础。

常用的算法描述方法有自然语言描述、流程图描述、N-S 结构化流程图描述、计算机程序设计语言描述等。

1. 自然语言描述

自然语言即人们日常使用的语言,如汉语、英语、日语、法语、德语等。自然语言是人们设计算法的最初形式,任何一个问题的求解过程和步骤首先都要在用户的头脑中形成,而这种形式的算法都是以自然语言描述的。使用自然语言描述算法,人们比较容易接受和理解,但是将自然语言描述的算法直接在计算机上进行处理,目前还有许多困难,而且用自然语言来描述算法在精确性、严谨性方面也存在不足。使用自然语言描述算法的优点是算法容易理解,缺点是算法描述冗长、存在二义性等。

2. 流程图描述

流程图是描述算法的图形工具,它采用如图 8-4 所示的七种基本图形来表示算法:

(1)起止框,表示算法的开始或结束;只有一个入口或一个出口。

(2)输入输出框,表示算法中数据信息的输入和输出;有一个入口和一个出口。

(3)判断框,表示一个逻辑判断,框内可注明判断的条件;有一个入口和多个可选择的出口。

(4)处理框,表示算法中的一个(或一组)运算或处理;有一个入口和一个出口。

(5)流程线,表示算法中各步骤之间的次序关系。

(6)连接点,表示算法中的连接位置,主要用于同一算法在不同页描述时的接续等情况。

(7)注释框,是算法的设计者向阅读者提供的对算法中某些操作的注释说明。

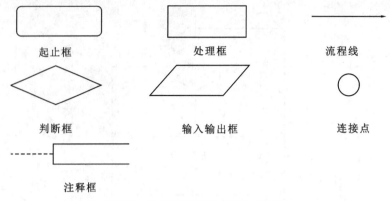

图 8-4　构成流程图的七种基本图形

同自然语言相比,用流程图描述算法更直观,可以一目了然;算法步骤间用流程线连接,次序关系清楚,容易理解;可以很方便地表示顺序、选择和循环结构,不依赖于任何计算机和计算机程序设计语言,有利于在不同环境下进行程序设计。但是,流程图用流程线代表控制流,控制转移随意性较大,若对流程线的使用不加限制,随着求解问题规模和复杂度的增加,流程图会变得很复杂,使人难以阅读、理解和修改,从而使算法的可靠性难以保证。

3. N-S 结构化流程图描述

传统流程图用流程线指出各框的执行顺序,对流程线的使用没有严格限制,因此使用者可以不受限制地使流程随意地转向,这就会使流程图变得毫无规律,阅读者要花很多精力去追踪流程,有时难以理解算法的逻辑。

为了克服传统流程图的缺点,1973 年美国学者纳斯(I. Nassi)和施内德曼(B. Shneiderman)提出了一种描述算法的较好工具——N-S 结构化流程图。

在这种流程图中,完全去掉了带箭头的流程线,全部算法写在一个矩形框内。N-S 结构化流程图采用图 8-5 所示的基本框作为程序设计的基本结构(右边两个框均表示循环结构)。用四种 N-S 结构化流程图基本框,可以组合成复杂的 N-S 结构化流程图。

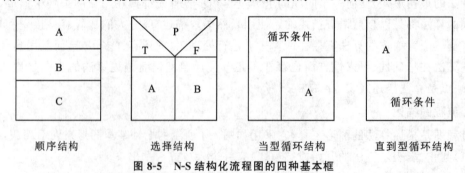

图 8-5　N-S 结构化流程图的四种基本框

4. 计算机程序设计语言描述

计算机程序设计语言,是计算机能够接受、理解和执行的算法描述工具。

在算法设计阶段,一般先采用某个专用的辅助工具来描述算法,在算法设计好之后,再把它转化为某一具体程序设计语言描述的程序。

【例】　求斐波那契数列的前20项并输出。分别用自然语言、N-S 结构化流程图、C 语言描述求解该问题的算法。

解　(1)自然语言描述:

①f1=1,f2=1；
②输出 f1,f2；
③i=1；
④若 i 大于等于 10，算法结束，否则往下执行；
⑤f1=f1+f2；
⑥f2=f1+f2；
⑦输出 f1,f2；
⑧i=i+1；
⑨重新执行第④步。

(2)N-S 结构化流程图描述。N-S 结构化流程图如图 8-6 所示。

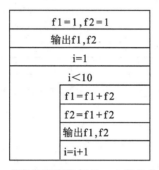

图 8-6　求斐波那契数列的 N-S 结构化流程图

(3)C 语言描述：

```
#include <stdio.h>
void main()
{int f1,f2,i;
printf("%10d%10d \n",f1,f2);
i=1;
while(i<10)
  {f1=f1+f2;
  f2=f1+f2;
  printf("%10d%10d \n",f1,f2);
  i++;
  }
}
```

8.2.4　算法设计的原则

算法设计的原则体现在以下几方面：

(1)正确性——合理的数据输入，在有限的运行时间内得出正确的结果。

(2)可读性——方便人们阅读。

(3)健壮性——对不合理的数据输入具备反应和处理能力。

(4)简单性——采用简单数据结构和简单方法。

(5)时间复杂度(计算复杂度)低——算法运行时间相对少。

(6)空间复杂度低——算法运行过程中临时占用空间小。

8.2.5 问题求解中的计算思维举例

案例：完成将一元人民币换成一分、两分、五分的兑换方案总数描述。

1. 算法设计

该问题的 N-S 结构化流程图如图 8-7 所示。

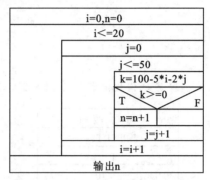

图 8-7 人民币兑换 N-S 结构化流程图

2. 编程实现

该问题的 C 语言描述如下：

```
#include <stdio.h>
void main()
{
  int i,j,k,n=0;
  for(i=0;i<=20;i++)
    for(j=0;j<=50;j++)
    {k=100-5*i-2*j;
     if(k>=0)
     n=n+1;
    }
  printf("兑换方案总数:%d\n",n);
}
```

8.3 计算思维对其他学科的影响

当前社会的发展，已经越来越多地将计算机作为分析和解决问题的工具，在这个过程中，最重要的是如何把问题转化成能够用计算机解决的形式，这正好是计算思维培养所强调的内容。计算思维对以下学科均产生了影响。

1. 地理学

地理信息系统(geographic information system，GIS)又称地学信息系统，是一种特定的十分重要的空间信息系统。它是在计算机软、硬件系统支持下，对整个或部分地球表层(包括大气层)空间中的有关地理分布数据进行采集、储存、管理、运算、分析、显示和描述的技术系统。测绘是 GIS 的基础(作为空间数据来源)，地理是 GIS 的主要应用领域之一(运用空间分析模型)，而计算机是 GIS 的技术支撑(用于专题应用系统开发)。

2. 生物学

生物学的分支——计算生物学是指开发和应用数据分析及理论的方法,把数学建模和计算机仿真技术用于生物学研究的一门学科,与生物信息学的定义类似,只是侧重点有所不同。计算生物学侧重于计算与问题,通过计算解决问题;生物信息学侧重于数据的管理与数据库的构建。

计算生物学有如下应用:

(1)序列比对、拼接;

(2)蛋白质结构预测;

(3)种系发生研究;

(4)生命体系模拟;

(5)疾病易感基因探索。

3. 化学

计算化学是理论化学的一个分支,主要目的是利用有效的数学近似表达以及电脑程序计算分子的性质,例如总能量、偶极矩、四极矩、振动频率、反应活性等,用以解释一些具体的化学问题。"计算化学"这个名词有时也用来表示计算机科学与化学的交叉学科。

计算化学主要应用已有的电脑程序和方法对特定的化学问题进行研究,而算法和电脑程序的开发则由理论化学家和理论物理学家完成。计算化学在研究原子和分子的性质、化学反应途径等问题时,常侧重于解决以下两个方面的问题:

(1)为合成实验预测起始条件;

(2)研究化学反应机理,解释反应现象。

4. 医学

(1)医院信息系统(hospital information system,HIS)。HIS用以收集、处理、分析、储存和传递医疗信息、医院管理信息等。一个完整的医院信息系统可以完成病人登记、预约、病历管理、病房管理、临床监护、膳食管理、医院行政管理、健康检查登记、药房和药库管理、病人结账和出院、医疗辅助诊断决策、医学图书资料检索、教育和训练、会诊和转院、统计分析、实验室自动化和接口等任务。

(2)计算机辅助诊断和辅助决策系统(CAD&CMD)。CAD&CMD可以帮助医生缩短诊断时间,避免疏漏,减轻劳动强度,提供其他专家诊治意见,以便尽快做出诊断,提出治疗方案。诊治的过程是:医生收集病人的信息,如症状、体征、各种检查结果、病史(包括家族史以及治疗效果)等,在此基础上结合自己的医学知识和临床经验,进行综合分析、判断,得出结论。计算机辅助诊断系统则是令医生和计算机工作者相结合,运用模糊数学、概率统计以及人工智能技术,在计算机上建立数学模型,对病人的信息进行处理,提出诊断意见和治疗方案。这样的信息处理速度较快,考虑到的因素较全面,逻辑判断也较严谨。

(3)利用人工智能技术编制的辅助诊治系统(一般称为医疗专家系统)。人工智能是当代计算机应用的前沿。医疗专家系统是根据医生提供的知识,模拟医生诊治时的推理过程,为疾病等的诊治提供帮助。医疗专家系统的核心由知识库和推理机构成。知识库包括书本知识和医生个人的具体经验,以规则、网络、框架等形式表示知识,存储于计算机中。推理机是一个控制机构,根据病人的信息,决定采用知识库中的什么知识,采用何种推理策略进行推理,得出结论。由于在诊治过程中有许多不确定性,人工智能技术能够较好地解决这种不精确推理问题,医疗专家系统十分接近医生诊治的思维过程,可获得较好的结论。有的医疗专家系统还具有自学功能,能在诊治疾病的过程中再获得知识,不断提高自身的诊治水平。

(4)生物-医学统计及流行学调查软件包。临床研究、实验研究及流行学调查研究过程中需要处理大量信息,应用计算机可以准确、快速地对这些数据进行运算和处理。为了这方面的需要,人们用各种计算机语言开发了不少软件包。较著名的有 SAS、SPSS、SYSTAT 及 RDAS 等。

(5)医学情报检索系统。该系统利用计算机的数据库技术和通信网络技术对医学图书、期刊、各种医学资料进行管理,用户通过关键词等即可迅速查找出所需文献资料。

计算机情报检索工作可分为三个部分:①情报的标引处理;②情报的存储与检索;③提供多种情报服务,可向用户提供实时检索,进行定期专题服务,以及自动编制书本式索引。

(6)药物代谢动力学(药代动力学)软件包。药物代谢动力学运用数学模型和数学方法定量地研究药物的吸收、分布、转化和排泄等动态变化的规律性。人体组织中的药物浓度不可能也不容易直接测定,因此常用血尿等样品进行测量,再通过适当的数学模型来描述和推断药物在体内各部分的浓度和运动特点。在药代动力学的研究中,最常用的数学方法有房室模型、生理模型、线性系统分析等。这些新技术、新方法的发展与应用,都与计算机技术的应用分不开。现已开发出不少的药代动力学专用软件包,其中较著名的有 NonLin 程序(一种非线性最小二乘法程序)。

(7)疾病预测预报系统。疾病在人群中流行的规律,与环境、社会、人群免疫等多方面因素有关,计算机可根据其中存储的有关因素的信息并根据它建立的数学模型进行计算,给出人群中疾病流行情况的预测预报,供决策部门参考。荷兰、挪威等国还建立了职业病事故信息库,因此能有效地控制和预测职业危害的影响。中国上海、辽宁等地卫生防疫部门,对气象因素与气管炎、某些地方病、流行病(如乙型脑炎、流行性脑膜炎等)的关系做了大量分析,并建立了数学模型,用这些模型在微型机上可成功地做出这些疾病的预测预报。

(8)最佳放射治疗计划软件。计算机在放疗中的应用,主要是计算剂量分布和制订放疗计划。以往用手工计算,由于计算过程复杂,要花费许多时间,通常只能选择几个代表点来计算剂量值。利用计算机,则只要花很短时间,而且误差不超过 5%,这样,对同一个病人在不同的条件下进行几次计算,从中选择一个最佳的放射治疗计划就成为可能。所谓最佳放射治疗计划就是对病人制订治疗计划,包括确定照射源、放射野面积、放射源与体表的距离、入射角以及射野中心位置等,然后再由计算机根据治疗机性能和各种计算公式,算出相应的剂量分布,在彩色监视器上形象地显示出来。对同一个病人,经过反复改变照射条件,进行计算、分析和比较,就可以得出最理想的剂量分布,使放射线在照射方向上伤害的正常组织细胞最少,放疗疗效最佳。同时,可将此剂量分布图用绘图仪记录下来,存入病历,以供治疗时使用或长期保存。

(9)计算机医学图像处理与图像识别。医学研究与临床诊断中许多重要信息都是以图像形式出现的,医学与图像信息联系十分紧密。医学图像一般分为两类:一类是信息随时间变化的一维图像,多数医学信号均属此类,如心电图、脑电图等;另一类是信息在空间分布的多维图像,如 X 射线照片、组织切片、细胞立体图像等。利用计算机处理、识别医学图像,在有的情况下可以做人工做不到的工作。如心血管造影,用手工测量容积、导出血压-容积曲线时,只能分析心脏收缩和舒张的特点,若利用计算机计算,每张片子只需一秒便可以得到瞬时速度、加速度、面积和容积等有用的参数。此外,不管在上述哪一类工作中,计算机还能完成人工不能完成的另一类工作,即图像的增强和复原。

5. 计算经济学

计算经济学是使用计算机研究人和社会经济行为的社会科学，是经济学的一个分支。

传统经济学采用的模拟技术是基于统计理论的，如蒙特卡洛（Monte Carlo）方法。计算机算法为经济学提供了一种全新的模拟技术，衍生出基于行为主体的计算经济学（agent-based computational economics，ACE）。ACE 采用的是将复杂适应系统理论、基于行为主体的计算机仿真技术应用到经济学的一种研究方法。该方法综合运用经济学、仿生学和计算机技术来说明经济现象，模拟经济系统，属于一种较新的经济模拟方法。

ACE 模型通常模拟一个群体的进化或演化过程，如模拟市场均衡过程。我们知道，一般均衡理论只给出了均衡体系的方程组，重点研究均衡的存在性和寻找均衡点（即用数学方法搜寻代表均衡点的不动点），并没有给出均衡形成的具体过程。ACE 模型却能模拟这一过程。它在模拟这一过程时并不需要任何统计数据，只采用一般均衡理论的前提条件。ACE 模型研究的是进化或演化过程，遗传算法和人工神经网络就特别适合用它来进行研究。事实上，遗传算法和 ACE 模型的思想是相通的。

6. 社会科学

社会科学（social science）是关于社会事物的本质及其规律的系统性科学，是科学地研究人类社会现象的模型科学，通常指研究社会现象及其规律的科学，它是一个以社会客体为对象，包括法学、经济学、政治学、社会学、历史学等学科的庞大知识体系。

计算社会学是社会科学的一个分支，使用密集演算的方法来分析与模拟社会现象。计算社会学使用计算机模拟、人工智能、复杂统计的方法，由下而上地塑造社会互动的模型，来发展与测试复杂社会过程的理论。它包含对于社会行为者的理解，这些行为者之间的互动，以及这些互动对于社会整体的影响。虽然社会科学的主题与方法和自然科学或计算机科学相异，当代对于社会的模拟所使用的许多方法仍旧起源于自然科学或计算机科学，如物理学与人工智能等领域。一些源自社会科学的方法也被纳入自然科学，例如在社会性网络分析与网络科学领域中对网络中心性的测量。

第 9 章　数据库系统

数据是人类活动的重要资源。数据处理是指对数据进行收集、管理、加工、传播等一系列工作。目前在计算机的各类应用中，用于数据处理的约占 80%。数据处理中的数据管理是指对数据进行组织、存储、检索、维护等工作。数据管理技术的优劣直接影响数据处理的效率，因此它是数据处理的核心。数据库技术就是数据管理技术，数据库系统就是研究如何妥善保存和科学地管理数据的计算机系统，是计算机科学的重要分支。在信息飞速发展的大数据时代，信息与数据已经成为各行各业的重要财富和资源，数据库应用无处不在。因此，掌握数据库的基本知识和使用方法不仅是计算机科学与技术专业、信息管理专业学生应具备的基本技能，也是非计算机专业学生应该具备的技能。

本章主要介绍数据库系统的基本概念、数据库系统的体系结构、数据的安全性与完整性、数据模型、关系数据库、关系代数、规范化理论、数据库语言、数据库设计的方法与步骤等。

【知识要点】
- 数据库的相关概念
- 数据库系统及其体系结构
- 数据模型
- 关系数据库、关系代数和规范化理论
- 数据库语言
- 数据库设计

9.1　数据库的相关概念

数据库是信息系统的核心与基础，它提供了最基本、最准确、最全面的信息资源，对这些资源进行管理和应用已经成为人们科学决策的依据。数据库应用已遍及人们生活中的各个角落，如铁路及航空公司的售票系统、图书馆的图书借阅系统、学校的教学管理系统、超市售货系统和银行的业务系统等。数据库与人们的生活密不可分，几乎每个人的生活都离不开数据库。对于一个国家来说，数据库的建设规模、数据库信息量的大小和使用频度已成为衡量这个国家信息化发达程度的重要标志之一，而信息化对于加快国家产业结构调整、促进经济增长和提高人们生活质量具有明显的倍增效应和带动作用。

9.1.1　数据库应用实例——学生信息数据库

把学校的学生信息整理、组合成一个学生表，其中包括学生的学号、姓名、性别、生日、身高、相片等信息，把课程信息整合成一个课程表，其中包括课程号、课程名、课时、学分等信息，把成绩信息整合成成绩表，再加上选课表、教职工表等，由这些表组成教学管理数据库，

就可以进行以下查询:
(1)按学号查询:显示此学号的人员的所有相关信息。
(2)按姓名查询:显示此姓名的人员的所有相关信息。
(3)按班级查询:显示、打印此班级的所有人员的相关信息(如全班学生成绩表)。
(4)按学号、班级、专业等查找学生考试成绩。
(5)分析考试结果。

9.1.2 数据与数据处理

人们在现实中进行的各种活动,都会产生相应的信息,例如,在某一工厂中用于生产的原材料的名称、库存量、单价、产地,所生产的成品的名称、数量、单价、销售价,该工厂中职工的工号、职称、基本工资、各种补助、扣款合计等,所有这些都是信息,这些信息代表了所属实体(原材料、成品、职工等)的特定属性(工号、职称等)或状态,把这些信息记录下来便形成数据,因此可以说,数据是信息的载体。

1. 信息与数据

信息与数据是两个密切相关的概念。信息是各种数据所包含的意义,数据则是负载信息的物理符号。例如,某个城市的名称、某个学生的成绩、某个超市的销售额等,这些都是信息,如果将这些信息用文字或其他符号记录下来,则这些文字或符号就是数据。

同一数据在不同的场合具有完全不同的意义,例如"18"这个数,既可以表示一个人的年龄,也可以表示教室的长度,或者表示某条公交线路等。在许多场合下,信息和数据的概念并未严格区分,可互换使用,例如,通常所说的"信息处理"和"数据处理"这两个概念的意义是相同的。

信息是对现实世界事物存在方式或运动状态的反映。它已成为人类社会活动的一种重要资源,与能源、物质并称为人类社会活动的三大要素。一般来说,信息是一种被加工成特定形式的数据,这种数据形式对接收者来说是有意义的。它具有如下特征:

(1)信息可以被感知,不同的信息源有不同的被感知方式。
(2)信息的获取和传递不仅需要载体,而且还消耗能量。
(3)信息可以通过载体进行存储、压缩、加工、传递、共享、扩散、再生和增值等。

在计算机内部,所有的数据均采用0和1进行编码。在数据库技术中,数据的含义很广泛,除了数字之外,文字、图形、图像、声音、视频等也被视为数据,它们分别表示不同类型的信息。

另外,同一种信息可以用多种不同的数据形式进行表达,不因形式的改变而改变。例如,要表示某只股票每天的收盘价格,既可以通过绘制曲线图表示,也可以通过绘制柱状图表示,还可以通过表格数据进行表示,而无论使用何种方式来表示丝毫不会改变信息的含义。

因此,对数据可以做如此定义:描述事物的符号记录称为数据。例如,在学校的学生档案中,按学生的姓名、性别、出生日期、所在院系、手机号码和入学时间的次序排列组合可形成一条记录(此类信息均为虚构):

(王爱国,男,2003-10-01,五官医学院,13899991234,2020)

这条记录中的信息就是数据。当然数据可能存在因为记录介质被破坏而丢失的风险。例如,记录在纸上的数据,可能因为纸被弄丢、被火烧毁而造成数据丢失;记录在计算机磁盘上的数据,可能因为病毒、误操作、火灾等造成数据丢失。

2. 数据与信息的关系

数据与信息有着不可分割的联系。信息是被加工处理过的数据,数据和信息的关系是原料和成品之间的关系,如图9-1所示。

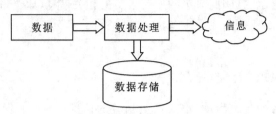

图 9-1 数据和信息的关系

数据与信息的关系主要表现在以下 4 个方面:
(1)数据是信息的符号表示,或称载体。
(2)信息是数据的内涵,是数据的语义解释。
(3)数据是符号化的信息。
(4)信息是语义化的数据。

3. 数据处理

数据处理(data processing)是指对各种形式的数据进行收集、存储、检索、加工、变换和传播的一系列活动的总和。

进行数据处理的目的有两个:一是从大量的、可能是杂乱无章的、难以理解的数据中抽取、推导出对人们有价值的信息,以作为行动和决策的依据;二是借助计算机科学地保存和管理复杂的、大量的数据,以便人们能够方便而充分地利用这些宝贵的资源。

数据处理是系统工程和自动控制的基本环节。数据处理贯穿社会生产和社会生活的各个领域。数据处理技术的发展及其应用的广度和深度,极大地影响着人类社会发展的进程。

4. 数据库

数据库(database,DB)是长期存储在计算机内的、有组织的、可共享的大量数据的集合,是按照数据结构来组织、存储和管理数据的仓库。例如,日常生活中,我们用通讯录记录亲朋好友的联系方式,将他们的姓名、地址、电话号码等信息都记录下来,这个"通讯录"就是一个简单的数据库,每个人的姓名、地址、电话号码等信息就是这个数据库中的数据,我们可以在这个数据库中添加新朋友的个人信息,或者某个朋友的电话号码出现变动也可以修改他的电话号码这个数据,使用这个数据库可以方便地查到某位亲朋好友的地址或电话号码等数据。

在信息化社会,充分有效地管理和利用各类信息资源,是进行科学研究和决策管理的前提条件。数据库技术是管理信息系统、办公自动化系统、决策支持系统等各类信息系统的核心部分,是进行科学研究和决策管理的重要技术手段。

显然,数据库就是存放数据的仓库。它是为了实现一定的目的按某种规则组织起来的数据的集合。在信息社会中,数据库的应用非常广泛,如银行用数据库存储客户的信息、账户、贷款以及银行的交易记录;学校用数据库存储学生的个人信息、选课信息、课程成绩等。

数据库中的数据不仅需要被合理存放,还要便于查找;数据库不仅可以供创建者本人使用,还可以供多个用户从不同的角度共享,即多个不同的用户根据不同的需求,使用不同的语言,同时存取数据库中的数据,甚至同时读取同一数据。

数据库的基本特征是,数据按一定的数据模型被组织、描述和存储,可为各种用户共享,冗余度较小,数据独立性较高,易扩展。

9.1.3 数据库技术的发展历程

从最早的商用计算机起,数据处理就一直推动着计算机的发展。事实上,数据处理自动化早于计算机出现。Hollerith 发明的穿孔卡片,早在 20 世纪就被用来记录美国的人口普查数据,当时的人们用机械系统来处理这些卡片并列出结果。穿孔卡片后来被广泛作为将数据输入计算机的一种手段。

按照年代来划分,数据库系统的发展可分为以下几个阶段。

1. 20 世纪 50 年代至 60 年代早期

20 世纪 50 年代至 60 年代早期,磁带被用于数据存储,诸如工资单这样的数据处理已经自动化了,即把数据存储在磁带上。数据处理包括从一个或多个磁带上读取数据,并将数据写到新的磁带上。数据也可以由一叠穿孔卡片输入,然后输出到打印机上。

磁带和卡片只能顺序读取,并且数据可能比内存大得多,因此,人们在数据处理时被迫用一种特定的顺序对来自磁带和卡片的数据进行读取和处理。

2. 20 世纪 60 年代末至 20 世纪 70 年代

20 世纪 60 年代末,硬盘(磁盘)的广泛使用极大地改变了数据处理的情况,因为使用硬盘可以直接对数据进行访问。磁盘上数据的位置是无意义的,因为磁盘上的任何位置都可在几十毫秒内被访问到,数据由此摆脱了顺序的限制。有了磁盘,人们就可以创建网状数据库和层次数据库,它们保存在磁盘上,具有如表和树等的数据结构。程序员可以轻松创建和操作这些数据结构。

由 Codd 写的一篇具有里程碑意义的论文,定义了关系模型,并提出在关系模型中用非过程化的方法来查询数据,关系数据库由此诞生。关系模型的简单性和能够对程序员隐藏所有细节的能力具有真正的诱惑力。

3. 20 世纪 80 年代

关系模型尽管在学术上很受重视,但是最初并没有实际的应用,因为它在性能上存在不足,关系数据库在性能上还不能和当时已有的网状和层次数据库相提并论。这种情况直到 IBM 研究院的一个突破性项目开发出一种能够构造高效的关系数据库系统的技术——System R 才得以改变。Astrahan 和 Chamber 等人提供了关于 System R 的很好的综述。功能完善后的 System R 原型催生出 IBM 的第一个关系数据库产品 SQL/DS。最初的商用关系数据库系统,如 IBM 的 DB2、Oracle、Ingres 和 DEC 的 Rdb,在推动有效处理陈述式查询技术上起到了主要作用。到了 20 世纪 80 年代早期,关系数据库已经可以在性能上和网状、层次数据库进行竞争了。关系数据库如此简单易用,使它最后完全取代了网状和层次数据库。因为程序员在使用网状和层次数据库时,必须处理许多底层的实现问题,并且不得不将要做的查询任务编码成过程化的形式,更重要的是,在设计应用程序时还要时刻考虑效率问题,而这需要付出很大的努力。与此相反,在关系数据库中,几乎所有的底层工作都由数据库自动来完成,程序员可以只考虑逻辑层的工作。因为关系模型在 20 世纪 80 年代已经取得了优势,所以它在数据模型中具有统治地位。

另外,20 世纪 80 年代,人们还对并行和分布式数据库进行了很多研究,同样在面向对象的数据库方面也开展了初步的工作。

4. 20 世纪 90 年代初

SQL 语言主要是为决策支持应用设计的,重在查询;而 20 世纪 80 年代主要的数据库是处理事务的应用,重在更新。决策支持和查询再度成为数据库的一个主要的应用领域。分析大量数据的工具有了很大的发展。

在这个时期,许多数据库厂商推出了并行数据库产品。数据库厂商还开始在其数据库中加入对象——关系的支持。

5. 20 世纪 90 年代末至今

随着互联网的兴起和发展,数据库比以前有了更加广泛的应用。现在的数据库系统可以支持很高的事务处理速度,而且还有很高的可靠性和"24×7"的可用性(一天 24 小时,一周 7 天都可用,也就是没有进行维护的停机时间)。数据库系统还支持网络接口。

9.1.4 数据库系统概述

数据库系统(database system,DBS)是指在计算机系统中引入数据库后的系统,一般由数据库、数据库管理系统(及其开发工具)、应用系统、数据库管理员(database administrator,DBA)和用户构成,如图 9-2 所示。

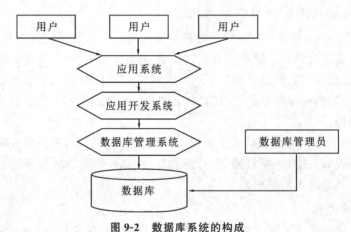

图 9-2 数据库系统的构成

1. 数据库系统的组成

通常,一个数据库系统包括以下 4 个主要部分,即数据、硬件、软件和人员。

1) 数据

数据是数据库系统的工作对象。为了区别输入、输出和中间数据,常把数据库数据称为存储数据、工作数据和操作数据。它们是某特定应用环境中进行管理和决策所必需的信息。特定应用环境,可以指一个公司、一个银行、一所医院和一个学校等。在这些应用环境中,不同的应用可通过访问数据库获得必要的信息,以辅助决策,决策完成后,再将决策结果存储在数据库中。

数据库中的存储数据是集成的和共享的。"集成"是指把某特定应用环境中的各种应用关联的数据及其数据间的联系全部集中地按照一定的结构形式进行存储,也就是把数据库看成若干个性质不同的数据文件的联合和统一的数据整体,并且在文件之间局部或全部消除冗余,这使得数据库系统具有整体数据结构化和数据冗余小的特点;"共享"是指数据库中的数据可为多个不同的用户所共享,即多个不同的用户使用多种不同的语言,为了不同的应用目的,可同时存取数据库中的信息,甚至同时存取同一数据块。"共享"实际上是基于数据库的"集成"的。

2) 硬件

硬件是指存储数据库和运行数据库管理系统(database management system,DBMS)的硬件资源,包括物理存储数据库的磁盘、磁鼓、磁带或其他外存储器及其附属设备、控制器、I/O 通道、内存、CPU 以及外部设备等。数据库服务器的处理能力、存储能力、可靠性直接关系到整个系统的性能,因此人们对服务器端硬件资源也有着较高的要求,应选用高可靠性、高可用性、高性价比的服务器,通常要考虑以下问题:

(1)具有足够大的内存,用于存放操作系统、DBMS 的核心模块、数据缓冲区和应用程序。

(2)具有高速大容量直接存取设备。一般数据库系统的数据量和数据的访问量都很大,因此需要容量大、速度快的存储系统存放数据,如采用高速大缓存硬盘,或者应用光纤通道外接到外置的专用磁盘系统。

(3)具有高速 CPU,以拥有较短的系统响应时间。数据库服务器必须应对大量的查询并做出适当的应答,因此要有处理能力强的 CPU 以满足较高的服务器处理速度和客户对响应速率的要求。

(4)有较高的数据传输能力,以提高数据传输率,保证足够的系统吞吐能力,否则,系统性能将形成瓶颈。

(5)有足够的外存来进行数据备份。常配备磁盘阵列、磁带机或光盘机等存储设备。

(6)系统稳定性高。数据库系统要能够持续、稳定运行,能提供长时间可靠、稳定的服务。

3) 软件

软件是指负责数据库存取、维护和管理的软件系统,通常叫作数据库管理系统(DBMS)。数据库系统的各类用户对数据库的各种操作请求,都是由 DBMS 来完成的,它是数据库系统的核心软件。DBMS 提供一种硬件层之上的数据库管理功能,使数据库用户不受硬件层细节的影响。DBMS 是在操作系统支持下工作的。

4) 人员

人员包括系统分析员、数据库设计人员、数据库管理员、应用程序员和终端用户。

(1)系统分析员:负责应用系统的需求分析和规范说明;与用户及数据库管理员协商,确定系统的软、硬件配置;参与数据库系统的概要设计。

(2)数据库设计人员:参加用户需求调查和系统分析;确定数据库中的数据;设计数据库各级模式。

(3)数据库管理员:决定数据库中的信息内容和结构;决定数据库的存储结构和存取策略;定义数据的安全性要求和完整性约束条件。

数据库管理员(DBA)是指全面负责数据库系统的管理、维护和正常使用的人员,可以是一个人或一组人。特别对于大型数据库系统,DBA 极为重要,通常设置有 DBA 办公室,应用程序员是 DBA 手下的工作人员。DBA 不仅要具有技术专长,而且还要具备较深的资历,并具有了解和阐明管理要求的能力。DBA 的主要职责包括参与数据库设计的全过程,与用户、应用程序员、系统分析员紧密结合,设计数据库的结构和内容,决定数据库的存取策略,使数据的存储空间利用率和存取效率均较优,定义数据的安全性和完整性,监督、控制数据库的使用和运行,及时处理运行程序中出现的问题,以及改进和重新构建数据库系统等,主要为以下两方面:

①监控数据库的使用和运行,包括周期性转储数据库(包括数据文件和日志文件)、系统故障恢复、介质故障恢复、监视审计文件。

②改进和重组数据库,包括性能监控和调优,定期对数据库进行重组织,以提高系统的性能,在需求增加和改变时,重构造数据库。

(4)应用程序员:设计和编写应用系统的程序模块,进行调试和安装。应用程序员通常使用 Access、SQL Server 或 Oracle 等数据库语言来设计和编写应用程序,以对数据进行存取和维护操作。

(5)终端用户:也称为最终用户,是指从计算机联机终端存取数据的人员,也可以称为联机用户。这类用户使用数据库系统提供的终端命令语言、表格语言或菜单驱动等交互式对话方式来存取数据库中的数据。终端用户一般是不精通计算机和程序设计的各级管理人员、工程技术人员和各类科研人员。

2. 数据库系统的特点

数据库系统具有如下特点:

(1)数据冗余度低,共享性高。

数据不再是面向某个应用程序而是面向整个系统。当前所有用户可同时存取数据库中的数据,从而减少了数据冗余,节约了存储空间,同时也避免了数据之间的不相容性和不一致性。

(2)数据独立性提高。

数据独立性包括逻辑独立性和物理独立性。

数据的逻辑独立性是指,当数据的总体逻辑结构改变时,数据的局部逻辑结构不变,由于应用程序是依据数据的局部逻辑结构编写的,所以,应用程序可不必修改,从而保证了数据与程序间的逻辑独立性。例如,在原有的记录类型中增加新的类型,或在某些记录类型中增加新的数据项时,均可确保数据的逻辑独立性。

数据的物理独立性是指,当数据的存储结构改变时,数据的逻辑结构不变,应用程序也不必改变。例如,改变存储设备和增加新的存储设备,或改变数据的存储组织方式,均可确保数据的物理独立性。

(3)有统一的数据控制功能。

数据库可以被多个用户所共享,当多个用户同时存取数据库中的数据时,为保证数据库中数据的正确性和有效性,数据库系统提供了以下 4 个方面的数据控制功能。

①数据的安全性(security)控制:可防止不合法使用数据造成数据泄露和破坏,保证数据的安全和机密。例如,系统提供口令检查或其他手段来验证用户身份,以防止非法用户使用系统;也可以对数据的存取权限进行限制,只有通过检查后才能执行相应的操作。

②数据完整性(integrity)控制:系统通过设置一些完整性规则以确保数据的正确性、有效性和相容性。正确性是指数据的合法性,如代表年龄的整型数据,只能包含 0~9,不能包含字母或特殊符号;有效性是指数据在其定义的有效范围内,如月份只能用 1~12 之间的数字来表示;相容性是指表示同一事实的两个数据应相同,否则就不相容,例如,一个人的性别不能既是男又是女。

③并发(concurrency)控制:多个用户同时存取或修改数据库中数据时,防止因相互干扰而出现数据库提供给用户不正确的数据,或数据库受到破坏的情况。

④数据恢复(recovery):当数据库被破坏或数据不可靠时,系统有能力将数据库从错误状态恢复到最近某一时刻的正确状态。

9.1.5 数据库管理系统

数据库管理系统(DBMS)是位于用户和数据库之间的一个数据管理软件,它的主要任务是对数据库的建立、运行和维护进行统一管理、统一控制,即用户不能直接接触数据库,而只能通过 DBMS 来操纵数据库。

1. DBMS 概述

数据库管理系统负责对数据库的存储进行管理、维护和使用,因此,DBMS 是一种非常复杂的、综合性的、在数据库系统中对数据进行管理的大型系统软件,它是数据库系统的核心组成部分,在操作系统(OS)支持下工作。用户在数据库系统中的一切操作,包括数据定义、查询、更新等,都是通过 DBMS 完成的。

DBMS 是数据库系统的核心部分,它把所有应用程序中使用的数据汇集在一起,并以记录为单位存储起来,便于应用程序查询和使用。数据库管理系统示意图如图 9-3 所示。

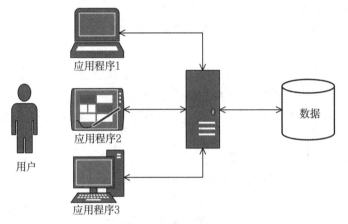

图 9-3 数据库管理系统示意图

常用的 DBMS 有 Access、Oracle、SQL Server、DB2、Sybase 和 MySQL 等。不同的数据库管理系统有不同的特点。Access 相对于其他的一些数据库管理软件如 SQL Server、Oracle 等来说,操作相对简单,用户不需要具有高深的数据库知识,就能完成数据库所有的构造、检索、维护等操作,并且 Access 拥有简洁、美观的操作界面。

Access 属于小型桌面数据库管理系统,通常用于办公管理。它允许用户通过构建应用程序来收集数据,并可以通过多种方式对数据进行分类、筛选,将符合要求的数据供用户查看,用户可以通过显示在屏幕上的窗体来查看数据库中的数据,也可以通过报表将相关的数据打印出来,以便进行更详细的研究。

2. DBMS 的功能

由于 DBMS 缺乏统一的标准,其性能、功能等许多方面因系统而异,通常情况下,DBMS 提供了以下几个方面的功能:

(1)数据库定义功能:DBMS 提供相应数据定义语言定义数据库结构,刻画数据库的框架,并被保存在数据字典中。数据字典是 DBMS 存取和管理数据库的基本依据。

(2)数据组织、存储和管理功能:分类组织、存储和管理各种数据,确定组织数据的文件结构和存取方式,实现数据之间的联系,提供多种存取方法以提高存取效率。

(3)数据操纵功能:提供数据操纵语言(data manipulation language,DML)实现对数据库的基本操作(查询、插入、修改、删除)。

(4)数据库的事务管理和运行管理功能：数据库在创建、运行和维护时由 DBMS 统一管理和控制,保证数据的安全性、完整性,控制多个用户对数据的并发操作,发生故障后完成系统恢复,确保数据库数据的正确有效和数据库系统的有效运行。

(5)数据库的建立和维护功能：包括数据库初始数据的输入、转换功能,数据库的转储、恢复功能,数据库的重组织功能,以及系统性能监视、分析功能等。这些功能大都由 DBMS 的实用程序来完成。

(6)其他功能：如 DBMS 与网络中其他软件系统的数据通信功能、两个 DBMS 系统的数据转换功能、异构数据库之间的互访和互操作功能。

3. DBMS 的组成

DBMS 大多是由许多系统程序组成的一个集合。每个程序都有各自的功能,一个或几个程序一起协调完成 DBMS 的一个或几个工作任务。各种 DBMS 的组成因系统而异,一般来说,它由以下几个部分组成：

(1)语言编译处理程序：主要包括数据描述语言翻译程序、数据操作语言处理程序、终端命令解释程序、数据库控制命令解释程序等。

(2)系统运行控制程序：主要包括系统总控程序、存取控制程序、并发控制程序、完整性控制程序、保密性控制程序、数据存取与更新程序、通信控制程序等。

(3)系统建立、维护程序：主要包括数据装入程序、数据库重组织程序、数据库系统恢复程序和性能监督程序等。

(4)事务运行管理机制：提供事务运行管理及运行日志,事务运行的安全性监控和数据完整性检查,事务的并发控制及系统恢复等功能。

(5)数据字典：通常是一系列表,它存储着数据库中有关信息的当前描述。它能帮助用户、数据库管理员和数据库管理系统本身使用和管理数据库。

9.1.6 数据库应用系统

数据库应用系统(database application system,DBAS)是在 DBMS 的基础上,针对一个实际问题开发出来的面向用户的系统。数据库应用系统是由数据库系统、应用程序系统和用户组成的,具体包括数据库、数据库管理系统、数据库管理员、硬件平台、软件平台、应用软件和应用界面,这 7 个部分以一定的逻辑层次结构方式组成一个有机的整体。如以数据库为基础的电子银行系统就是一个数据库应用系统,无论是面向内部业务和管理的管理信息系统,还是面向外部,提供信息服务的开放式网上银行系统,从实现技术角度而言,都是以数据库为基础和核心的数据库应用系统。

9.2 数据库系统的体系结构

数据库系统的体系结构受数据库系统运行所在的计算机系统的影响很大,尤其受计算机体系结构中的联网、并行和分布方面的影响。

计算机的联网可以使某些任务在服务器系统上执行,而另一些任务在客户系统上执行。这种工作任务的划分用客户/服务器数据库系统实现。

一个计算机系统中的并行处理能够加速数据库系统的活动,使之对事务做出更快速的响应,并且在单位时间内处理更多的事务。查询能够以一种充分利用计算机系统所提供的并行的方式来处理。并行查询处理的需求通过并行数据库系统得到满足。

在一个组织机构的多个站点或部门间对数据进行分布,可以使数据能够存放在产生它们或最需要它们的地方,而同时仍能被其他站点或其他部门访问。在不同站点上保存数据库的多个副本,使得大型组织机构甚至一个站点在受水灾、火灾、地震等自然灾害影响而遭到破坏的情况下,仍能继续进行数据库操作。分布式数据库系统用来处理地理上或管理上分布在多个数据库系统中的数据。

本节将介绍数据库系统的体系结构,包括集中式体系结构、客户/服务器结构、并行系统结构和分布式系统结构。

1. 集中式体系结构

集中式数据库系统是运行在一台计算机上不与其他计算机系统交互的数据库系统,具有集中式体系结构。这样的数据库系统范围很广,既包括运行在个人计算机上的单用户数据库系统,也包括运行在高端服务器系统上的高性能数据库系统。

现代通用的计算机系统包括一到多个 CPU,以及若干个设备控制器,它们通过公共总线连接在一起,提供对共享内存的访问。CPU 具有本地的高速缓冲存储器,用于存放存储器中部分数据的本地副本,从而加快对数据库的访问。每个设备控制器负责一种类型的设备(如磁盘驱动器、音频设备或视频播放设备)。CPU 和设备控制器可以并行工作,它们同时竞争对存储器的访问。

虽然当今通用的计算机系统有多个处理器,但它们具有粗粒度并行性,一般只有几个(2~4个)处理器,它们共享一个主存。在这样的机器上运行的数据库一般不将查询划分到多个处理器上,而是在每个处理器上运行一个查询,从而使多个查询能并行。因此,这样的系统能够提供较高的吞吐量,也就是说,尽管单个查询并没有运行得很快,但在单位时间内能运行很多的事务。

2. 客户/服务器结构

在客户/服务器结构中,数据库存放在服务器中,应用程序可以根据需要安排在服务器或客户工作站上,实现了客户端程序和服务端程序的协同工作。这种结构解决了集中式体系结构和文件服务器结构的费用和性能问题。SQL Server 和 Oracle 都支持客户/服务器结构。

3. 并行系统结构

并行系统通过并行地使用多个 CPU 和磁盘来提高处理速度和输入、输出速度。并行计算机越来越普及,相应地使对并行数据库系统的研究变得更加重要。有些应用需要查询非常大型的数据库,有些应用需要在每秒内处理很大数量的事务,这些应用的需求推动了并行数据库系统的发展。目前集中式数据库系统和客户/服务器数据库系统的能力不够强大,不足以处理这样的应用。

并行计算机有若干种体系结构模式。下面是其中比较重要的几种:
(1)共享内存:所有的处理器共享一个公共的存储器。
(2)共享磁盘:所有的处理器共享一组公共的磁盘,共享磁盘系统有时又称作群集。
(3)无共享:各个处理器既不共享公共的存储器,又不共享公共的磁盘。
(4)层次体系:这种模式是前几种体系结构的混合。

4. 分布式系统结构

在分布式数据库系统中,数据库存储在几台计算机中,采用分布式系统结构。分布式系统中的计算机之间通过诸如高速网络或电话线等各种通信媒介互相通信。这些计算机不共享主存储器或磁盘。分布式系统中的计算机的规模和功能可大可小,小到工作站,大到大型机系统。

无共享并行数据库与分布式数据库的一个主要区别在于,分布式数据库一般是在地理上分开的、分别管理的,并且是以较低的速度互相连接的。另一个主要区别在于,分布式系统将事务区分为局部事务和全局事务。局部事务是仅访问在发起事务的站点上的数据的事务,而全局事务是需要访问发起事务的站点之外的某个站点或不同站点上数据的事务。

建立分布式数据库系统有几个原因,主要包括共享数据、自治性和可用性。

(1) 共享数据:建立分布式数据库的主要优点就是,它能提供一个环境,使一个站点上的用户可以访问存放在其他站点上的数据。例如,在一个分布式银行系统中,每一个支行存储与自己相关的数据,一个支行的用户可以访问另一个支行的数据,而如果没有这种功能,那么想要将资金从一个支行转到另一个支行的用户就必须求助某种将已存在的系统相互关联起来的外部机制。如果数据项在几个站点上进行了备份,需要某一个特定数据项的事务可以在这几个站点中的任何一个站点上找到该数据项。

(2) 自治性:提供数据分布的方法来共享数据。其主要优点在于,每个站点可以对局部存储的数据保持一定程度的控制。在集中式系统中,中心站点的数据库管理员对数据进行控制。在分布式系统中,每个站点的局部数据库管理员可以进行不同程度的局部自治,程度的大小依赖于分布式数据库系统的设计。

(3) 可用性:在分布式系统中,如果一个站点发生故障,其他站点可能继续运行。

9.3 数据模型

计算机不能直接处理现实世界中的具体事物,因此,必须将信息规范化整理和归类,然后才能将规范信息数据化并传入计算机的数据库中保存起来。这一过程经历了3个领域——现实世界、信息世界和数据(机器)世界。

① 现实世界:存在于人脑之外的客观世界,包括事物及事物之间的联系。

② 信息世界:现实世界在人们头脑中的反映。

③ 数据(机器)世界:对信息世界中的实体进行数据化,事物及事物之间的联系用数据模型来描述。

在现实世界中,常常用模型来对某个对象进行抽象或描述(如飞机模型反映了该飞机的大小、外貌特征及其型号等),并可用文字语言来对该对象进行抽象或描述。

为了用计算机处理现实的事物,首先需要将它们反映到人的大脑中,即首先需要把这些事物抽象为一种既不依赖某一具体的计算机,又不受某一具体 DBMS 左右的信息世界的概念模型,然后再把该概念模型转换为某一具体 DBMS 所支持的数据模型。

信息处理经历的3个世界及其关系如图 9-4 所示。

在信息处理的转换过程中,需要建立两个模型,即概念模型和逻辑数据模型。

9.3.1 概念模型

概念模型是对客观事物及其联系的抽象,用于信息世界的建模。这类模型简单、清晰,

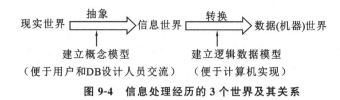

图 9-4 信息处理经历的 3 个世界及其关系

易于被用户理解,是用户和数据库设计人员之间进行交流的语言。这种信息结构并不依赖具体的计算机系统,不是某一个 DBMS 支持的数据模型,而是概念级的模型。

概念模型主要用来描述世界的概念化结构,它使数据库设计人员在设计的初始阶段摆脱计算机系统及 DBMS 的具体技术问题,集中精力分析数据以及数据之间的联系等,与具体的数据库管理系统无关。概念模型必须转换成逻辑数据模型才能在 DBMS 中实现。

1. 基本术语

在概念模型中主要有以下几个基本术语。

1)实体与实体集

实体是现实世界中可区别于其他对象的事件或物体。实体可以是人,也可以是物;可以指实际的对象,也可以指某些概念;还可以指事物与事物间的联系。例如,学生就是一个实体。

实体集是相同类型及共享相同性质(属性)的实体集合。如全班学生就是一个实体集。实体集不必互不相交,例如,可以定义学校所有学生为实体集 students,所有教师为实体集 teachers,而一个 person(人)实体可以是 students 中的实体,也可以是 teachers 中的实体,也可以都不是。

2)属性

实体通过一组属性来描述。属性是实体集中每个成员所具有的描述性性质。将一个属性赋予某实体集表明数据库为实体集中每个实体存储了相似信息,但每个实体在每个属性上都有各自的值。一个实体可以由若干个属性来刻画,如学生实体有学号、姓名、年龄、性别和班级等属性。

每个实体的每个属性都有一个值,例如,某个特定的 students 中的实体,其学号是 20213821002,姓名是郑巧,年龄是 18,性别是女。

实体与实体的属性实例如下:

(1)学生基本信息实体。

"学生"实体,具有的属性包括学号、姓名、性别、籍贯、出生年月、班级、专业、院系,还可以增加备注、照片和简历等属性。设置这些属性的目的是方便实现信息查询。

(2)成绩信息实体。

"成绩"实体,具有学号、课程代码、期中成绩、平时成绩、期末成绩和综合成绩等属性,还可以增加所得学分等属性,这些属性都是成绩信息中必需的,是教学管理系统需要的信息。

(3)课程信息实体。

"课程"实体具有课程代码、课程名、课时、学分等属性。

3)关键字和域

实体的某一属性或属性组合,其值能唯一标识出某一实体,该属性或属性组合称为关键字,也称码。如学号是学生实体集的关键字,姓名由于有相同的可能,故不应作为关键字。

每个属性都有一个可取值的集合,称为该属性的域,或者该属性的值集。如姓名的域为字符串集合,性别的域为"男"和"女"。

4)联系

现实世界的事物之间总是存在某种联系的,这种联系可以在信息世界中反映。一般存在两种类型的联系:一是实体内部的联系,如组成实体的属性之间的联系;二是实体与实体之间的联系。

两个实体之间的联系又可以分为如下3类。

(1)一对一联系(1:1):例如,一个班级有一个班主任,而每个班主任只能在一个班任职。这样班级和班主任之间就具有一对一联系。

(2)一对多联系(1:n):例如,一个班有多个学生,而每个学生只可以属于一个班,因此,在班级和学生之间就形成了一对多联系。

(3)多对多联系(m:n):例如,学校中的学生与课程之间就存在着多对多联系,每个学生可以选修多门课程,而每门课程也可以供多个学生选修。这种关系可以有很多种处理方法。

2. 用 E-R 方法表示概念模型

概念模型的表示方法很多,其中最著名的是 E-R 方法(entity-relations 方法,即实体-联系方法),它用 E-R 图来描述现实世界的概念模型。E-R 图的主要成分是实体、联系和属性。E-R 图通用的表现规则如下:

(1)矩形:实体集。

(2)椭圆:属性。

(3)菱形:实体间的联系,菱形框内写上联系名。用无向边分别把菱形与有关实体相连接,在无向边旁标上联系的类型。如果实体之间的联系也具有属性,则把属性和菱形也用无向边连上。

(4)线段:将属性连接到实体集或将实体集连接到联系集。

(5)双椭圆:多值属性。

(6)虚椭圆:派生属性。

(7)双线:一个实体全部参与到联系集中。

(8)双矩形:弱实体集。

E-R 方法是抽象和描述现实世界的有力工具。用 E-R 图表示的概念模型相对具体的 DBMS 所支持的数据模型独立,是各种数据模型的共同基础,因而比数据模型更抽象、更接近现实世界。

例如,某学校教学管理系统的 E-R 图如图 9-5 所示。学校每学期开设若干课程供学生选择,每门课程可接受多个学生选课,每个学生可以选择学习多门课程,每门课程有一个教师主讲,每个教师可以讲授多门课程。

要画该 E-R 图,首先确定实体集和联系。在本例中,可以将课程、学生和教师定义为实体,学生和课程之间是"选修"关系,教师和课程之间是"讲授"关系。

接着,确定每个实体的属性。"学生"实体的属性有学号、姓名和性别等;"课程"实体的属性有课程号、课程名和课时等;"教师"实体属性有职工号、姓名和性别等。

然后,在联系中反映出教师讲授的课程信息、每门课程上课的学生数以及学生选修的所有课程等。

最终得到的 E-R 图如图 9-5 所示。

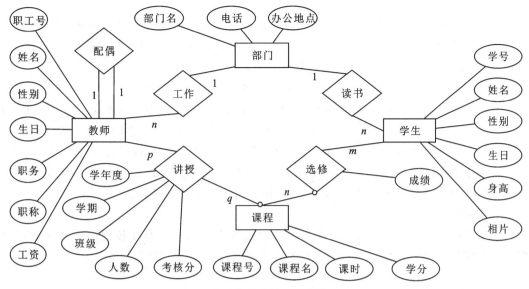

图 9-5 某学校教学管理系统的 E-R 图

9.3.2 逻辑数据模型

数据库中的数据是结构化的,是按某种数据模型来组织的。当前流行的逻辑数据模型有 3 类,即层次模型、网状模型和关系模型。它们之间的根本区别在于数据之间联系的表示方式不同。层次模型用树结构来表示数据之间的联系;网状模型用图结构来表示数据之间的联系;关系模型用二维表来表示数据之间的联系。

层次模型和网状模型是早期的逻辑数据模型,通常把它们统称为格式化数据模型,因为它们是属于以"图论"为基础的表示方法。

按照这 3 类数据模型设计和实现的 DBMS 分别称为层次 DBMS、网状 DBMS 和关系 DBMS,相应地有层次(数据库)系统、网状(数据库)系统和关系(数据库)系统的简称。下面分别对这 3 种逻辑数据模型做简单的介绍。

1)层次模型

层次模型是数据库系统最早使用的一种模型,它的数据结构是一棵有向树。层次模型具有如下特征:

(1)有且仅有一个节点没有双亲节点,该节点是根节点。

(2)其他节点有且仅有一个双亲节点。

在层次模型中,每个节点描述一个实体型,即记录类型。一个记录类型可有许多记录值,简称记录。节点间的有向边表示记录之间的联系。如果要存取某一记录类型的记录,可以从根节点起,按照有向树层次逐层向下查找。查找路径就是存取路径。

层次模型结构清晰,各节点之间联系简单,只要知道每个节点(除根节点以外)的双亲节点,就可以得到整个模型结构,因此,画层次模型时可用无向边代替有向边。用层次模型模拟现实世界中具有层次结构的事物及其之间的联系是很自然的选择方式,如用层次模型表示行政层次结构、家族关系等是很方便的。

层次模型的缺点是不能表示两个以上实体型之间的复杂联系和实体型之间的多对多联系。

美国 IBM 公司 1968 年研制成功的 IMS 数据库管理系统就是层次模型的代表。

2）网状模型

如果取消层次模型的两个限制，即两个或两个以上的节点都可以有多个双亲节点，则有向树就变成了有向图。有向图结构描述了网状模型。网状模型具有如下特征：

（1）可有一个以上的节点没有双亲节点。

（2）至少有一个节点可以有多于一个双亲节点。

网状模型和层次模型在本质上是一样的。从逻辑上看，它们都是基本层次联系的集合，用节点表示实体，用有向边（箭线）表示实体间的联系；从物理上看，它们每一个节点都是一个存储记录，用链接指针来实现记录间的联系，存储数据时，这些指针就被固定下来了，数据检索时必须考虑存取路径问题；数据更新涉及链接指针的调整，缺乏灵活性，系统扩充相当麻烦。网状模型中的指针更多，纵横交错，从而使数据结构更加复杂。

3）关系模型

关系模型（relational model）是用二维表格结构来表示实体及实体之间联系的数据模型。关系模型的数据结构是一个二维表框架组成的集合，每个二维表又可称为关系，因此可以说，关系模型是关系框架组成的集合。

关系模型是使用最广泛的数据模型，目前大多数数据库管理系统都是关系型的，Access就是关系型数据库管理系统。

例如，某校学生、课程和成绩的管理要用到如表9-1至表9-3所示的表格。如果要找到学生"唐三"的"高级语言程序设计"成绩，首先需在学生信息表中找到"姓名"为"唐三"的记录，记下他的"学号"（20203821001）。

表9-1 学生信息表

学 号	姓 名	性 别	年 龄	院系 ID	联系电话
20203821001	唐三	男	17	3821	13807245888
20203821002	王东	女	16	3821	15997946555
20204221003	肖娅	女	20	4221	13662800033
20204221004	胡余浩	男	18	4221	13558106666
20207001005	王建国	男	20	7001	13907199999

再到课程表中找到"课程名称"为"高级语言程序设计"的"课程号"，即1002。

表9-2 课程表

课 程 号	课程名称	学 分	学 时	教师 ID	备 注
1001	高等数学	3	64	914820	
1002	高级语言程序设计	4	72	803801	
2001	计算机导论	2	48	803801	
2002	离散数学	4	72	953802	
2003	计算机组成原理	3	64	103803	
2004	数据结构	4	72	123804	

最后到学生成绩表中查找"课程号"为1002、"学号"为20203821001的对应"成绩"值。

表 9-3 学生成绩表

课 程 号	学 号	成 绩
1001	20203821001	91
1002	20203821001	94
1002	20204221003	52
1001	20207001005	82

通过上面的例子可以看出,关系模型中数据的逻辑结构就是一张二维表,它由行和列组成。一张二维表对应了一个关系,表中的一行即为一条记录,表中的一列即为记录的一个属性。

关系模型的优点是:①结构特别灵活,满足所有布尔逻辑运算和数学运算规则形成的查询要求;②能搜索、组合和比较不同类型的数据;③增加和删除数据非常方便。

其缺点是:①数据库大时,查找满足特定关系的数据较费时;②对空间关系无法满足。

9.4 关系数据库

关系数据库是当今世界的主流数据库。本节主要介绍关系模型中的一些基本术语、关系数据库中表之间的关系和关系模型的完整性约束。

9.4.1 关系模型中的基本术语

关系模型中经常用到的术语如下。

1. 关系

一个关系就是一张二维表。

2. 元组

二维表中的一条记录就是一个元组,它是构成关系的一个个实体,可以说,关系是元组的集合,元组是属性值的集合,一个关系模型中的数据就是这样逐行逐列组织起来的。

3. 属性

二维表中的一列就是一个属性,属性又称为字段,第一行列出的是属性名(字段名)。属性的个数称为关系的元或度。列的值称为属性值。

4. 域

域是属性的取值范围。例如,"性别"属性只能取值为"男"或"女"。

5. 分量

分量是元组中的一个属性值。关系模型要求关系必须是规范化的,基本的条件就是关系的每一个分量必须是一个不可分的数据项,即不允许表中还有表。

6. 关系模式

关系模式是对关系的描述,一般表示如下:

关系名(属性1,属性2,…,属性n)

例如,可以将学生关系描述为"学生(学号,姓名,性别,出生年月,籍贯,院系编号)"。

7. 候选关键字

关系中的一个或几个属性的集合唯一标识一个元组，这个属性集合称为候选关键字。

8. 关系数据库

对应于一个关系模型的所有关系的集合称为关系数据库。

9. 主关键字

一个关系中有多个候选关键字，可以选择其中一个作为主关键字，主关键字也称为主码或主键。

10. 外关键字

如果一个属性组不是所在关系的关键字，但它是其他关系的关键字，则该属性组称为外关键字，也称为外码或外键。

例如，院系表如表 9-4 所示时，描述院系的关系模式如下：

院系（院系 ID，院系名称）

其主键为"院系 ID"，所以"学生"关系（见表 9-1）中的"院系 ID"字段就是外键。

表 9-4 院系表

院系 ID	院 系 名 称
3821	软件工程院
3822	计算机科学与技术学院
4221	网络工程院
4222	数学与统计学院
7001	医学院

11. 主属性

包含在任一候选关键字中的属性称为主属性；不包含在任何候选关键字中的属性称为非关键字属性。

在关系模型中基本数据结构是二维表。记录之间的联系是通过不同关系中的同名属性来体现的。例如，要查找某个教师讲授的课程，首先要在"教师"关系中根据"姓名"查找到对应的"教师 ID"，然后根据"教师 ID"的值在"课程"关系（见表 9-2）中找到对应的"课程名称"即可。在查询过程中，同名属性"教师 ID"起到了连接两个关系的纽带作用。由此可见，关系模型中的各个关系模式不应当孤立起来，不是随意拼凑的一些二维表，它们必须满足相应的要求。

关系模型具有如下特征：

①描述的一致性。不仅用关系描述实体本身，也用关系描述实体之间的联系。

②可直接表示多对多联系。

③关系必须是规范化的，即每个属性是不可分的数据项，不允许表中有表。

④关系模型是建立在数学概念基础上的，有较强的理论根据。

关系是一个二维表，但并不是所有的二维表都是关系。关系应具有以下性质：

①每一列中的分量是同一类型的数据。

②不同的列要给予不同的属性名。

③列的次序可以任意交换。
④一个关系中的任意两个元组不能完全相同。
⑤行的次序可以任意交换。

9.4.2 关系数据库中表之间的关系

在关系数据库中,可以通过外部关键字来实现表与表之间的联系,公共字段是一个表的主键和另一个表的外键。例如,"学生"表(见表9-1)和"院系"表(见表9-4)都包含"院系ID"属性,通过这个字段就可以在"院系"表和"学生"表之间建立联系,这个联系是一对多联系,即一个院系中有多个学生。

9.4.3 关系模型的完整性约束

关系模型的完整性规则是对关系的某种约束条件,也就是说,关系的值随着时间变化时应该满足一些约束条件。这些约束条件实际体现现实世界的要求。任何关系在任何时刻都要满足这些语义约束。

关系模型中有3类完整性约束,即实体完整性、参照完整性和用户定义的完整性。其中,实体完整性和参照完整性是关系模型必须满足的完整性约束条件,被称作关系的两个不变性,应该由关系系统自动支持。用户定义的完整性是应用领域需要遵循的约束条件,体现了具体领域中的语义约束。

1. 实体完整性

实体完整性(entity integrity)规则为:如果属性(指一个或一组属性)A是基本关系R的主属性,则A不能取空值。所谓空值,就是"不知道"或"不存在"。例如,在"学生"关系中,"学号"这个属性为主键,则该字段不能取空值。

按照实体完整性规则的规定,基本关系的主键都不能取空值。如果主键由若干属性组成,则所有这些主属性都不能取空值。

对实体完整性规则说明如下:

(1)实体完整性规则是针对基本关系而言的。一个基本关系通常对应现实世界的一个实体集。例如,"学生"关系对应学生的集合。

(2)现实世界中的实体是可区分的,即它们具有某种唯一标识。例如,每个学生都是独立的个体,是不一样的。

(3)关系模型中以主键作为唯一性标识。

(4)主键中的属性(即主属性)不能取空值。如果主属性取空值,就说明存在某个不可标识的实体,即存在不可区分的实体,这与说明(2)相矛盾。

2. 参照完整性

参照完整性(referential integrity)规则为:如果属性(或属性组)F是基本关系R的外键,它与基本关系S的主键K_S相对应(基本关系R和S不一定是不同的关系),则R中每个元组在F上的值必须为空或是等于S中某个元组的主键值。

现实世界中的实体之间往往存在某种联系,在关系模型中,实体和实体之间的联系都是用关系来描述的,这样就自然存在关系和关系间的引用。

【例】 给定以下关系模式,指出外键并分析其参照完整性规则。

部门(部门名,电话,办公地点)
学生(学号,姓名,性别,出生日期,身高,院系ID,是否党员,评语,相片)
课程(课程号,课程名,课时,学分,先修课程号)
选修(学号,课程号,成绩)
院系(院系ID,院系名称)

解 ①"学生"关系的"院系ID"与"部门"关系的主键"部门名"相对应,"院系ID"属性是"学生"关系的外键。"部门"关系是被参照关系,"学生"关系为参照关系。

依照参照完整性规则,"学生"关系中"院系ID"属性只取两类值:要么为空值,表示尚未给该学生分配院系;要么为"部门"关系中某个元组的"部门名"值,表示该学生不可能分配到一个不存在的院系。

②"选修"关系的"学号"与"学生"关系的主键"学号"相对应,"学号"属性是"选修"关系的外键。

"选修"关系的"课程号"与"课程"关系的主键"课程号"相对应,"课程号"属性是"选修"关系的外键。

"学生"关系和"课程"关系均为被参照关系,"选修"关系为参照关系。

同时,"学号"和"课程号"又共同作为"选修"关系的主键。

依照参照完整性规则,"选修"关系中"学号"属性应等于"学生"关系中对应主键"学号"中的某个值,"选修"关系中"课程号"属性应等于"课程"关系中对应主键"课程号"中的某个值。

③"课程"关系的"先修课程号"与"课程"关系的主键"课程号"相对应,"先修课程号"属性是"课程"关系的外键。"课程"关系既是被参照关系又是参照关系。

依照参照完整性规则,"课程"关系中"先修课程号"属性或者取空值,或者等于对应主键"课程号"中的某个值。

参照完整性规则的几点说明如下:

(1)关系 R 和 S 不一定是不同的关系。除了不同关系之间存在参照完整性之外,同一个关系的内部也可能存在参照完整性。

(2)被参照关系 S 的主键 K_S 和参照关系的外键 F 必须定义在同一个(或一组)域上。

(3)外键 F 并不一定要与相应的主键 K_S 同名,但当外键与相应的主键属于不同关系时,应尽量取相同的名字,以便于识别。

3. 用户定义的完整性

任何关系数据库系统都应该支持实体完整性和参照完整性。这是关系模型所要求的。除此之外,不同的关系数据库系统根据其应用环境的不同,往往还需要一些特殊的约束条件。用户定义的完整性(user-defined integrity)就是针对某一具体关系数据库的约束条件,也称自定义完整性。它反映的是,某一具体应用所涉及的数据必须满足语义要求。例如,某个属性必须取唯一值,某个非主属性也不能取空值,某个属性的取值范围为 0~100(如学生的成绩)等。

关系模型应提供定义和检验这类完整性的机制,以便用统一的、系统的方法处理它们,而不应由应用程序提供这一功能。

【例】 根据上例,结合实际定义教学管理数据库中"部门"数据和"学生"数据应满足的完整性约束条件。

解 应满足的完整性约束条件如表9-5所示。

表 9-5 应满足的完整性约束条件

序号	表名	完整性	约束条件
1	部门表	实体完整性	部门名取值唯一且不能为空值
2	学生表	实体完整性	学号取值唯一且不能为空值
3	学生表	自定义完整性	性别只能为"男"或"女"
4	学生表	自定义完整性	身高只能为 100～250 cm
5	学生表	参照完整性	学生所在的院系信息要么为空,要么为学校已设置的部门信息;更改部门表中的部门名时,与学生表中对应的所在院系自动级联更改;删除部门表中的某部门时,若学生表中显示该部门有学生,则拒绝删除
6	课程表	实体完整性	课程号取值唯一且不能为空值
7	课程表	参照完整性	若先修课程只能是学校已开设的课程,修改对应课程号时先修课程号自动级联更改;若某课程有先修课程,则其先修课程删除时该课程的先修课程号置空值

9.5 关 系 代 数

在实际应用中,数据查询是最常用的操作。关系代数是一种抽象的查询语言,是以集合运算为基础、以关系(表)为运算对象的高级运算。任何一种运算都是将一定的运算符作用于一定的运算对象之上,从而得到预期结果的,所以运算对象、运算符和运算结果是运算的三大要素。

关系代数的运算对象是关系,运算结果也是关系。关系代数的运算符包括 4 类,即集合运算符、专门的关系运算符、比较运算符和逻辑运算符,如表 9-6 所示。

表 9-6 关系代数的运算符

运算符		含义	运算符		含义
集合运算符	∪	并	比较运算符	>	大于
	−	差		<	小于
	∩	交		<>	不等于
	×	广义笛卡儿积		>=	大于等于
				<=	小于等于
				=	等于
专门的关系运算符	σ	选择	逻辑运算符	¬	非
	Π	投影		∧	与
	÷	除		∨	或
	⋈	连接			

按照运算符的不同,关系代数的运算可分为传统的集合运算和专门的关系运算两大类。其中,传统的集合运算将关系看成元组的集合,其运算是从关系的水平方向即行的角度来进

行的;而专门的关系运算同时涉及行和列的运算。比较运算符和逻辑运算符则是用来辅助专门的关系运算符进行操作的。

关于关系代数的理论,此处仅进行简单介绍。

9.5.1 传统的集合运算

传统的集合运算也是传统的关系运算,是对两个关系的集合运算。传统的关系运算主要包括并、差、交和广义笛卡儿积 4 种运算。

1. 并运算

设关系 R 和关系 S 具有相同的 n 目(属性/列),且相应的属性取自同一个域,则关系 R 和关系 S 的并(union)由属于 R 或属于 S 的行(记录)组成。其结果关系的目数仍为 n,记为 $R \cup S$。形式化定义为

$$R \cup S = \{t \mid t \in R \vee t \in S\}$$

其中,t 表示关系 R 或 S 中的记录,即关系 R 或 S 中的行。

注意:$R \cup S$ 的结果集合是 R 中记录和 S 中记录合并在一起构成的一个新关系,特别要指出的是,合并后的结果必须要去除重复记录。

【例】 已知关系 R 和关系 S 如表 9-7 和表 9-8 所示,计算关系 R 和关系 S 的并 $R \cup S$。

解 计算结果如表 9-9 所示。

表 9-7 关系 R

学　号	姓　　名	电　话
20203821001	唐三	13807245888
20203821002	王东	15997946555
20204221003	肖娅	13662800033

表 9-8 关系 S

学　号	姓　　名	电　话
20203821002	王东	15997946555
20204221004	胡余浩	13558106666
20207001005	王建国	13907199999

表 9-9 $R \cup S$ 结果

学　号	姓　　名	电　话
20203821001	唐三	13807245888
20203821002	王东	15997946555
20204221003	肖娅	13662800033
20204221004	胡余浩	13558106666
20207001005	王建国	13907199999

2. 差运算

设关系 R 和关系 S 具有相同的 n 目(属性/列),且相应的属性取自同一个域,则关系 R 和关系 S 的差(difference)由属于 R 但不属于 S 的记录组成。其结果关系的目数仍为 n,记

为 $R-S$。形式化定义为
$$R-S=\{t|t\in R \land t\notin S\}$$
其中,t 表示属于 R 而不属于 S 的所有元组。

【例】 已知关系 R 和关系 S 如表9-7和表9-8所示,求关系 R 和 S 的差 $R-S$。

解 计算结果如表9-10所示。

表9-10 $R-S$ 结果

学 号	姓 名	电 话
20203821001	唐三	13807245888
20204221003	肖娅	13662800033

3. 交运算

设关系 R 和关系 S 具有相同的 n 目(属性/列),且相应的属性取自同一个域,则关系 R 和关系 S 的交(intersection)由属于 R 且属于 S 的记录组成。其结果关系的目数仍为 n,记为 $R\cap S$。形式化定义为
$$R\cap S=\{t|t\in R \land t\in S\}$$
其中,t 表示属于 R 且属于 S 的所有元组,即关系 R 和 S 中行的公共部分。

【例】 已知关系 R 和关系 S 如表9-7和表9-8所示,求关系 R 和 S 的交 $R\cap S$。

解 计算结果如表9-11所示。

表9-11 $R\cap S$ 结果

学 号	姓 名	电 话
20203821002	王东	15997946555

4. 广义笛卡儿积运算

设关系 R 和关系 S 的目(属性/列)分别为 r 及 s。关系 R 和 S 的广义笛卡儿积(extended Cartesian)$R\times S$ 是一个 $r+s$ 目的记录集合(新关系有 $r+s$ 列),前 r 个分量(属性值)来自关系 R 的一个记录,后 s 个分量来自关系 S 的一个记录。关系 R 和关系 S 的广义笛卡儿积形式化定义为
$$R\times S=\{(t_r,t_s)|t_r\in R \land t_s\in S\}$$
其中,t_r 和 t_s 分别表示 r 个分量和 s 个分量。

若关系 R 的基数(行数)为 k_1,关系 S 的基数为 k_2,则关系 R 和关系 S 的广义笛卡儿积的基数为 $k_1\times k_2$。

【例】 已知关系 R 和关系 S 如表9-7和表9-12所示,求关系 R 和关系 S 的广义笛卡儿积 $R\times S$。

解 具体的结果如表9-13所示。

表9-12 关系 S

学 号	课 程 号	成 绩
20203821002	1001	91
20203821001	1002	94

表 9-13 R×S 结果

R.学号	姓　　名	电　　话	S.学号	课　程　号	成　绩
20203821001	唐三	13807245888	20203821002	1001	91
20203821001	唐三	13807245888	20203821001	1002	94
20203821002	王东	15997946555	20203821002	1001	91
20203821002	王东	15997946555	20203821001	1002	94
20204221003	肖娅	13662800033	20203821002	1001	91
20204221003	肖娅	13662800033	20203821001	1002	94

9.5.2 专门的关系运算

专门的关系运算包括选择、投影、连接和除运算。

1. 选择运算

从一个关系中选出满足给定条件的记录的操作称为选择或筛选。选择运算是从行的角度进行的运算,是选出满足条件的那些记录构成原关系的一个子集,其中,条件表达式中可以使用=、<>、>=、>、<和<=等比较运算符,多个条件之间可以使用逻辑运算符 AND(∧)、OR(∨)和 NOT(¬)进行连接。选择运算可记作

$$\sigma_F(R)=\{t\,|\,t\in R \wedge F(t)= '真'\}$$

其中,F 表示选择条件。

【例】 学生信息表如表 9-14 所示(身高信息默认单位为 cm),从中查询出所有身高大于 180 cm 的学生的信息。

解 对于表 9-14 所示的学生信息,如果要查询身高大于 180 cm 的学生信息,可以列出表达式:

$$\sigma_{身高>180}(Students) \text{ 或 } \sigma_{5<180}(Students)$$

这里的"5"表示 Students 表的第 5 列。

运算的结果为学生信息表 Students 中所有身高大于 180 cm 的记录,如表 9-15 所示。

表 9-14 关系 Students(学生信息表)

学　　号	姓　　名	性　　别	生　　日	身　　高	电　　话
20203821001	唐三	男	2004/10/04	192	13807245888
20203821002	王东	女	2005/06/18	176	15997946555
20204221003	肖娅	女	2001/05/01	168	13662800033
20204221004	胡余浩	男	2003/11/11	185	13558106666
20207001005	王建国	男	2001/07/01	173	13907199999

表 9-15 选择运算结果

学　　号	姓　　名	性　　别	生　　日	身　　高	电　　话
20203821001	唐三	男	2004/10/04	192	13807245888
20204221004	胡余浩	男	2003/11/11	185	13558106666

2. 投影运算

从一个关系中选出若干指定字段的值的操作称为投影。投影是从列的角度进行的运

算,所得到的字段个数通常比原关系少,或者字段的排列顺序不同。

投影运算可记作

$$\Pi_A(R)=\{t[A]|t\in R\}$$

其中,A 为 R 中的属性列。

例如,查询表 9-14 中学生的姓名和联系电话的表达式如下:

$$\Pi_{姓名,电话}(Students) 或 \Pi_{2,6}(Students)$$

运算的结果为姓名和联系电话两列,以及这两列对应的所有数据组成的关系。

投影之后不仅取消了原关系中的某些列,而且还可能取消原关系中的某些元组,因为取消了某些列之后,可能出现重复行,应再取消这些完全相同的行。

在表 9-14 所示的学生信息表中查询所有学生的姓名和电话,可进行投影运算,结果如表 9-16 所示。

表 9-16 投影运算结果

姓 名	电 话
唐三	13807245888
王东	15997946555
肖娅	13662800033
胡余浩	13558106666
王建国	13907199999

3. 连接运算

连接是把两个关系中的记录按一定条件横向结合,生成一个新的关系。最常用的连接运算是自然连接,它是利用两个关系中公用的字段,把该字段值相等的记录连接起来。

需要明确的是,选择和投影都属于单目运算,它们的操作对象只是一个关系,而连接则是双目运算,其操作对象是两个关系。

连接运算可记作

$$R\underset{A\theta B}{\bowtie}S=\{(t_r,t_s)|t_r\in R \wedge t_s\in S \wedge t_r[A]\theta t_s[B]\}$$

其中,A 和 B 分别是 R 和 S 上度数相等且可比的属性组;θ 是比较运算符。

自然连接是一种特殊的等值连接,而等值连接是 θ 为 = 的连接。

自然连接运算首先计算参与运算的两个关系的笛卡儿积,然后基于两个关系中都出现的属性上的相等性进行选择,最后,还要从结果中去除重复属性列。

对于一般的连接,θ 可以是其他比较运算符。

例如,在表 9-14 所示的学生信息表和表 9-17 所示的学生成绩表中,以"Students.学号"和"Scores.学号"作为连接的纽带,进行自然连接运算的查询结果如表 9-18 所示。

表 9-17 关系 Scores(学生成绩表)

学 号	课 程 号	成 绩
20203821001	1001	91
20203821002	1002	94
20204221003	2001	86
20204221004	2002	56
20207001005	1003	75

表 9-18　自然连接运算结果

R.学号=S.学号	姓名	性别	生　　日	身高	电　话	课程号	成绩
20203821001	唐三	男	2004/10/04	192	13807245888	1001	91
20203821002	王东	女	2005/06/18	176	15997946555	1002	94
20204221003	肖娅	女	2001/05/01	168	13662800033	2001	86
20204221004	胡余浩	男	2003/11/11	185	13558106666	2002	56
20207001005	王建国	男	2001/07/01	173	13907199999	1003	75

关系 Students 和 Scores 都有"学号"属性，等值连接为

$$R \underset{R.学号=S.学号}{\bowtie} S$$

很显然，"R.学号=S.学号"表示的是重复的属性列。这种在结果中把重复属性列去掉的等值连接就是自然连接，记作 $R \bowtie S$。

若要进一步查询姓名为"唐三"的学生的成绩则可以列出表达式：

$$\sigma_{姓名='唐三'}(Students \bowtie Score)$$

其查询的结果如表 9-19 所示。

表 9-19　姓名为"唐三"的学生的成绩查询结果

学　号	姓名	性别	生　日	身高	电　话	课程号	成　绩
20203821001	唐三	男	2004/10/04	192	13807245888	1001	91

4. 除运算

给定关系 $R(X,Y)$ 和 $S(Y,Z)$，其中 X、Y、Z 为属性组。R 中的 Y 和 S 中的 Y 可以有不同的属性名，但必须出自相同的域集。那么 R 和 S 的除运算得到一个新的关系 $P(X)$，P 是 R 中满足条件的元组在 X 属性列上的投影，元组在 X 上的分量值 x 的象集 Y_x 包含 S 在 Y 上投影的集合。

除运算记作

$$R \div S = \{t_r[X] | t_r \in R \land \Pi_y(S) \subseteq Y_x\}$$

其中，Y_x 为 x 在 R 中的象集，$x=t_r[X]$。

【例】　已知关系 R 和关系 S 如表 9-20 和表 9-21 所示，求 $R \div S$。

解　具体运算结果如表 9-22 所示。

表 9-20　关系 R

A	B	C	D
2	1	a	c
2	2	a	d
3	2	b	d
3	2	b	c
2	1	b	d

表 9-21 关系 S

C	D	E
a	c	5
a	c	2
b	d	6

表 9-22 R÷S 结果

A	B
2	1

9.6　规范化理论

为了使数据库设计的方法趋于完善,人们研究了规范化理论。目前规范化理论的研究已经有了很大的发展。本节将主要介绍模式规范化在数据库设计过程中的必要性及规范化原理。

9.6.1　非规范化的关系

一般而言,关系数据库设计的目标是生成一组关系模式,使用户既无须存储不必要的重复信息,又可以方便地获取信息。方法之一是设计满足适当范式的模式。在学习范式前,先来了解非规范化的表格。

(1)当一个关系中的所有字段都是不可分割的数据项时,该关系是规范化的。当表格中有一个字段含有组合数据项时,该表格即为非规范化的表格。

(2)当表格中含有多值数据项时,该表格同样为非规范化的表格。

满足一定条件的关系模式称为范式(normal form,NF)。目前关系数据库有六种范式:第一范式(1NF)、第二范式(2NF)、第三范式(3NF)、Boyce-Codd 范式(BCNF)、第四范式(4NF)和第五范式(5NF,又称完美范式)。规范化程度较高者必是较低者的子集。满足最低要求的范式是第一范式(1NF)。一个低级范式的关系模式,通过投影分解的方法可转换成多个高一级范式的关系模式的集合,这个过程称为规范化。一般情况下,数据库只需满足第三范式(3NF)就行了。

9.6.2　第一范式

在 1971—1972 年,关系数据模型的创始人 E.F.Codd 系统地提出了第一范式(1NF)、第二范式(2NF)和第三范式(3NF)的概念。

在关系模式 R 的所有属性的值域中,如果每个值都是不可再分解的值,则称 R 属于第一范式(1NF)。第一范式的模式要求属性值不可再分成更小的部分,即属性项不能由属性组合或组属性组成。

第一范式是最低的规范化要求,它要求关系满足一种最基本的条件,它与其他范式不同,不需要诸如函数依赖之类的额外信息。

第一范式的第一个要求是数据表不能存在重复的记录,即存在一个关键字;第二个要求是每个字段都已经分到最小,不再可分,关系数据库的定义就决定了数据库满足这一个要求。主关键字应满足下面几个条件：
(1)主关键字在表中是唯一的。
(2)主关键字段不存在空值。
(3)每条记录都必须有一个主关键字。
(4)主关键字是关键字的最小子集。

第一范式的关系模式有许多不必要的重复值，并且增加了修改数据时疏漏的可能性，为了避免这种数据冗余和更新数据时的疏漏，Codd 引出了第二范式。

9.6.3 第二范式

如果一个关系属于第一范式(1NF)，且所有的非主关键字段都完全依赖于主关键字，则这个关系属于第二范式。第二范式(2NF)是在第一范式(1NF)的基础上建立起来的，即满足第二范式(2NF)必须先满足第一范式(1NF)。

举个例子来说，某个存储物品的关系有 5 个字段：

物品(物品 ID、仓库号、物品名称、物品数量、仓库地址)

这个关系符合 1NF，其中"物品 ID"和"仓库号"构成主关键字，但因为"仓库地址"只完全依赖于"仓库号"，即只依赖于主关键字的一部分，所以它不符合第二范式(2NF)。这样首先存在数据冗余，因为仓库数量可能不多。其次，在更改仓库地址时，如果漏改了某一条记录，就会导致数据不一致。最后，如果某个仓库的物品全部出库了，那么这个仓库地址就会丢失，所以这种关系不允许存在某个仓库中不放物品的情况。可以用投影分解的方法消除部分依赖的情况，从而达到 2NF 的标准。方法是从关系中分解出新的二维表，使每个二维表中所有的非关键字都完全依赖于各自的主关键字。这里可以做如下分解，将原来的一个表分解成两个表：

物品(物品 ID，仓库号，物品名称，物品数量)
仓库(仓库号，仓库地址)

这样就完全符合第二范式(2NF)了。

9.6.4 第三范式

如果一个关系属于第二范式且每个非关键字不传递依赖于主关键字，这种关系就属于第三范式(3NF)。简而言之，从 2NF 中消除传递依赖，就是 3NF。如有一个关系"(姓名，工资等级，工资额)"，其中"姓名"是关键字，此关系符合 2NF，但是因为"工资等级"决定"工资额"，存在传递依赖现象，它不符合 3NF。同样可以使用投影分解的方法将这个关系(表)分解成两个表，即"(姓名，工资等级)"和"(工资等级，工资额)"。

关系模式的规范化过程是通过投影分解来实现的。这种把低一级关系模式分解成若干个高一级关系模式的投影分解方法不是唯一的，应该在分解中满足 3 个条件：
(1)无损连接分解，分解后不丢失信息。
(2)分解后得到的每个关系都是高一级范式，不要同级甚至低级分解。
(3)分解的个数最少。这是完美要求，应该做到尽量少。

从以上内容可知，规范化的基本思想是逐步消除数据依赖中不合适的部分，使模式中的各种关系模式达到某种程度的分离，即遵循"一事一地"的模式设计原则，让一个关系描述一个概念、一个实体或者实体间的一种联系，如果多于一个，就进行分离。因此，所谓规范化，实质上是概念的单一化。

规范化的优点是明显的,它避免了大量的数据冗余,节省了空间,保持了数据的一致性。如果完全达到 3NF,用户不会在超过两个以上的地方更改同一个值,在记录会经常发生改变的情况下,这个优点便很容易体现出来。但是,它最大的不利是,由于用户把信息放置在不同的表中,增加了操作的难度,若需同时把多个表连接在一起,时间花费也是巨大的。要节省时间必然要付出空间的代价;反之,要节省空间也必然要付出时间的代价。时间和空间在计算机领域中是一个矛盾统一体,它们是互相作用、对立统一的。

9.6.5 其他范式

一般情况下,规范化到 3NF 就满足需要了,规范化程度更高的还有 BCNF、4NF 和 5NF。

1. BCNF

Boyce-Codd 范式(BCNF)是 3NF 的一个子集,即满足 BCNF 必须满足 3NF。通常情况下,BCNF 被认为没有新的设计规范加入,只是对第二范式与第三范式中的设计规范要求更高,因而被认为是对第三范式的修正,以使数据库冗余度更低。这也是 BCNF 不被称为第四范式的原因,在某些地方,根据范式要求的递增性将其称为第四范式是不规范的。真正的第四范式是在设计规范中添加了对多值依赖的要求。

BCNF 的判定如下:如果关系模式 R 的所有属性(包括主属性和非主属性)都不传递依赖于 R 的任何候选关键字,那么称关系 R 属于 BCNF。换句话说,对于关系模式 R,如果每个决定因素都包含关键字(而不是被关键字所包含),则 R 属于 BCNF。

对符合 3NF 的关系进行投影,消除原关系中主属性对键的部分传递依赖,即可得到一组 BCNF 关系。

2. 第四范式(4NF)

第四范式的定义中用到了多值依赖,多值依赖的定义如下:设 $R(U)$ 是属性集 U 上的一个关系模式,X、Y、Z 是 U 的子集,并且 $Z=U-X-Y$,关系模式 $R(U)$ 中多值依赖 $X \rightarrow Y$ 成立,当且仅当对 $R(U)$ 的任一关系 r 给定的一对 (x,z) 值中有一组 Y 的值,这组值仅仅决定于 x 值而与 z 值无关。

4NF 是消除关系中的多值依赖。

第四范式的应用范围比较小,只有在某些特殊情况下,才要考虑将表规范到第四范式。所以,在实际应用中,一般不要求表满足第四范式。

3. 第五范式(5NF)

第四范式不是最终范式,多值依赖有助于理解并解决利用函数依赖无法理解的某些形式的信息重复。还有一些类型的依赖概括多值依赖的约束,被称为连接依赖(join dependence),由此引出的另外一种范式被称为投影-连接范式(project-join normal form,PJNF),有的地方也将其称为第五范式(5NF)。

5NF 是在 4NF 的基础上的进一步规范化。4NF 处理的是相互独立的多值情况,而 5NF 则处理相互依赖的多值情况。

第五范式要求表必须可以分解为较小的表,除非那些表在逻辑上拥有与原始表相同的主键。

由此可见,5NF 的应用就更少了,所以本书不对其做过多介绍。

规范化的过程就是在数据库表设计时移除数据冗余的过程。随着规范化的进行,数据冗余越来越少，但数据库的效率也越来越低。在数据库设计过程中，需要结合实际应用的性能要求，规范到合适的范式。一般情况下，规范到 3NF 就够了。

9.7 数据库语言

数据库系统提供了两种不同类型的语言：一种是数据定义语言，用于定义数据库模式；另一种是数据操纵语言，用于表达数据库的查询和更新。实际上，数据定义和数据操纵语言并不是两种分离的语言，相反，它们构成了单一的数据库语言，如广泛使用的 SQL 语言。

9.7.1 数据定义语言

数据库模式是通过一系列定义来说明的，这些定义由一种称为数据定义语言（data-definition language，DDL）的特殊语言来表达。例如，下面的 SQL 语句描述了 Students 表的定义：

```
Create table Students(
                Sno varchar(10),
                Sname varchar(50),
                Ssex varchar(4),
                Iage integer,
                Ideptno integer,
                Stelephone varchar(20))
```

9.7.2 数据操纵语言

数据操纵语言（data-manipulation language，DML）使得用户可以访问或操纵那些按照某种特定数据模式组织起来的数据。数据操纵包括对存储在数据库中的信息进行检索，向数据库中插入新的信息，从数据库中删除信息，以及修改数据库中存储的信息。

通常有以下两种基本的数据操纵语言：

(1) 过程化 DML：要求指定需要什么数据以及如何获得这些数据。

(2) 陈述式 DML：也称非过程化 DML，只要求用户指定需要什么数据，而不指明如何获得这些数据。

通常陈述式 DML 比过程化 DML 更易学、易用。由于未指明如何获得数据，数据库系统会指出一种访问数据的高效路径。SQL 语言的 DML 部分是非过程化的。

查询是要求对信息进行检索的语句。DML 中涉及信息检索的部分称为查询语句。例如，下面的语句将从 Students 表中查询名为"邱舒娅"的用户信息：

```
SELECT*FROM Students WHERE cname='邱舒娅';
```

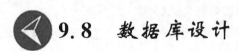

9.8 数据库设计

数据库设计是指对于一个给定的应用系统，构造（设计）优化的数据库逻辑模式和物理结构，并据此建立数据库及其应用系统，使之能够有效地存储和管理数据，满足各种用户的应用要求，包括信息管理要求和数据操作要求。

信息管理要求是指在数据库中应该可以存储和管理数据对象。

数据操作要求是指对数据对象可以进行操作,如查询、增加、删除、修改和统计等。

9.8.1 数据库设计的目标

数据库设计的目标是为用户和各种应用系统提供一个信息基础设施和高效率的运行环境。高效率的运行环境包括数据库数据的存取效率、数据库存储空间的利用率以及数据库系统运行管理的效率等。

9.8.2 数据库设计的特点

数据库和一般的软件系统在设计、开发、运行与维护方面有许多相同之处,更有其自身的一些特点。

1. 数据库建设的基本规律

"三分技术,七分管理,十二分基础数据"是数据库设计的特点之一。

数据库建设不仅涉及技术,还涉及管理。要建设好一个数据库应用系统,开发技术固然重要,但是相比之下管理则更加重要。这里的"管理"不仅仅指数据库建设作为一个大型的工程项目本身的项目管理,而且包括该企业的业务管理。

"十二分基础数据"则强调了数据的收集、整理、组织和不断更新是数据库建设中的重要环节。人们往往忽视基础数据在数据库建设中的地位和作用。基础数据的收集、入库是数据库建立初期工作量最大、最烦琐、最细致的工作。在数据库运行过程中更需要不断地把新的数据加入数据库,使数据库成为一个"活库",否则就成为"死库"。数据库一旦成了"死库",系统也就失去了应用价值,原来的投资也就失败了。

2. 结构(数据)设计和行为(处理)设计相结合

数据库设计应该和应用系统相结合。也就是说,整个设计过程中要把数据库结构设计和对数据的处理设计密切结合起来。这是数据库设计的特点之二。

在早期的数据库应用系统开发过程中,数据库设计和应用系统的设计常常被分离。数据库设计有它专门的技术和理论,这并不等于数据库设计和在数据库之上开发应用系统是相互分离的。相反,必须强调设计过程中数据库设计和应用程序的密切结合,并把这作为数据库设计的重要特点。

9.8.3 数据库设计的方法

大型数据库设计是涉及多学科的综合性技术,同时又是一项庞大的工程项目。它要求从事数据库设计的专业人员具备多方面的技术和知识,主要包括计算机的基础知识、软件工程的原理和方法、程序设计的方法和技巧、数据库的基本知识、数据库设计技术和应用领域的知识等。这样才能设计出符合具体领域要求的数据库及其应用系统。

早期数据库设计主要采用手工与经验相结合的方法。设计的质量往往与设计人员的经验与水平有直接的关系。数据库设计是一种技艺,缺乏科学理论和工程方法的支持,设计质量难以保证。因此,人们努力探索,提出了各种数据库设计方法,其中比较著名的有以下4种。

(1)新奥尔良(New Orleans)方法:该方法把数据库设计分为若干阶段和步骤,并采用一些辅助手段实现每一阶段和步骤。它运用软件工程的思想,按一定的设计规程用工程化方法设计数据库。新奥尔良方法属于规范化设计法。虽然从本质上看它仍然是手工设计方法,其基本思想是过程迭代和逐步求精。

(2)基于 E-R 模型的数据库设计方法:该方法用 E-R 模型来设计数据库的概念模型,是数据库概念设计阶段广泛采用的方法。

(3)3NF(第三范式)设计方法:该方法以关系数据理论为指导来设计数据库的逻辑模型,是设计关系数据库时在逻辑阶段可以采用的一种有效方法。

(4)ODL(object definition language)方法:这是面向对象的数据库设计方法。该方法用面向对象的概念和术语来说明数据库结构。ODL 可以描述面向对象的数据库结构设计,可以直接转换为面向对象的数据库。

9.8.4 数据库设计的步骤

数据库设计一般分为以下 6 个步骤,如图 9-6 所示。

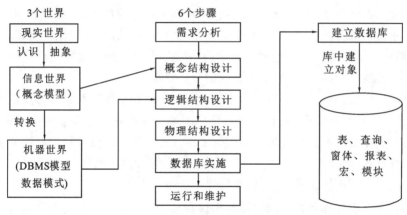

图 9-6 数据库设计步骤

1. 需求分析

需求分析是数据库设计的起点,为以后的具体设计做准备。进行数据库设计首先必须准确了解与分析用户需求,包括数据和处理方面。需求分析是整个设计过程的基础,是最困难、最耗时的一步。作为"地基"的需求分析是否做得充分与准确,决定了在其上构建数据库"大厦"的速度与质量。需求分析做得不好,可能会导致整个数据库设计返工重做。

需求分析的重点是调查、收集与分析用户在数据管理中的信息要求、处理要求、安全性与完整性要求。

常用的调查方法有:

(1)跟班作业:亲身参加业务工作了解业务情况,能比较准确地理解用户的需求,但比较耗时。

(2)开调查会:与用户座谈来了解业务活动情况及用户需求。

(3)请专家介绍:请了解业务的专业人员介绍。

(4)询问:对某些调查中的问题,可以找专人询问。

(5)设计调查表:请用户填写。

(6)查阅记录:查阅与原系统有关的数据记录。

2. 概念结构设计

概念结构设计是整个数据库设计的关键,是指通过对用户需求进行综合、归纳与抽象,形成一个独立于具体 DBMS 的概念模型。

概念模型是整个组织中各个用户关心的信息结构。描述概念结构的有力工具是 E-R 图,数据库设计通常基于 E-R 模型来进行(然后转化成关系模型)。

3. 逻辑结构设计

逻辑结构设计是指将概念结构转换为某个 DBMS 所支持的数据模型,并对其进行优化。

逻辑结构设计的步骤如下:
(1)将概念结构转换为一般的关系、网状或层次模型。
(2)将转换来的关系、网状或层次模型向特定 DBMS 支持下的数据模型转换。
(3)对数据模型进行优化。
(4)设计用户子模式。

【例】 将教学管理 E-R 模型(见图 9-5)转换为等价的关系模型,并标明主键和外键(主键之下用下画线表示,外键之下用双下画线表示)。

解 根据 E-R 图向关系模型转换的规则,将 E-R 模型转换为如下关系模式:

部门(部门名,电话,办公地点)
学生(学号,姓名,性别,生日,身高,相片)
课程(课程号,课程名,课时,学分)
选修(学号,课程号,成绩)
教师(职工号,姓名,性别,生日,职务,职称,工资,部门名)
讲授(职工号,课程号,班级,学年度,学期,人数)

以上 6 个关系模式构成教学管理数据库模式。

4. 物理结构设计

物理结构设计是指为逻辑数据模型选取一个最适合应用环境的物理结构,包括存储结构和存取方法等,即设计数据库的内模式或存储模式。这一过程的主要任务包括设定数据库文件和索引文件的记录格式和物理结构,选择存取方法,决定访问路径和外存储器的分配策略等。物理结构设计通常分为以下两步:

(1)确定数据库的物理结构:可分为确定数据的存取方法和数据的存储结构。
(2)对物理结构进行评估:包括对时间效率、空间效率、维护开销和各种用户要求进行权衡,从多种设计方案中选择一个较优的方案。

物理结构设计的大部分工作可由 DBMS 来完成,仅有一小部分工作由设计人员来完成,如确定字段类型和数据库文件的长度等。

5. 数据库实施

在数据库实施阶段,设计人员运用 DBMS 提供的数据库语言(如 SQL)及其宿主语言,根据逻辑设计和物理设计的结果建立数据库,编制与调试应用程序,组织数据入库,并进行调试运行。

1)定义数据库结构

确定数据库的逻辑结构与物理结构后,就可以用所选用的 DBMS 提供的数据定义语言(DDL)来严格描述数据库结构了。

2)数据装载

数据库结构建立后,就可以向数据库中装载数据了。组织数据入库是数据库实施阶段最主要的工作。对于数据量不是很大的小型应用,可以用人工方式完成数据的入库,具体包括如下几个步骤：

(1)筛选数据：需要装入数据库的数据通常都分散在各个部门的数据文件或原始凭证中，所以必须先把需要入库的数据筛选出来。

(2)转换数据格式：筛选出来的需要入库的数据，其格式往往不符合数据库的要求，还需要进行转换。这种转换有时可能很复杂。

(3)输入数据：将转换好的数据输入计算机。

(4)校验数据：检查输入的数据是否有误。

对于中、大型系统，由于数据量大，用人工的方式组织数据入库将会耗费大量的人力、物力，而且很难保证数据的正确性，因此应该设计一个数据输入子系统，由计算机辅助进行数据入库工作。

3)编制与调试应用程序

数据库应用程序的设计应该与数据设计并行，在数据库实施阶段，数据库结构建立好后，就可以开始编制与调试数据库的应用程序了，也就是说，编制与调试应用程序是与组织数据入库同步进行的。调试应用程序时由于数据入库尚未完成，可先使用模拟数据。

4)数据库试运行

应用程序调试完成，并且已有少部分数据入库后，就可以开展数据的试运行了。数据试运行也称为联合调试，其主要工作如下：

(1)功能测试：实际运行应用程序，执行对数据库的各种操作，测试应用程序的各种功能。

(2)性能测试：测量系统的性能指标，分析是否符合设计目标。

6. 运行和维护

数据库应用系统经过试运行后即可投入正式运行。数据库投入运行标志着开发任务的基本完成和维护工作的开始，并不意味着设计过程的终结。由于应用环境在不断变化，数据库运行过程中物理存储也会不断变化，对数据库设计进行评价、调整、修改等的维护工作是一个长期的任务，也是设计工作的继续和提高。

在数据库运行阶段，对数据库的经常性维护工作主要是由 DBA 完成的，主要包括以下内容。

(1)数据库的转储和恢复。

定期对数据库和日志文件进行备份，以保证一旦发生故障，能利用数据库备份及日志文件备份尽快将数据库恢复到某种一致性状态，并尽可能减少对数据库的破坏。

(2)数据库安全性、完整性的控制。

DBA 必须对数据库的安全性和完整性控制负起责任，根据用户的实际需要授予不同的操作权限。另外，由于应用环境的变化，数据库的完整性约束条件也会变化，也需要 DBA 不断修正，以满足用户要求。

(3)数据库性能的监督、分析和改进。

目前，许多 DBMS 产品都提供了监测系统性能参数的工具，DBA 可以利用这些工具方便地得到系统运行过程中的一系列性能参数。DBA 应该仔细分析这些数据，通过调整某些参数来进一步改进数据库性能。

(4)数据库的重组织和重构造。

数据库运行一段时间后，由于记录不断被增、删、改，数据库的物理存储会变坏，从而降低数据库存储空间的利用率和数据的存取效率，使数据库的性能下降。这时，DBA 就要对数据库进行重组织或部分重组织(只对频繁增、删的表进行重组织)。数据库的重组织不会改变原设计的数据逻辑结构和物理结构,只是按原设计要求重新安排存储位置,回收垃圾,减少指针链,提高系统性能。DBMS 一般都提供了重组织数据库时使用的应用程序,帮助 DBA 重新组织数据库。

数据库应用环境发生变化,会导致实体及实体间的联系也发生相应的变化,使原有的数据库设计不能很好地满足新的需求,这时 DBA 就不得不适当调整数据库的模式和内模式,即进行数据库的重构造。DBMS 都提供了修改数据库结构的功能。

重构造数据库的程度是有限的。如果应用变化太大,已无法通过重构造数据库来满足新的需求,或重构造数据库的代价太大,则现有数据库应用系统的生命周期已经结束,应该重新设计新的数据库系统,开始新数据库应用系统的生命周期。

设计一个完善的数据库应用系统显然不是一蹴而就的,往往是上述 6 个阶段的不断重复。

9.9 关系 DBMS 产品介绍

9.9.1 SQL Server

1. SQL Server 产品概述

Microsoft SQL Server(微软结构化查询语言服务器)是由美国微软公司所推出的关系数据库解决方案,经过多年的发展,SQL Server 有很多版本面市,从最初的 SQL Server 1.0 起,依次升级、开发了 4.2、6.0、7.0、2000、2005、2008、2008R2、2012、2014、2016、2017 等版本,目前较常用的版本是 SQL Server 2019。

SQL Server 是适用于大型网络环境的数据库产品,一经推出,就得到了广大用户的积极响应,成为数据库市场上的一个重要产品。几个初始版本仅适用于中、小企业的数据库管理,近年来它的应用范围有所扩展,已经触及大型、跨国企业的数据库管理。

SQL Server 发源于 1986 年,当时微软已和 IBM 合作开发 OS/2 操作系统,但由于缺乏数据库的管理工具,而 IBM 也打算将其数据库工具放到 OS/2 中销售,微软和 Sybase 合作,将 Sybase 所开发的数据库产品纳入微软所研发的 OS/2,并在 Ashton-Tate 的支持下,发布了第一个挂微软名称的数据库服务器 Ashton-Tate/Microsoft SQL Server 1.0。

SQL Server 2000 可说是微软数据库服务器中生命期最久(自 2000 年 8 月 9 日到 2005 年 11 月 SQL Server 2005 上市为止),该版本继承了 SQL Server 7.0 版本的优点,同时又比它增加了许多更先进的功能,具有使用方便、伸缩性好、与相关软件集成程度高等优点,可供从运行 Microsoft Windows 98 的笔记本到运行 Microsoft Windows 2000 的大型多处理器服务器等的多种平台使用。

SQL Server 2008 在 2008 年 8 月 6 日正式发布,并且 SQL Server 2008 Express 版本同时发布,研发代号为"Katmai",SQL Server 2008 比起以往版本存在以下优势:

(1)保护数据库查询。
(2)在服务器的管理操作上花费更少的时间。
(3)增加应用程序稳定性。
(4)具有系统执行性能优化与预测功能。

SQL Server 2019 于 2019 年 11 月 4 日发布,是 SQL Server 家族中较常用的产品。下面介绍 SQL Server 2019。

2. SQL Server 2019

SQL Server 2019 (15.x)是微软研发的新一代旗舰级数据库和分析平台,该平台提供开发语言、数据类型、本地或云环境以及操作系统选项。

SQL Server 2019 为所有数据工作负载带来了创新的安全性和合规性功能、业界领先的性能及任务关键型可用性和高级分析,还支持内置的大数据功能,同时带来了十大全新的亮点,将行业领先的性能和 SQL Server 安全性引入所选的语言、平台、结构化和非结构化数据。

(1)利用大数据的力量。具有由 SQL Server、Spark 和 HDFS 组成的具备可扩展计算和存储功能的大数据群集。数据可在扩展数据群集中缓存。

(2)将 AI 引入工作负载。具有完整的 AI 平台,可使用 Azure Data Studio Notebooks 在 SQL Server ML 服务或 Spark ML 中培训和实施模型。

(3)消除数据迁移的需求。借助数据虚拟化,用户可以查询关系数据和非关系数据,而无须对数据进行迁移或复制。

(4)了解可视数据并与之进行交互。使用 SQL Server BI 工具和 Power BI 报表服务器可进行可视化数据浏览和交互式分析。

(5)对操作数据进行实时分析。使用 HTAP 对操作数据进行分析,通过持久内存提高并发性和规模。

(6)自动调整 SQL Server。智能查询处理改善了查询的扩展;自动计划更正解决了性能问题。

(7)减少数据库维护并延长业务正常运行时间。在线索引操作的增加延长了正常运行时间,可使用 Kubernetes 在容器上运行 Always On 可用性组。

(8)提高安全性并保护使用中的数据。SQL Server 支持多个安全层,包括 Always Encrypted Secure Enclave 中的计算保护。

(9)跟踪复杂资源的合规性。使用数据发现和分类(可通过标记确保遵守 GDPR)复杂资源,以及通过漏洞工具跟踪合规性。

(10)利用丰富的选择和灵活性进行优化。支持选择 Windows、Linux 和容器,支持在 SQL Server 上运行 Java 代码,并存储和分析图形数据。

9.9.2 Oracle

Oracle 数据库系统是美国 Oracle 公司提供的以分布式数据库为核心的一组软件产品,是目前最流行的客户/服务器或 B/S 体系结构的数据库之一。比如 SilverStream 就是基于数据库的一种中间件。Oracle 数据库是目前世界上使用极为广泛的数据库管理系统,作为一个通用的数据库系统,它具有完整的数据管理功能;作为一个关系数据库,它是一个有完备关系的产品;作为分布式数据库,它实现了分布式处理功能。只要在一种机型上学习了 Oracle 知识,用户便能在各种类型的机器上使用它。

Oracle 数据库的 12c 版本引入了一个新的多承租方架构,使用该架构可轻松部署和管理数据库云。此外,一些创新特性可最大限度地提高资源使用率和灵活性,如 Oracle Multitenant 可快速整合多个数据库,而 Automatic Data Optimization 和 Heat Map 能以较高的密度压缩数据和对数据分层。独一无二的技术进步再加上在可用性、安全性和大数据支持方面的功能增强,使得 Oracle 数据库的 12c 版本成为私有云和公有云部署的理想平台。

1. Oracle 数据库的特点

(1)具有完整的数据管理功能:可实现数据的大量性、数据保存的持久性、数据的共享性和数据的可靠性。

(2)具有完备关系的产品:遵循信息准则(关系型 DBMS 的所有信息都应在逻辑上用一种方法,即表中的值显式地表示)、保证访问的准则、视图更新准则(只要形成视图的表中的数据变化了,相应的视图中的数据同时变化)及数据物理性和逻辑性独立准则。

(3)具有分布式处理功能:Oracle 数据库自第 5 版起就提供了分布式处理能力,到第 7 版就有比较完善的分布式数据库功能了,一个 Oracle 分布式数据库由 Oracle RDBMS、SQL * Net、SQL * Connect 和其他非 Oracle 的关系型产品构成。

(4)用 Oracle 能轻松地实现数据仓库的操作。

2. Oracle 数据库的优点

Oracle 数据库具有以下优点:

(1)可用性强;

(2)可扩展性强;

(3)数据安全性强;

(4)稳定性强。

9.9.3 Access

Microsoft Office Access 是由微软发布的关系数据库管理系统。它结合了 Microsoft Jet Database Engine 和图形用户界面的特点,是 Microsoft Office 的系统程序之一。

Microsoft Office Access 是微软把数据库引擎的图形用户界面和软件开发工具结合在一起形成的一个数据库管理系统。它是微软 Office 的一个成员,在包括专业版和更高版本的 Office 版本里面被单独出售。2018 年 9 月 25 日,微软 Office Access 2019 在微软 Office 2019 里发布。

Microsoft Access 以它自己的格式将数据存储在基于 Access Jet 的数据库引擎里。它还可以直接导入或者链接数据(这些数据存储在其他应用程序和数据库中)。

软件开发人员和数据架构师可以使用 Microsoft Access 开发应用软件,高级用户可以使用它来构建软件应用程序。和其他办公应用程序一样,Access 支持 Visual Basic 宏语言,它是一个面向对象的编程语言,可以引用各种对象,包括数据访问对象(data access object,DAO)、ActiveX 数据对象及许多其他的 ActiveX 组件。可视对象用于显示表和报表,它们的属性是在 VBA 编程环境下体现的,VBA 代码模块可以声明和调用 Windows 操作系统函数。

Access 是一个面向对象的、采用事件驱动的新型关系数据库,它提供了强大的数据处理功能,用户可以组织和共享数据库信息,以便对数据库数据进行分析,做出有效决策。它具有界面友好、易学易用、开发简单、接口灵活等特点,因此,许多中、小型网站都使用 Access 作为后台数据库系统。

目前,Access 等级考试开发编程环境版本多是 Access 2016。下面详细介绍 Access 2016。

1. Access 2016 产品概述

Access 是美国 Microsoft 公司推出的关系型数据库管理系统(RDBMS),它是 Microsoft

Office 的组成部分之一,具有与 Word、Excel 和 PowerPoint 等相似的操作界面,深受广大用户的喜爱。

Microsoft 公司在 1992 年 11 月发行了基于 Windows 的关系数据库系统 Access 1.0,从此,Access 被不断改进和再设计。自 1995 年起,Access 成为办公软件包 Office 的一部分。多年来,Microsoft 公司先后推出了许多版本的 Access,到 2007 年,Access 2007 以一种全新的界面和文件格式面世,取消了传统菜单的操作方式而代之以功能区,这是 Access 2007 的明显改进之一。用户可以在功能区中进行绝大多数数据库管理相关操作。随后的几年中,在 Access 2007 的基础上,微软又相继推出了 2010、2013、2016 和 2019 版本。

Access 2016 是一个面向对象的、采用事件驱动的新型关系数据库。它提供了表生成器、查询生成器、宏生成器和报表设计器等许多可视化操作工具,以及数据库向导、表向导、查询向导、窗体向导、报表向导等多种向导,使用户能够很方便地构建一个功能完善的数据库系统。

Access 2016 能操作其他来源的数据,包括许多流行的 PC 数据库程序(如 dBase、Paradox、FoxPro)和服务器、小型机及大型机上的 SQL 数据库。此外,Access 2016 还提供了 Windows 操作系统的高级应用程序开发系统。与其他数据库开发系统相比,Access 2016 有一个明显的区别:用户不需要编写任何代码,就可以在很短的时间里开发出一个功能强大且相当专业的数据库应用程序,并且这一过程是完全可视的,如果给它加上一些简短的 VBA 代码,那么开发出的程序就能与专业程序员开发的程序相媲美。

Access 2016 的主要优点是它不用携带向上兼容的软件。无论是有经验的数据库设计人员还是那些刚刚接触数据库管理系统的新手,都会发现 Access 2016 所提供的各种工具既实用又方便,同时还能够获得高效的数据处理能力。

Access 2016 与之前的 Access 2013 或 Access 2010 非常类似。Access 2016 启动后,屏幕上就会出现 Access 2016 的初始界面,如图 9-7 所示。

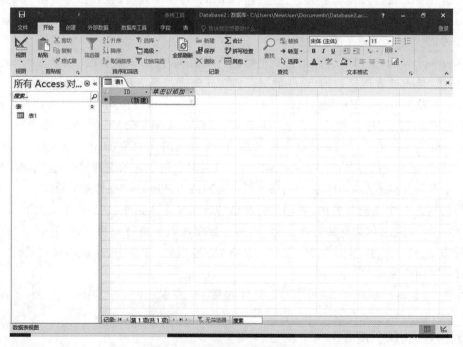

图 9-7 Access 2016 的初始界面

2. Access 2016 的数据库结构

Access 2016 是关系型数据库。Access 2016 数据库在精心定义的结构中存储信息。Access 表可存储各种不同类型的数据，从简单的文本到诸如图片、音频或视频等复杂数据。

在 Access 2016 数据库中，任何事物都可以被称为对象，也就是说，Access 2016 数据库由各种对象组成，包括表、查询、窗体、报表、宏和模块等。其中，可以利用表对象来存储信息；利用查询、窗体和报表对象提供对数据的访问，允许用户添加或提取数据，以及通过有用的方式呈现数据；利用宏对象完成自动化工作；利用模块对象实现复杂功能。

此外，Access 2016 数据库具备存储、组织和管理各项相关信息的功能。数据库记录了字段和记录的验证规则、各个字段的标题和说明、各个字段的默认值、各个表的索引、各个表之间的关联性、数据参照完整性等。

在 Access 2016 中，数据库是数据以及相关对象的整体容器。它不仅是表的集合，而且包含很多类型的对象。打开 Access 2016 数据库时，数据库中的对象（表、查询等）会呈现出来，供用户处理使用。可以根据需要同时打开多个 Access 2016 的副本，也可以同时处理多个数据库。

3. Access 2016 的数据库文件

由于 Access 2016 数据库与传统数据库概念有所不同，它采用特有的全环绕数据库文件结构组成数据库文件，因此，它可以以一个单独的数据库文件存储一个数据库应用系统中包含的所有对象。基于 Access 2016 数据库文件的这一特点，创建一个 Access 2016 数据库应用系统的过程就是创建一个 Access 2016 数据库文件并在其中设置和创建各种对象的过程。

开发一个 Access 2016 数据库应用系统的流程：第一步工作就是创建一个 Access 2016 数据库文件，其操作的结果是在磁盘上建立一个扩展名为 ACCDB 的数据库文件；第二步工作则是在数据库中创建数据表，并建立数据表之间的关系；第三步工作是创建其他对象，最终可形成完备的 Access 2016 数据库应用系统。

整个数据库应用系统仅以一个文件存储于文件系统中，显得极为简洁，使得该数据库应用系统的创建和发布变得非常简单。这也是很多小型数据库应用系统开发者偏爱 Access 的原因之一。实际上，对于 Access 2016 数据库管理系统来说，数据库是一级容器对象，其他对象均置于该容器对象之中，因此，数据库是其他对象的基础，即其他对象必须建立在数据库中。

4. Access 2016 的数据库对象

数据库对象是 Access 基本的容器对象，它是一些关于某个特定主题或目的的信息的集合，具有管理本数据库中所有信息的功能。在数据库对象中，用户可以将自己的数据分别保存在彼此独立的存储空间中，这些空间称为数据表；可以使用联机窗体来查看、添加和更新数据表中的数据；可以使用查询来查找并检索所需的数据；也可以使用报表以特定的版面布局来分析及打印数据。总之，创建一个数据库对象是应用 Access 2016 建立信息系统的第一步工作。

早期的 Access 中有 7 种不同类别的数据库对象，即表、查询、窗体、报表、数据访问页、宏和模块。从 Access 2010 开始，Access 不再支持数据访问页对象。如果希望在 Web 上部署数据输入窗体并在 Access 中存储所生成的数据，则需要将数据库部署到 Microsoft Windows SharePoint Services 3.0 服务器上，使用 Windows SharePoint Services 所提供的工具实现所需的目标。

不同的对象在数据库中有着不同的作用:表是数据库的核心与基础,存放着数据库中的全部数据;查询、窗体和报表都是从数据库中获得数据信息,以实现用户的某一特定的需求,如查找、统计、打印、编辑修改等;窗体可以提供一种良好的用户操作界面,通过它可以直接或间接地调用宏或模块,并执行查询、打印、预览和计算等功能,甚至可以对数据库进行编辑修改操作。

(1)表:数据库中用来存储数据的对象,是整个数据库系统的基础。建立和规划数据库,首先要做的就是建立各种数据表。数据表是数据库中存储数据的唯一单位,各种信息分门别类地存放在各种数据表中。Access 允许一个数据库中包含多个表,可以在不同的表中存储不同类型的数据。通过在表之间建立关系,可以将不同表中的数据联系起来,以供使用。

(2)查询:数据库中应用得最多的对象之一。它可执行很多不同的功能,最常用的功能是从表中检索符合某种条件的数据。查询是数据库设计目的的体现,数据库创建完成后,数据只有被使用者查询、使用才能真正体现它的价值。

查询是用来操作数据库中的数据记录的手段,利用它可以按照一定的条件或准则从一个或多个表中筛选出需要的字段,并将它们集中起来,形成动态数据集,这个动态数据集就是用户想看到的来自一个或多个表的字段,它显示在一个虚拟的数据表窗口中。用户可浏览、查询、打印甚至修改这个动态数据集中的数据,Access 会自动将所做的任何修改更新到对应的表中。执行某个查询后,用户可以对查询的结果进行编辑或分析,并可以将查询到的结果作为其他对象的数据源。

查询到的数据记录集合称为查询的结果集。结果集以二维表形式显示出来,但它们不是基本表。每个查询只记录该查询的查询操作方式,这样,进行一次查询操作,其结果集显示的都是基本表中当前存储的实际数据,它反映的是查询的那个时刻数据表的情况,查询的结果是静态的。

查询对象的运行形式与数据表对象的运行形式几乎完全相同,但它只是数据表对象所包含数据的某种抽取与显示,本身并不包含任何数据。需要注意的是,查询对象必须建立在数据表对象之上。

(3)窗体:Access 数据库对象中最灵活的一种对象,其数据源可以是表或查询。窗体有时被称为数据输入屏幕。可以说,窗体是数据库和用户进行交互操作的最好界面。利用窗体,用户能够从表中查询、提取所需要的数据,并将其显示出来。通过在窗体中插入宏,用户可以把 Access 的各个对象很方便地联系起来。

(4)报表:数据库应用程序通常要打印、输出数据,在 Access 中,如果要对数据库中的数据进行打印,使用报表是最简单且有效的方法。利用报表可以将数据库中需要的数据提取出来进行分析、整理和计算,并将数据以格式化的方式发送到打印机。

报表以类似 PDF 的格式显示数据。Access 在创建报表时提供了额外的灵活性。例如,可以配置报表以便列出给定表(如 Students 表)中的所有记录,也可以使报表仅包含满足特定条件的记录(如"院系 ID"为"计算机科学与技术学院"的所有学生)。为此,可以基于查询创建报表,该查询仅选择报表所需的记录。

可以在一个表或查询的基础上创建报表,也可以在多个表或查询的基础上创建报表。利用报表可以创建计算字段,还可以对记录进行分组,以便计算出各组数据的汇总等。在报表中,可以控制显示的字段、每个对象的大小和显示方式,还可以按照所需的方式来显示相应的内容。

(5)宏:Access 数据库中的一个基本对象。宏是指一个或多个操作的集合,其中单个操作实现特定的功能,如打开某个窗体或打印某个报表。某些普通的、需要多个指令连续执行的任务利用宏通过一条指令就能自动完成。例如,可创建某个宏,在用户单击某个命令按钮时运行该宏,打印某个报表。因此,宏可以看作一种简化的编程语言。利用宏,用户不必编写任何代码,就可以实现一定的交互功能。

通过宏,可以实现的功能主要有以下几项:

①打开或关闭数据表、窗体,打印报表和执行查询。
②弹出提示信息框,显示警告。
③实现数据的输入和输出。
④在数据库启动时执行操作等。
⑤查找数据。

Microsoft Office 系列产品提供的所有工具中都有宏功能。利用宏可以简化这些操作,使大量重复性操作自动完成,从而使管理和维护 Access 数据库更加简单。

宏可以是包含一个操作序列的宏,也可以是若干个宏的集合所组成的宏组。一个宏或宏组的执行与否还可以通过一个条件表达式是否成立予以判断,即可以通过给定的条件来决定在哪些情况下运行宏。

(6)模块:Access 数据库中的一个基本对象。在 Access 中,不仅可以从宏列表中以选择的方式创建宏,还可以利用 VBA 编程语言编写过程模块。

模块是将 VBA 的声明、语句和过程作为一个单元进行保存的集合,也就是程序的集合。创建模块对象的过程也就是使用 VBA 编写程序的过程。Access 中的模块可以分为类模块和标准模块两种。类模块中包含各种事件过程;标准模块中包含与任何其他特定对象无关的常规过程。

尽管 Microsoft 在推出 Access 产品之初就将该产品定位为不用编程的数据库管理系统,但实际上,要在 Access 的基础上进行二次开发来实现一个数据库应用系统,用 VBA 编写适当的程序是必不可少的。也就是说,开发的一个 Access 数据库应用系统,其间必然包括 VBA 模块对象。

第10章 前沿技术

所谓前沿技术是指高技术领域中具有前瞻性、先导性和探索性的重大技术,是未来高技术更新换代和新兴产业发展的重要基础,是国家高技术创新能力的综合体现。选择前沿技术的主要原则:一是代表世界高技术前沿的发展方向;二是对国家未来新兴产业的形成和发展具有引领作用;三是有利于产业技术的更新换代,实现跨越发展;四是具备较好的人才队伍和研究开发基础。根据以上原则,要超前部署一批前沿技术,发挥科技引领未来发展的先导作用,提高我国高技术的研究开发能力和产业的国际竞争力。目前前沿技术包含生物技术、信息技术、新材料技术、先进制造技术、先进能源技术、海洋技术、激光技术、空天技术这八大类。在这里编者选择与计算机关系最密切的信息技术进行介绍,其他技术同样也与计算机相关,感兴趣的读者可以自行了解。

信息技术将继续向高性能、低成本、普适计算和智能化等主要方向发展,寻求新的计算与处理方式和物理实现是未来信息技术领域面临的重大挑战。纳米科技、生物技术与认知科学等多学科的交叉融合,将促进基于生物特征的、以图像和自然语言理解为基础的"以人为中心"的信息技术发展,推动多领域的创新。要重点研究低成本的自组织网络、个性化的智能机器人和人机交互系统、高柔性免受攻击的数据网络和先进的信息安全系统。本章从智能感知技术、自组织网络技术以及虚拟现实技术三个方面进行介绍。

【知识要点】
- 人工智能的概念、发展简史及发展前景
- 自组织网络的定义和技术特征,自组织网络技术的未来发展趋势
- 虚拟现实技术的定义、应用领域及未来发展趋势

10.1 智能感知技术(人工智能)

人工智能是一门极富挑战性的科学,从事该行业工作的人必须具备计算机、心理学和哲学知识。人工智能是范围十分广泛的科学,它由不同的领域组成,如机器学习、计算机视觉等,总体说来,人工智能研究的一个主要目标是使机器能够胜任一些通常需要人类智能才能完成的复杂工作。但不同的时代、不同的人对"复杂工作"的理解是不同的。本节将简单介绍人工智能的概念、它的发展史、它对我们生活的影响和它的未来发展方向,让读者对人工智能有一定的认识。

10.1.1 人工智能的概念

人工智能的定义可以分为两部分,即"人工"和"智能"。"人工"比较好理解,争议也不大。总体来说,"人工"系统就是通常意义下的人工系统。"智能"就涉及其他诸如意识(consciousness)、自我(self)、思维(mind)(包括无意识的思维(unconscious mind))等问题。

人唯一了解的智能是人本身的智能,这是普遍认同的观点。但是,我们对我们自身智能的理解都非常有限,对构成人的智能的必要元素也了解有限,所以就很难定义什么是"人工"制造的"智能"了。因此,人工智能的研究往往涉及对人的智能本身的研究。其他关于动物或人造系统的智能的课题也普遍被认为是与人工智能相关的研究课题。

人类正向信息化的时代迈进,信息化是当前时代的主旋律。信息抽象结晶为知识,知识构成智能的基础。因此,信息化到知识化再到智能化,必将成为人类社会发展的趋势。人工智能已经与各门学科广泛结合并且深入社会的各个领域,它的概念、方法和技术正在各行各业广泛渗透。然而,对于什么是人工智能(或者说智力),科学界至今还没有给出令人满意的定义。有人从生物学角度将其定义为"中枢神经系统的功能",有人从心理学角度将其定义为"进行抽象思维的能力",甚至有人把它定义为"获得能力的能力",或者不求甚解地说它就是"智力测验所测量的那种东西"。这些都不能准确地说明人工智能的确切内涵。

人工智能(artificial intelligence),英文缩写为 AI,它是研究、开发用于模拟、延伸和扩展人的智能的理论、方法、技术及应用系统的一门新的技术科学。人工智能是计算机科学的一个分支,它试图了解智能的实质,并生产出一种新的能以人类智能相似的方式做出反应的智能机器,该领域的研究包括机器人、语言识别、图像识别、自然语言处理和专家系统等。"人工智能"一词最初是在 1956 年 Dartmouth 学会上被提出的。从那以后,研究者们发展了众多理论和原理,人工智能的概念也随之扩展,人工智能机器需胜任的"复杂工作"的定义也随着时代的发展和技术的进步而变化,人工智能这门科学的具体目标也自然随着时代的变化而发展。它一方面不断获得新的进展,一方面又转向更有意义、更加困难的目标。目前能够用来研究人工智能的主要物质手段以及能够实现人工智能技术的机器就是计算机,人工智能的发展史是和计算机科学与技术的发展史联系在一起的。除了计算机科学以外,人工智能还涉及信息论、控制论、自动化、仿生学、生物学、心理学、数理逻辑、语言学、医学和哲学等多门学科。

10.1.2 人工智能简史

人工智能的传说可以追溯到古埃及,随着 1941 年以来电子计算机的发展,人们最终可以创造出机器智能。在人工智能还不长的历史中,人工智能的发展比预想的要慢,但一直在前进,目前已经出现了许多 AI 程序,并且它们也影响到了其他技术的发展。

1. 计算机时代

1941 年的一项发明使信息存储和处理的各个方面都发生了革命。这项同时在美国和德国出现的发明就是电子计算机。第一台计算机要占用几间装空调的大房间,对程序员来说是场噩梦:仅仅为运行一个程序就要设置成千的线路。1949 年改进后的能存储程序的计算机使得输入程序变得简单了一些,而且计算机理论的发展使计算机科学得以产生,并最终促使人工智能出现。计算机这个用电子方式处理数据的发明,为人工智能的可能实现提供了一种媒介。

虽然计算机为 AI 提供了必要的技术基础,但直到 20 世纪 50 年代早期人们才注意到人类智能与机器之间的联系。Norbert Wiener 是最早研究反馈理论的美国人之一。人们熟悉的反馈控制的例子是自动调温器。它将收集到的房间温度与人们希望的温度进行比较,并做出反应,将加热器开大或关小,从而控制环境温度。对反馈回路的研究的重要性在于:Wiener 从理论上指出,所有的智能活动都是反馈机制的结果,而反馈机制是有可能用机器模拟实现的。这个发现对早期 AI 的发展影响很大。

1955年末，Newell和Simon做了一个名为"逻辑专家"（Logic Theorist）的程序。这个程序被许多人认为是第一个AI程序。它将每个问题都表示成一个树形模型，然后选择最可能得到正确结论的那一枝来求解问题。"逻辑专家"对公众和AI研究领域产生的影响使它成为AI发展的一个里程碑。1956年，John McCarthy组织了一次学会，将许多对机器智能感兴趣的专家学者聚集在一起进行了一个月的讨论。他请他们到佛蒙特州参加Dartmouth人工智能夏季研究会，即Dartmouth学会。从那时起，这个领域被命名为人工智能。虽然Dartmouth学会不是非常成功，但它确实集中了AI的创立者们，并为以后的AI研究奠定了基础。

Dartmouth学会后的7年中，AI研究开始快速发展。虽然这个领域还没有明确定义，学会中的一些思想已被重新考虑和使用了。Carnegie Mellon大学和MIT开始组建AI研究中心，研究面临的新挑战——建立能够更有效解决问题的系统，例如在"逻辑专家"中减少搜索、建立可以自我学习的系统等。

1957年，一个新程序——"通用解题机"（general problem solver，GPS）的第一个版本进行了测试。这个程序是由制作"逻辑专家"的同一个团队开发的。GPS扩展了Wiener的反馈原理，可以解决很多常识问题。两年以后，IBM成立了一个AI研究组。Herbert Gelernter花三年时间制作了一个解几何定理的程序。

当越来越多的程序涌现时，McCarthy正忙于一个AI史上的突破。1958年，McCarthy宣布了他的新成果——LISP语言，到今天还在被使用。"LISP"的意思是表处理（list processing），它很快就被大多数AI开发者采纳。

1963年MIT从美国政府得到一笔资助，用于研究机器辅助识别，这一研究课题吸引了来自全世界的计算机科学家，加快了AI研究的发展步伐。

2. 大量的程序

计算机时代后出现了大量的程序。其中一个著名的叫"SHRDLU"。MIT由Marvin Minsky领导的研究人员发现，面对小规模的对象，该计算机程序可以解决空间和逻辑问题。另外，在20世纪60年代末出现的"STUDENT"可以解决代数问题，"SIR"可以理解简单的英语句子。这些程序的出现对处理语言理解和逻辑有所帮助。

在20世纪70年代另一个进展是专家系统。专家系统可以预测在一定条件下某种解的概率。由于当时计算机已有巨大容量，专家系统有可能从数据中得出规律。专家系统的市场应用很广，被用于股市预测，帮助医生诊断疾病，以及帮助矿工确定矿藏位置等。这一切应用都因为专家系统存储规律和信息的能力而得以实现。

20世纪70年代许多新方法被用于AI开发，如著名的Minsky构造理论。另外，David Marr提出了机器视觉方面的新理论，如通过图像的阴影、形状、颜色、边界和纹理等基本信息辨别图像，通过分析这些信息，可以推断出图像可能是什么。同时期另一项成果是PROLOGE语言，于1972年提出。20世纪80年代，AI发展更为迅速，并更多地进入商业领域。1986年，美国AI相关软、硬件销售额高达4.25亿美元。专家系统因其效用尤其受欢迎。许多数字电气公司用XCON专家系统为VAX大型机编程。通用汽车公司和波音公司也大量依赖专家系统。为满足对计算机专家系统的需求，一些生产专家系统辅助制作软件的公司如Teknowledge和Intellicorp成立了。为了查找和改正现有专家系统中的错误，又有另外一些专家系统被设计出来。

3. 日常生活

随着人工智能的发展，人们开始感受到计算机和人工智能技术的影响。计算机技术不再只属于实验室中的研究人员。个人电脑和众多技术杂志使计算机技术展现在人们面前，进而有了像美国人工智能协会这样的组织。

其他一些 AI 领域产品也在 20 世纪 80 年代进入市场。其中一项是机器视觉。Minsky 和 Marr 的成果被用到了生产线上的相机和计算机中，进行质量控制。尽管还很简陋，这些系统已能够通过黑白分辨出物件形状的不同。到 1985 年，美国有一百多个公司生产机器视觉系统，销售额约达 8 千万美元。

AI 被引入市场后显示出其实用价值。可以确信，它将是通向 21 世纪之匙。在某些军事行动中军方的智能设备也采用了人工智能技术，并经受了战争的检验。人工智能技术被用于导弹系统和预警显示以及其他先进武器上。同时，AI 技术也进入了家庭：智能电脑的增加吸引了公众兴趣；一些面向苹果机和 IBM 兼容机的应用软件，例如语音和文字识别已可买到；使用模糊逻辑，AI 技术简化了摄像设备。对人工智能相关技术更大的需求促使新的进步不断出现。人工智能已经不可避免地改变着我们的生活。

10.1.3 人工智能的应用领域

1. 在管理系统中的应用

人工智能应用于企业管理的意义主要不在于提高效率，而在于用计算机实现人们非常需要做，但是靠人工却做不了或是很难做到的事情。把人工智能应用于企业管理中，可以数据管理和处理为中心，围绕企业的核心业务和主导流程建立若干个主题数据库，而所有的应用系统围绕主题数据库来建立和运行，换句话说，就是将企业各部门的数据进行统一集成管理，搭建人工智能的应用平台，并使之成为企业管理与决策中的关键因子。

2. 在医学领域的应用

医学专家系统是人工智能和专家系统理论与技术在医学领域的重要应用，具有极大的科研和应用价值，它可以帮助医生解决复杂的医学问题，作为医生诊断、治疗的辅助工具。事实上，早在 1982 年，美国匹兹堡大学的 Miller 就发表了著名的供内科医生咨询的 Internist 2I 内科计算机辅助诊断系统这一研究成果，由此掀起了医学智能系统开发与应用的高潮。目前，医学智能系统已因为其在医学影像方面的重要作用，被应用于内科、骨科等多个医学领域中，并在不断发展完善中。

3. 在工程领域的应用

地质勘探、石油化工等领域是人工智能发挥主要作用的领域。1978 年美国斯坦福国际研究所就研发制成了矿藏勘探和评价专家系统"PROSPECTOR"，该系统被用于勘探评价、区域资源估值和钻井井位选择等，是工程领域的首个人工智能专家系统，其发现了一个钼矿沉积资源，价值超过 1 亿美元。

4. 在技术研究中的应用

（1）在超声无损检测（non-destructive test，NDT）与无损评价（non-destructive evaluation，NDE）领域中，目前主要广泛采用专家系统方法在超声检测（ultrasonic test，UT）中对缺陷的性质、形状和大小进行判断和归类；专家运用超声无损检测仪器，以其高精度的运算、控制和逻辑判断力代替大量人的体力与脑力劳动，减少了任务因素造成的误差，提高了检测的可靠性，实现了超声检测和评价的自动化、智能化。

（2）人工智能在电子技术领域的应用可谓由来已久。随着网络的迅速发展，网络技术的安全是我们关心的重点，因此我们必须在传统技术的基础上进行网络安全技术的改进和变更,大力发展数据挖掘技术、人工免疫技术等高效的 AI 技术,并开发更高级的 AI 通用和专用的语言、应用环境以及专用机器,而人工智能技术则为此提供了可能性。

10.1.4　人工智能的影响

1. 人工智能对自然科学的影响

在需要使用数学计算机工具解决问题的学科,AI 带来的帮助不言而喻。更重要的是,AI 反过来有助于人类最终认识自身智能的形成。

2. 人工智能对经济的影响

专家系统已深入各行各业,带来巨大的宏观效益。AI 也促进了计算机工业、网络工业的发展。同时,由于 AI 在科技和工程领域的应用,它能够代替人类进行部分技术工作和脑力劳动,会带来劳务就业问题,造成社会经济结构的剧烈变化。

3. 人工智能对社会的影响

AI 为人类文化生活提供了新的模式。现有的游戏将逐步发展为更高智能的交互式文化娱乐手段,今天,游戏中的人工智能应用已经成为各大游戏制造商的开发目标。

伴随着人工智能和智能机器人的发展,人们不得不承认人工智能本身就是超前研究,需要用未来的眼光开展现代的科研,因此很可能触及伦理底线。对科学研究可能涉及的敏感问题和可能产生的冲突,人们需要及早预防,而不是等问题到了不可解决的地步才去想办法。

10.1.5　人工智能的未来发展

虽然难以下定义,但人工智能的发展已经是当前信息化社会的迫切要求,同时,研究人工智能也会对探索人类自身智能的奥秘提供有益的帮助。每一次人工智能技术的进步都将带动计算机科学的大跨步前进。如果将现有的计算机技术和人工智能技术与自然科学的某些相关领域结合,并有一定的理论实践依据,计算机将拥有一个新的发展方向。

当前人工智能的发展方向可以分为两种:一种是受控于人类的智能机器或智能程序,人类输入指令后让其达到预期的目的;另一种是能自主推理、判断、学习、进步的智能机器。后一种更有吸引力,更增加了人工智能的无穷魅力。

人工智能是研究使计算机来模拟人的某些思维过程和智能行为(如学习、推理、思考、规划等)的学科,主要包括计算机实现智能的原理、制造类似人脑智能的计算机,使计算机能实现更高层次的应用。人工智能几乎涉及自然科学和社会科学的所有学科,如计算机科学、心理学、哲学和语言学等。其范围已远远超出计算机科学的范畴,它并不像很多人想象的那样是几个科学家的工作,而是随着社会各学科发展而默默发展的。在智能领域最关键的问题之一就是机器学习的问题。一旦机器有了学习的能力,未来将无法预测。人类社会其实也是在不断积累中发展而来的,人的智能就是事实依据库和推理机制所构成的。当所有领域的定律都能用特定的公式推理出来时,"黑客帝国"就要到来了。

研究人工智能的目的,一方面是要创造出具有智能的机器,另一方面是要弄清人类智能的本质,因此,人工智能既属于工程的范畴,又属于科学的范畴。研究和开发人工智能,可以辅助、部分替代甚至拓宽人类的智能,使计算机更好地造福人类。

目前,人工智能的研究是与具体领域相结合进行的。基本上有如下领域。

1. 专家系统

专家系统是依靠人类专家已有的知识建立起来的知识系统,目前专家系统是人工智能研究中开发较早、较活跃、成果较多的领域,被广泛应用于医疗诊断、地质勘探、石油化工、军事、文化教育等各方面。它是在特定的领域具有相应的知识和经验的程序系统,它应用人工智能技术模拟人类专家解决问题时的思维过程,来求解领域内的各种问题,达到或接近专家的水平。

2. 机器学习

机器学习的研究主要在以下三个方面进行:一是人类学习的机理和人脑思维的过程;二是机器学习的方法;三是针对具体任务的学习系统的建立。

机器学习的研究是在信息科学、脑科学、神经心理学、逻辑学、模糊数学等多种学科的基础上,依赖于这些学科而共同发展的,目前已经取得很大的进展,但还没能完全解决问题。

3. 模式识别

模式识别研究如何使机器具有感知能力,主要研究视觉模式和听觉模式的识别,如识别物体、地形、图像、字体(如签名)等。在日常生活各方面以及军事上都有广泛的用途。近年来迅速发展起来的用模糊数学模式和人工神经网络模式的识别方法逐渐取代了传统的用统计模式和结构模式的识别方法,特别是神经网络方法在模式识别中取得了较大进展。

4. 人工神经网络

人工神经网络是在研究人脑的奥秘时得到的启发,试图用大量的处理单元(人工神经元、处理元件、电子元件等)模仿人脑神经系统工程结构和工作机理。

在人工神经网络中,信息的处理是由神经元之间的相互作用来实现的,知识与信息的存储表现为网络元件间分布式的物理联系,网络的学习和识别取决于各神经元连接权值的动态演化过程。

人工智能研究的近期目标是使现有的计算机不仅能做一般的数值计算及非数值信息的数据处理,而且能运用知识处理问题,能模拟人类的部分智能行为。按照这一目标,其远期目标是根据现行的计算机的特点研究实现智能的有关理论、技术和方法,建立相应的智能系统,例如目前研究开发的专家系统、机器翻译系统、模式识别系统、机器学习系统、机器人等。随着社会的发展与技术的进步,人工智能的发展是任何人都无法想象的,专家总结并预测,人工智能发展是在四个阶段中不断发展、进步的:

(1)应用阶段(1980年至今)。

在这一阶段里,人工智能技术在军事、工业和医学等领域中的应用显示出它具有的明显的经济效益潜力。适合人们投资的这一"新天地"浮出了水面。

(2)融合阶段(2010—2020年)。

①在某些城市,立法机关将主要采用人工智能专家系统来制定新的法律。

②人们可以用语言来操纵和控制智能化计算机、互联网、收音机、电视机和移动电话,远程医疗和远程保健等远程服务变得更为完善。

③智能化计算机和互联网在教育中扮演了重要角色,远程教育十分普及。

④随着信息技术、生物技术和纳米技术的发展,人工智能科学逐渐完善。

⑤大脑芯片继续发展。科学家们希望通过许多植入了芯片的人体组成人体通信网络(以后甚至可以不用植入任何芯片),比如,将微型超级计算机植入人脑,人们就可通过植入的芯片直接进行通信。

⑥量子计算机和DNA计算机有更大发展,能够提高智能化水平的新型材料不断问世。

⑦抗病毒程序可以防止各种非自然因素引发灾难。

⑧随着人工智能的加速发展,新制定的法律不仅可以用来更好地保护人类健康,而且能大幅度提高全社会的文明水准。比如,法律可以保护人们免受"电磁烟雾"的侵害,可以规范家用机器人的使用,可以更加有效地保护数据,可以禁止计算机合成技术在一些文化和艺术方面的应用(比如禁止合成电视名人),可以禁止编写具有自我保护意识的计算机程序。

(3)自我发展阶段(2020—2030年)。

①智能化计算机和互联网既能自我修复,也能自动进行科学研究,还能自己生产产品。

②一些新型材料的出现,促使智能化向更高层次发展。

③用可植入芯片实现人类、计算机和鲸目动物之间的直接通信,在以后的发展中甚至不用植入芯片也可实现此项功能。

④制定机器人相关的新的法律来约束机器人的行为,使人们不受机器人的侵害。

⑤研究高水准的智能化技术,使火星表面环境适合人类居住和发展。

(4)升华阶段(2030—2040年)。

①信息化的世界进一步发展成全息模式的世界。

②人工智能系统可从环境中采集全息信息,身处某地的人们可以更容易地了解和知晓其他地方的情况。

③人们对一些目前无法解释的自然现象会有更清楚的认识和更完善的解释,并将这些全新的知识应用在医疗、保健和安全等领域。

④人工智能可以模仿人类的智能,因此要用有关法律来规范人工智能行为。

10.2 自组织网络技术

自组织网络(Ad Hoc网络)原来只是特指无线自组织网络,随着P2P等具有明显自组织特性的网络的出现,自组织网络的概念逐渐宽泛化,不但包括通常所指的无线自组织网络,而且包括具有自组织特性的P2P网络和IP网络(IP动态路由)。通过与其他技术交叉与融合,自组织网络目前还会涉及RFID网络、网格技术等。作为一种多跳临时性自治系统,自组织网络在军事、民用、商用等许多方面都具有独特优势,随着移动技术的不断发展,人们的自由通信需求日益增长,Ad Hoc网络会受到更多的关注,得到更快速的发展和普及。

10.2.1 自组织网络的定义及技术特征

1. 自组织网络的定义

自组织网络是一种多跳临时性自治系统,它的原型是美国早在1968年建立的ALOHA网络和之后于1973提出的PR网络。IEEE在开发802.11标准时,提出将PR网络改名为Ad Hoc网络,也即今天我们常说的(移动)自组织网络。

一方面,Ad Hoc网络信息交换采用了计算机网络中的分组机制,而不是电话交换网中的电路交换机制;另一方面,用户终端是可以移动的便携式终端,如笔记本、手机等,用户可以随时处于移动或者静止状态。Ad Hoc网络中的每个用户终端都兼有主机和路由器两种功能。作为主机,终端可以运行各种面向用户的应用程序;作为路由器,终端需要运行相应的路由协议。这种分布式控制和无中心的网络结构能够在部分通信网络遭到破坏后维持剩余部分的通信能力,具有很强的健壮性和抗毁性。

作为一种分布式网络,Ad Hoc 网络的整个网络没有固定的基础设施,能够在不能利用或者不便利用现有网络基础设施(如基站)的情况下,提供终端之间的相互通信。由于终端的发射功率和无线覆盖范围有限,距离较远的两个终端如果要进行通信就必须借助其他节点进行分组转发,这样节点之间构成了一种无线多跳网络。网络中的移动终端具有路由和分组转发功能,可以通过无线连接构成任意的网络拓扑。Ad Hoc 网络既可以作为单独的网络独立工作,也可以以末端子网的形式接入现有网络,如 Internet 和蜂窝网。

2. 自组织网络的技术特征

Ad Hoc 网络能够利用移动终端的路由转发功能,在无基础设施的情况下进行通信,从而解决了无网络通信基础设施可使用的问题。自组织网络技术为计算机支持的协同工作系统提供了一种解决途径,主要特点有:

(1)网络拓扑结构动态变化。在自组织网络中,由于用户终端的随机移动、节点的随时开机和关机、无线发信装置发送功率的变化、无线信道间的相互干扰以及地形等综合因素的影响,移动终端间通过无线信道形成的网络拓扑结构随时可能发生变化,而且变化的方式和速度都是不可预测的。

(2)无中心。自组织网络没有严格的控制中心,所有节点的地位是平等的,是一种对等式网络。节点能够随时加入和离开网络,任何节点的故障都不会影响整个网络的运行,具有很强的抗毁性。

(3)多跳。由于移动终端的发射功率和覆盖范围有限,终端要与覆盖范围之外的终端进行通信时,需要利用中间节点进行转发。值得注意的是,与一般网络中的多跳不同,自组织网络中的多跳路由是由普通节点共同协作完成的,而不是由专门的路由设备完成的。

(4)无线传输带宽有限。无线信道本身的物理特性决定了自组织网络的带宽比有线信道要低很多,而竞争、共享无线信道产生的碰撞、信号衰减、噪声干扰及信道干扰等因素使得移动终端的实际带宽远远小于理论值。

(5)移动终端具有局限性。自组织网络中的移动终端(如笔记本电脑、手机等)具有灵巧、轻便、移动性好等优点,但同时其受电量有限、内存小、CPU 性能低等限制,我们在开发应用程序时,需要考虑这些因素。

(6)生存周期短。Ad Hoc 网络主要用于临时的通信需求,相对于有线网络,它的生存时间一般比较短。

10.2.2 自组织网络技术的应用领域

Ad Hoc 网络技术的应用范围很广,总体来说,它可以用于符合以下特点的场合:①没有有线通信设施的地方,如没有建立硬件通信设施或有线通信设施遭受破坏;②需要分布式特性的网络通信环境;③现有有线通信设施不足,需要临时快速建立一个网络通信的环境;④作为生存性较强的后备网络。

1. 军事通信

在现代化的战场上,由于没有基站等基础设施可以利用,装备了移动通信装置的军事人员、军事车辆以及各种军事设备之间可以借助移动自组织网络进行信息交换,以保持密切联系,协同完成作战任务;装备了音频传感器和摄像头的军事车辆和设备也可以通过移动自组织网络将目标区域收集到的位置和环境信息传输到处理节点;需要通信的舰队战斗群之间也可以通过移动自组织网络建立通信,而不必依赖陆地或者卫星通信系统。移动自组织网络技术已成为美军战术互联网的核心技术,美军的数字电台和无线互联网控制器等主要通信装备都使用了移动自组织网络技术。

2. 移动会议

当前,人们经常携带笔记本、个人数字助理(personal digital assistant,PDA)等便携式终端参加各种会议,通过移动自组织网络技术,可以在不借助路由器、集线器或基站的情况下,将各种移动终端快速组织成无线网络,以完成提问、交流和资料的分发。

3. 移动网络

移动终端一般没有与拓扑相关的固定 IP 地址,所以通过传统的移动 IP 协议无法为其提供连接,需要采用移动多跳方式联网。由于采用的是平面拓扑,没有地址变更的问题,这些移动终端仍然能像在标准的计算机环境中一样工作。

此外,在实际应用中,移动自组织网络除了可以单独组网实现局部通信以外,还可以作为末端子网,通过网关连接到现有的网络基础设施上,例如 Internet 或者蜂窝网。作为末端子网,它只允许产生于自治系统内部节点或者目的地是自治系统内部节点的信息进出,而不准许其他信息穿越自治系统。由此可见,移动自组织网络可以成为各种通信网络的一种无线接入手段。

4. 连接个域网络

个域网络(personal area network,PAN)只包含与某个人密切相关的装置,这些装置无法与广域网连接。蓝牙技术是当前的一种典型的个域网技术,但是它只能实现室内近距离通信,因此,使用移动自组织网络就为建立 PAN 与 PAN 之间的多跳互联提供了可能。

5. 紧急服务和灾难恢复

在自然灾害或其他各种原因导致网络基础设施出现故障而无法使用时,快速恢复通信是非常重要的。借助移动自组织网络技术,能够快速建立临时网络,延伸网络基础设施,从而减少营救时间和灾难带来的危害。

6. 无线传感器网络

无线传感器网络是移动自组织网络技术的一大应用形式。传感器网络使用无线通信技术,发射功率较小,只能采用多跳转发方式进行通信。分布在各处的传感器节点自组织成网络,以完成各种应用任务。

10.2.3 自组织网络技术的未来发展

针对目前自组织网络的研究热点与存在的突出问题,在未来自组织网络的技术发展与试验中应注意以下几点:

(1)加强技术研究,探索技术方向,寻求技术突破,为大规模商业化应用时代的到来做准备。

①对超前市场的新技术,企业投资研发的力度一般都很小,这时候政府要充分发挥对新技术、新业务的引导作用,设置专项课题提供资金支持。目前我国"863 计划"中已经连续几年设置了自组织网络的研究课题,但是通过课题指南和项目批复来看,项目支持的技术方向并不明确。以后应该加强 Ad Hoc 网络安全、服务质量、与其他网络融合、与 RFID 结合等方面的支持力度,对关键问题进行聚焦,争取在这些核心问题上取得突破。

②在技术研发过程中,需要通过标准、知识产权、产业政策等手段加强产、学、研等方面

相结合的力度,鼓励结成战略联盟,提倡联合攻关、联合资助、优势互补,加快和提高科研成果的生产力转化速度和质量。

③在国内启动相关技术标准(包括应用场景、技术需求、体系结构、关键模块、组网方式、检测试验等方面的技术标准)的研究制定工作,积极参与相关国际标准化进程。

(2)加强对 Ad Hoc 网络安全保障机制的研究,解决安全隐患,消除用户使用顾虑。

安全性是决定 Ad Hoc 网络潜能能否得到充分发挥的关键。由于不依赖固定基础设施,相对于固定 IP 网络,Ad Hoc 网络更易受到各种安全威胁和攻击,而且传统网络的安全解决方案不能直接应用于 Ad Hoc 网络,现存的用于 Ad Hoc 网络的大多协议和提案也没有很好地解决安全问题。因此,要加强对 Ad Hoc 网络安全保障机制的研究,消除产业化道路上的关键障碍。

(3)寻找 Ad Hoc 网络与其他通信网络的融合之路,探索新的商业模式。

①在网络融合的发展趋势下,封闭的 Ad Hoc 网络只有与其他网络互联互通才能发挥更大的作用。因此,要加强对 Ad Hoc 网络与 IP 网络、3G、4G、UWB 等无线网络的融合方式的研究。

②具有自组织特性的网络越来越多(如 P2P 网络、分布动态路由协议等),要加强对这些网络内在自组织机制和特性的研究,争取形成新的网络基础理论,从而对未来承载网和业务网的发展提供理论基础。

③要加强对 Ad Hoc 网络应用场景与应用需求的研究,重点研究 Ad Hoc 网络如何与应急通信需求、物联网需求相结合,结合下一代网络框架,探索新的应用领域和产业链各方的合作模式。

④在下一代网络、下一代互联网、网络通信基础设施上,建立面向不同应用背景的 Ad Hoc 试验网络和相应的应用系统,分别提供商业应用、企业应用(企业内部通信)、社会公共服务等,重点探索 Ad Hoc 网络在企业内部的应用方式。

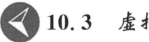

10.3 虚拟现实技术

虚拟现实技术又称灵境技术,是 20 世纪发展起来的一项全新的实用技术。虚拟现实技术囊括计算机、电子信息、仿真等技术,其基本实现方式是计算机模拟虚拟环境,从而给人以环境沉浸感。随着社会生产力和科学技术的不断发展,各行各业对虚拟现实技术的需求日益旺盛。虚拟现实技术也取得了巨大进步,并逐步成为一个新的科学技术领域。

10.3.1 虚拟现实技术的概念

所谓虚拟现实(VR),顾名思义,就是虚拟和现实相互结合。从理论上来讲,虚拟现实技术是一种可以创建和体验虚拟世界的计算机仿真系统,它利用计算机生成一种模拟环境,使用户沉浸到该环境中。虚拟现实技术就是利用现实生活中的数据,通过计算机技术产生电子信号,将数据与各种输出设备结合,使其转化为能够被人们感受到的现象,这些现象可以是现实中真真切切的物体,也可以是我们肉眼所看不到的物质,通过三维模型表现出来。这些现象不是我们直接能看到的,而是通过计算机技术模拟出来的现实中的世界。

虚拟现实技术受到了越来越多人的认可,用户可以在虚拟现实世界体会到真实的感受,其模拟环境的真实性与现实世界难辨真假,让人有种身临其境的感觉;同时,虚拟现实可唤起一切人类所拥有的感知功能,比如听觉、视觉、触觉、味觉、嗅觉等;最后,它具有超强的仿真系统,真正实现了人机交互,人在体验过程中可以随意操作并且得到环境真实的反馈。正是由于虚拟现实技术具有存在性、多感知性、交互性等特征,它受到了许多人的喜爱。

虚拟现实技术具有超越现实的虚拟性。它是伴随多媒体技术发展起来的计算机新技术,它利用三维图形生成技术、多传感器交互技术以及高分辨率显示技术,生成三维逼真的虚拟环境,用户需要通过特殊的交互设备才能进入虚拟环境。这是一种崭新的综合性信息技术,它融合了数字图像处理、计算机图形学、多媒体技术、传感器技术等多个信息技术分支,从而大大推进了计算机技术的发展。它的一个主要功能是生成虚拟境界的图形,故又被称为图形工作站。目前在此领域应用最广泛的是 SGI、SUN 等生产厂商生产的专用工作站,但近年来基于 Intel 奔腾Ⅲ代(或Ⅳ代)芯片和图形加速卡的微机图形工作站性能价格比优异,有可能异军突起。图像显示设备是用于产生立体视觉效果的关键外设,目前常见的产品包括光阀眼镜、三维投影仪和头盔式显示器等。其中头盔式显示器在屏蔽现实世界的同时,可提供高分辨率、大视野的虚拟场景,并带有立体声耳机,可以使人产生强烈的浸没感。其他外设主要用于实现与虚拟现实的交互功能,包括数据手套、三维鼠标、运动跟踪器、力反馈装置、语音识别与合成系统等。虚拟现实技术的应用前景十分广阔,它始于军事和航空航天领域的需求,近年来已大步走进工业、建筑设计、教育培训、文化娱乐等领域。它正在改变着我们的生活。

"虚拟"与"现实"两词具有相互矛盾的含义,把这两个词放在一起,似乎没有意义,但是科学技术的发展却赋予了它们新的含义。虚拟现实的定义尚不明确,按最早的说法,虚拟现实又称假想现实,意味着"用电子计算机合成的人工世界"。由此可以清楚地看到,VR 领域与计算机有着不可分离的密切关系,信息科学是合成虚拟现实的基本前提。

10.3.2 虚拟现实技术的发展简史

虚拟现实的概念源自 1965 年美国学者 Ivan Sutherland 在 IFIP 会议上发表的题为 The Ultimate Display(《终极的显示》)的论文。论文中提出,人们可以把显示屏当作一个"通过它观看虚拟世界的窗口",以此开创了研究虚拟现实的先河。1968 年 Ivan Sutherland 研究成功头盔显示装置和头部及手部跟踪器。由于技术上的原因,20 世纪 80 年代以前,VR 技术发展缓慢,直到 20 世纪 80 年代后期,信息处理技术的飞速发展促进了 VR 技术的进步。20 世纪 90 年代初国际上出现了 VR 技术的热潮,VR 技术开始成为独立研究开发的领域。VR 技术的发展具体可以划分为以下四个阶段:

(1)第一阶段(1963 年以前),有声形动态的模拟,是蕴涵虚拟现实思想的阶段。

1929 年,Edward Link 设计出用于训练飞行员的模拟器;1956 年,Morton Heilig 开发出多通道仿真体验系统"Sensorama"。

(2)第二阶段(1963—1972 年),虚拟现实萌芽阶段。

1965 年,Ivan Sutherland 发表论文,提出了虚拟现实的雏形;1968 年,Ivan Sutherland 研制成功了带跟踪器的立体头盔式显示器(head mounted display,HMD);1972 年,Nolan Bushell 开发出第一个交互式电子游戏"Pong"。

(3)第三阶段(1973—1989 年),虚拟现实概念产生和理论初步形成的阶段。

1977 年,Dan Sandin 等研制出传感手套"Sayre Glove";1984 年,NASA Ames 研究中心开发出用于火星探测的虚拟环境视觉显示器;1984 年,VPL 公司的 Jaron Lanier 首次正式提出"虚拟现实"的概念;1987 年,Jim Humphries 设计了双目全方位监视器(binocular omni-orientation monitor,BOOM)的原型。

(4)第四阶段(1990年至今),虚拟现实理论进一步完善和应用的阶段。

1990年,有学者提出VR技术包括三维图形生成技术、多传感器交互技术和高分辨率显示技术;VPL公司开发出"Data Gloves"和HMD"EyePhoncs"。21世纪以来,VR技术高速发展,软件开发系统不断完善,如MultiGen Vega、Open Scene Graph、Virtools等。

10.3.3 虚拟现实技术的应用领域

早在20世纪70年代,人们便开始将虚拟现实技术用于培训宇航员。由于这是一种省钱、安全、有效的培训方法,现在已被推广到各行各业的培训中。目前,虚拟现实技术已被推广到不同领域中,得到广泛应用。

1. 在影视娱乐领域的应用

虚拟现实技术在影视业被广泛应用,以虚拟现实技术为主而建立的第一现场9D VR体验馆得以投入使用。第一现场9D VR体验馆自建成以来,在影视娱乐市场中的影响力非常大,此体验馆可以让观影者体会到置身于真实场景的感觉,沉浸在影片所创造的虚拟环境之中。同时,随着虚拟现实技术的不断创新,此技术在游戏领域也得到了快速发展。虚拟现实技术是利用电脑产生的三维虚拟空间,而三维游戏刚好是建立在此技术之上的。三维游戏几乎包含了虚拟现实的全部技术,这使得游戏可保持实时性和交互性,也大幅提升了游戏的真实感。

2. 在教育领域的应用

如今,虚拟现实技术已经成为促进教育发展的一种新型教育手段。传统的教育只是一味地给学生灌输知识,而现在利用虚拟现实技术可以打造生动、逼真的学习环境,使学生通过真实感受来增强记忆。相比于被动性灌输,利用虚拟现实技术来进行自主学习更容易让学生接受,这种方式更容易激发学生的学习兴趣。此外,各大院校还利用虚拟现实技术建立了与学科相关的虚拟实验室来帮助学生更好学习。

3. 在设计领域的应用

虚拟现实技术在设计领域小有成就,例如室内设计,人们可以利用虚拟现实技术把室内结构、房屋外形等表现出来,使之变成看得见的物体和环境。同时,在设计初期,设计师可以将自己的想法通过虚拟现实技术模拟出来,客户可以在虚拟环境中预先看到室内的实际效果,这样既节省了时间,又降低了成本。

4. 在医学领域的应用

医学专家们利用计算机和虚拟现实技术在虚拟空间中模拟出人体组织和器官,让学生进行模拟操作,能让学生感受到手术刀切入人体肌肉组织、触碰到骨头的感觉,使学生能够更快地掌握手术要领。另外,主刀医生们在手术前也可以建立一个病人身体的虚拟模型,在虚拟空间中先进行一次手术预演,这样能够大大提高手术的成功率,让更多病人得以被治愈。

5. 在军事领域的应用

由于虚拟现实具有立体感和真实感,在军事方面,人们将地图上的山川地貌、海洋湖泊等数据通过计算机进行采集,利用虚拟现实技术,将原本平面的地图变成立体的地形图,再通过全息技术将其投影出来,这更有助于进行军事演习等训练,提高我国的综合国力。

除此之外,现在的战争是信息化战争,战争机器都朝着自动化方向发展,无人机便是信息化战争的典型产物。无人机由于它的自动化以及便利性深受各国喜爱,在战士训练期间,可以利用虚拟现实技术去模拟无人机的飞行、射击等模式。战争期间,战士也可以通过眼镜、头盔等设备操控无人机进行侦察和暗杀任务,减小战争中战士的伤亡率。由于虚拟现实技术能将无人机拍摄到的场景立体化,降低操作难度,提高侦查效率,无人机和虚拟现实技术的发展刻不容缓。

6. 在航空航天领域的应用

由于航空航天是一项耗资巨大、非常烦琐的工程,人们利用虚拟现实技术和计算机进行统计模拟,在虚拟空间中重现了现实中的航天飞机与飞行环境,飞行员在虚拟空间中进行飞行训练和实验操作,极大地降低了训练与实验的经费和危险系数。

10.3.4 虚拟现实技术的未来发展

即使 VR 技术前景较为广阔,但作为一项高速发展的科学技术,其自身的问题也渐渐浮现,例如产品回报稳定性的问题、用户视觉体验问题等。对于 VR 企业而言,如何突破目前 VR 发展的瓶颈,让 VR 技术成为主流,仍是亟待解决的问题。

部分用户使用 VR 设备会有眩晕等不适之感,这也造成其体验不佳的问题。部分原因是清晰度不足及刷新率无法满足要求。研究显示,14K 以上的分辨率才能基本使大脑认同,但就目前来看,大部分 VR 设备远达不到这一要求。消费者的不适感可能使其对 VR 技术产生是否会对自身身体健康造成损害的担忧,这必将影响 VR 技术未来的发展与普及。

VR 体验的高价位同样是制约其扩张的原因之一。在国内市场中,VR 眼镜价位一般在三千元左右。当然这并非短时间内可以解决的问题,用户如果想得到高端的视觉享受,必然要为 VR 眼镜内部高端的电脑支付高昂的费用。若想要使虚拟现实技术得到推广,确保其内容的产出和回报率的稳定十分关键。所涉及内容的制作成本与体验感决定了消费者接受 VR 设备的程度,而对于其高成本的内容,回报率难以预估。这对 VR 原创内容的产生无疑加大了难度。

参 考 文 献

[1] 周昕,任百利,贾冬梅.计算机网络与通信技术应用教程[M].北京:清华大学出版社,2021.
[2] 郭晶晶,饶彬.大学计算机基础[M].北京:中国铁道出版社,2018.
[3] 谢希仁.计算机网络[M].6版.北京:电子工业出版社,2013.
[4] 周星宇.大学计算机基础教程[M].北京:清华大学出版社,2020.
[5] 刘靖宇,唐宏维.计算机应用基础(Windows 8+Office 2013版)[M].北京:清华大学出版社,2017.
[6] 王晓东.计算机算法设计与分析[M].5版.北京:电子工业出版社,2018.
[7] 夏耘,黄小瑜.计算思维基础[M].北京:电子工业出版社,2012.
[8] 陈国良.计算思维导论[M].北京:高等教育出版社,2012.
[9] 段善荣,厉阳春,钱涛,等.C语言程序设计项目教程[M].北京:人民邮电出版社,2013.
[10] 马利,范春年,江结林.计算思维导论[M].北京:清华大学出版社,2020.